チャイナウオッチ
矢吹晋著作選集 3
市場経済

未知谷
Publishers Michitani

チャイナウオッチ
矢吹晋著作選集　3

市場経済

目次

中国市場経済の行方　259

チャイナウオッチ
矢吹晋著作選集

3

市場経済

凡例

・原載における誤植、誤字・脱字などは訂正した。
・表記は基本的に原載どおりとしたが、一部の語句は漢字表記を仮名表記に、仮名表記を漢字表記に改めた。なお一部については記述を改めた箇所がある。
・全巻の体裁を整えるため大小を問わず見出しは改めた箇所がある。
・常用漢字以外の略字は、表外漢字字体表に基づいて改めた。
・送り仮名は基本的に「送り仮名の付け方」（内閣告示、１９７３年）に基づいた。
・引用文中の省略の示し方は〔中略〕に揃えた。
・数字表記、また記号類については一部改めた箇所がある。
・著作名・組織名・人名などの表記は基本的に全巻揃えるようにした。
・中国・香港・台湾発行の書籍名および論文名は原書どおりとするよう揃えた（ただし簡体字・繁体字は表外漢字字体表に基づいて改めた）。なお初出時に邦訳名のみ記されているものは邦訳ままとしたものがある。
・慣用されていない中国語句は基本的に日本語句に差し替えた。
・原載の脚注以外に編者による注を付加した。なお編者による注は山括弧〈　〉を用いて示した。
・各著作冒頭の前文は編者による。

経済改革に至る背景

共和国建国の一九四九年から毛沢東が亡くなる一九七六年まで、中国の経済体制の変遷は権限の下放と再集中（あるいは集中と下放）を繰り返す試行錯誤の過程であった。改革派と保守派のきびしい緊張関係の中、中共中央が経済改革にゴーサインを出すのは七八年一二月の三中全会であるが、その二カ月前には省第一書記を務めていた趙紫陽のリーダー・シップのもと、四川省では全国に先がけてすでに試行が始まっていた。後半では、スターリン経済学を批判して経済体制改革を強く主張し、文革中は逮捕されるなど苦難の道を歩んだ孫治方を論じ、馬寅初の人口抑制論を批判した毛沢東の人口論に言及する。

一　経済調整の背景

1　調整はなぜ順調に進まなかったのか

一九七九年の五月から一年半ほど、外務省特別研究員として香港に行っておりまして、講義の義務その他から解放されて、一年半ゆっくり『人民日報』などを読む時間を与えられました。そこで中国の経済を遠望して考えたことをこれから申し上げます。この学会は、かならずしも中国関係の方だけではないと存じますので、簡単に経緯から御説明いたします。

七六年九月九日に毛沢東主席がなくなり、華国鋒新主席が毛沢東のあとを継ぐことになります。それから一年半、七八年の二〜三月に日本の国会にあたる全国人民代表大会（以下「全人代」と略す）が開かれ、そこで「一〇カ年計画」を公表します。文革の後遺症を除けば、トラブルの発端はこの「一〇カ年計画」にあった。社会主義は計画経済を一つの柱とするわけですから、本来であればきちんとした計画、資本主義におけるガイドポスト的な、デコラティブな計画とはちがって実行の裏付けのある計画が出されてしかるべきでありますけれども、実際はこの計画はそういうものでは全くなかったということがあとで暴露されます。

一例をあげますと、「大慶油田を一〇個作る」というようなことが計画にあげられておりましたが、これは全く根拠のないものであったと今批判されております。当時から「野心的すぎる」といった表現で実現可能性について疑問が投げかけられておりましたが、果たして事実となって明らかになった。要するに、この計画は根拠の乏しいもので十分な裏付けをもったものではなかった。政治的なスローガンといった性格の強いものであったということであります。本来ならば、この時点で文革一〇年——経済の面でもかなり混乱し、経済建設も停滞していたわけですから、ただちに調整に取り組むべきであった。そういうときに、つまり、調整あるいは引き締めの必要なときに過大な計画を打ち出したということに今回の問題の出発点があろうかと思います。そういう意味で非常に問題の多い計画だった。しかし、それが正式に政府から発表されますと、地方レベル、あるいは企業レベル（現場レベルと言ってもよい）は動きだす。

この計画の中では、今世紀末に世界の最先端に到達するという目標が掲げられていたわけですから、それに向けて走りだしたということであります。ところが走り出したとたんに、建設資材、鋼材が足りない、セメントが足りない、木材が足りない、という問題が表面化してくる。七八年の一二月に一一期三中全会（中国共産党第一一期中央委員会第三回全体会議）が開かれ、ここで陳雲副総理が表舞台に登場して、調整を呼びかける。その結果七九年初めにプラント契約の一時凍結という形でシグナルが出る。後知恵になりますが、あの時点で、中国経済の実情を見極めていれば、今回のようなプラント騒ぎにはならないですんだと思われます。実際には、日本側は金がないのであれば金をつけてやろう、現金払いが無理なら延払いに切り換えるというふうな知恵を授けてやることによってプラント凍結解除を迫った。今からみれば賢明な判断であったとはいえますまい。おそらく、中国経済の実情について楽観論が支配的だった結果としてこういうことになったと思われます。

七八年一二月から、調整が呼びかけられますが、それからまるまる二年、調整は順調に進まなかった。なぜ進まなかったのか？　一番大きい問題は、調整方針の提起の仕方がよくなかった、あるいは調整とは何かについての理解が非常に不十分であったということに求められると思います。具体的に申しますと、七八年の全人代第一次会議で提起された「今世紀末に世界の最先端へ」という抽象的なスローガン、そして「八五年目標」――八五年到達目標としてたとえば食糧四億トン、粗鋼生産量が六〇〇〇万トンといった具体的な数字を掲げていたこれらの目標については、何も言わないままに、三カ年の調整（七九年から八〇年、八一年の三カ年）を打ち出した。つまり「調整」と「八五年目標」との関係は明確にされなかった。したがって、現場から言いますと、調整だからお前のプロジェクトをやめろといわれたとしても二～三年経って再開せよと指令されるかもしれない。そういう場合、いったんそのプロジェクトをやめますと、人員はどこか別の所に助っ人に行くことになるでしょうし、資材もそちらにまわすようなことになるかもしれない。現場の当事者としてはまたやりなさいと言われたときに困るわけですね。そうなってきますと、自分のところは建設や生産をやめないで雲行きをみる。やめないどころか、予定より着工を早めることによって既成事実を作ってしまう。そして自分のプロジェクトは必要だと主張する。こうして建設資材の奪い合いが激しくなっていく。奪い合いが始まると、不足がますます激化する。非常にわかりやすい例で言えば、日本のかつてのトイレットペーパー騒ぎに似ていると思います。

足りないとなると、必要に備えて余分にかかえておかなきゃいけない。そうすると、目先のきく人は沢山かかえることになる。逆にちょっとボヤッとしていると、買い損ねる。こうして、まさに流通する生産物が不足であるがゆえに、不足が不足を呼ぶという悪循環がおこるわけでありまして、そういう状況が七八年、七九年、八〇年と三カ年にわたって続いてきたということだろうと思います。

例をあげて具体的に申しますと、たとえば八〇年の基本建設投資は、約五〇〇億元でありましたが、この五〇〇億元の投資に、必要な鋼材はだいたい六〇〇万トンで、それから木材は一五〇〇万立方メートル、セメントが二五〇〇万トンであります。ところが、実際に供給できたのは、鋼材で八六%、木材で六二%、セメントで六六%といったありさまで、需要より足りない。

基本建設以外の需要も含めてとらえると、充足率はそれぞれ五〇%、四二%、五〇%以下となりますけあげておきます。七九年一〇月、これは中央工作会議で調整の方針が正式に決定されてから半年後でありましたけれども、このときの『工人日報』の評論員論文は「六つの基準に照らして建設をストップせよ」と主張している。その六つというのは、要するに、原材料の供給の目途がないようなものはやってはいけないとか、あるいは生産技術の上で問題のあるプロジェクトはストップすべきであるとか、あるいは公害問題の解決の見通しのないものについてはやめるといった、ごくあたりまえのことでありますけれども、そういうものをやめると『工人日報』は主張している(一九七九年一〇月二六日)。ところが、その後『人民日報』に出た論文(一九八〇年一月三一日)によりますと——この論文は国家計画委員会に所属する方の論文かと推察されるのですけれども——そこでは『工人日報』で言っている「六種

(『経済研究』八一年三月号周叔蓮論文)。調整の提起の仕方が問題であったという例として、もう一つだ

のやるべきではないプロジェクト」というのは、調整とは直接関係ないのだという。原材料の供給に問題があるとか、技術的に問題があるとか、こういったプロジェクトは調整とはかかわりなしに、文句なしにやめなきゃいかん、当然のこととしてやめるべきだという。今調整としてやるべきことは、例の「比例失調」（計画経済と実体経済のズレ）と言われているもの。長期にわたる重工業優先政策の結果、いろんなヒズミが出てきた、そういったことが問題だと『人民日報』の方は言っている。これは何を意味するのか。『工人日報』――これは当時の政治的文脈では国家経済委員会との関係が密接であるように見受けられるのですけれども、国家経済委員会と国家計画委員会の間で調整の内容について意見が食い違っていたのではないかと推察される。つまり、この「六カ条の不許可」ということは、国家計画委員会が出したものでありますから、そういうことは当然やめる、その上でさらに本来的な、本質的な調整をやれというのが国家計画委員会でありますけれども、経済委員会は本質的なことの方はすっとばして、その六つをやめればいいんだというような評論を書いていたということであります。

2　資金チャンネルの増大

中央レベルでさえも今申し上げたような混乱があるわけですから、いわんや現場におりてきますと、食い違いが非常に大きくなってくる。それは一言でいいますと、どの分野も皆が自分のプロジェクトだけは大事だと思っているということであります（わが国の行政改革論議における「総論賛成、各論反対」に似ている)。これも現場から言えばある意味では当然でありましょう。つまり、今世紀末に世界水準へというプログラムは掲げられたままであります。そうなってきますと、世界水準との比較で言えば、あらゆる業種、あらゆる産業が立ち遅れている。過剰な建設なんかありえないということになります。少なくともそういう大義名分において調整をサボる。もう少し具体的なことを言いますと、自分たちの利己主義です。もし、自分の関係しているプロジェクトが整理されるべきだとなりますと、自分たちは他所へ、いわば第二会社が吸収合併されるみたいな話でありまして、継続が決まったプロジェクトへ助っ人に行かなきゃいかん。そこの資材も、今、鋼材にせよセメントにせよ足りないわけですから、継続が決まった方へまわされるということになる可能性が非常に大きい。それはやりたくない。どんなに赤字のプロジェクトであっても、そこにしがみついていさえすれば、そのプロジェクトのリーダーとして、一国一城の主として、指導者としての地位が保たれる。ところが、そうでないと、いわば吸収されるみたいな話ですから、非常にいやがる。そういったエゴイズムが「本位主義」「利己主義」という表現で指摘されております。特に、政治体制が、有力な指導者、毛沢東、周恩来を失って非常に揺らいでいる、そういうときでありますから、中央の呼びかけがちっとも下部へ浸透しない、下部が調整の方針を受け入れない。そういった状況が続いたようであります。

資金のチャンネルが多岐にわたっていて引き締めがきかなかったということもあげられます。つまり、国家計画委員会は、あるプロジェクトを停止した場合にその予算を出さないのでありますけれども、その他の資金源を用いて引き続きプロジェクトを継続したのであります。たとえば、中国の予算の中に、基本建設と対比されるものとして、「挖潜改造(ワーチェン)」資金という予算項目がございます。つまり、基本建設というのは新たな固定資産の増加になるような投資のことでありまして、そうではない既存の工場の改善にあてる予算は別になっている。そういった予算を――本来はそういったものはメインテナンスなり、既存設備の更新に使うべきでありますけれども、そういった資金を基本建設の方に流用するというふうな形が一つある。あるいは財政資金がストップされますと、それを銀行からの貸款、借り入れで埋め合わせるという資金調達、そういった形でやりまして、結局、資金のチャンネルが三〇種から四〇種にものぼる。たとえば、山東省の場合で四〇種類あった、上海市で三〇種類あったと言われております（『人民日報』一九八一年一月三一日）。あの手この手で、資金を流用して（本来の用途に用いないで）停止すべき建設を継続していたということであります。

資金のチャンネルが増えた一因としては、経済改革と絡んで、企業レベルに企業基金を留保するような試みを始めていた。これも流用をやりやすくしたといえましょう。また、中央がプロジェクトをやめるべきだと言っても、引き続きやってしまった背景としては、地方レベル、あるいは企業レベルに自主権を与えることが必要だという一連の経済改革ですね、そういう改革ムードの中で、企業自主権を隠れミノにして、中央の指令を聞かなかったということもあげられます。

いずれにせよ、そういった形で、でたらめなプロジェクト〔原文＝胡子工程〕は増えるし、それから未完成プロジェクトといいますか、中途半端になっているプロジェクトが非常に増えてしまった。第一次五カ年計画期、一九五〇年代の半ば頃には、大体四～五年で完成していたものが、今は平均して一〇年以上かかっている。その後八〇年の一二月に、再び大きな会議が開かれまして、八一年初からもっとドラスティックな調整政策というものが呼びかけられているということであります。

3　ディマンドプル・インフレ

その辺が今までの経過であります。私がお話し申し上げたいもう一つのポイントは今のインフレについてであります。今のインフレは基本的にディマンドプルのインフレではないかというふうに考えております。七九年の六月、私が香港に行って間もなくですけれども、全人代第二次会議を機に国家統計局が七八年までの数字を出しました。そのときにこういう計算をしてみたのです。

七八年の労働者に対する賃金は五九六億元、この賃金を七〇億元増やすということであります。そうすると伸び率は一二・三%になります。それから、農民の方の所得、これはどう計算するかがちょっと問題なのですが、農民一人当り七三・九元、これは個人副業収入を含まない集団経済から得られる収入であります。農村の農業労働力を三億人としますと、農民の収入が二二一・七億元になります。これもまた七〇億元増やすという計画であります。そうしますと、こちらの方の伸び率は三〇・五%、労働者の賃金増が一二・三%であります。全体の計算をしますと、一四〇億元所得が増える。伸び率は平均して一七・七%となる。これが所得の伸び率であります。他方、消費財の供給の増加率、こちらの方はとらえにくいのですけれども、これを仮に軽工業の総生産額でみますと、八・三%であります。個々の消費財をみますと、二割以上伸びるといったものもありますが、しかし、どうも感じとして、軽工業生産の総生産額が八・三%増でありますから、どうみても所得の伸びの方が、消費財供給の伸びを上回ってしまう。これはインフレをもたらすのじゃないかと予測したわけです。果たして、インフレになったのですけれども、八一年の三月、『紅旗』第六期の特約評論員論文に七九年の商品の供給の伸び率が一五%で、購買力の伸び率が二〇%という数字が出ております。それから、また、同じ『紅旗』に載っております宋季文という人の論文の中に、八〇年には商品の供給増が一三・三%で、購買力の伸びが一八・七%とあり、依然として所得の方が消費財の供給を上回っているのであります。ですから、当然インフレは続かざるをえないだろう。もちろん、当時、私は今までがデフレ的だったのかもしれないとかいろんな仮定はしてみたわけですけれども、最終的にインフレの傾向が強いというふうに分析したわけです。

私が非常に不可解でならなかったのは、これは実に単純な計算でありまして、こういうことを中国の財政当局者がなぜ計算しないのかということであります。これはあとからの話ですけれども、今年になってから出た論文で七九年の春の中央工作会議で基本建設投資を四五〇億元から三六〇億元に圧縮することにした。ここで九〇億浮くわけでありますけれども、その金で農産物の値上げと、賃金アップをはかろうとしたとのことです。それぞれ、七〇と七〇ですから一四〇億元になる。今の論文によりますと、ここで浮くのは九〇億元でありますから、五〇億元は足りない。じゃその五〇億元をどう捻出する計画だったのかということは全く分からない。というよりも、きちんとした予算の裏づけなしに、農産物価格を引き上げ、農民の賃金を上げたのかもしれない。裏づけのない紙幣を出すだけでは当然インフレになるわけでありまして、現在のような状況になっているということだと思います。

4　財政赤字の原因

もう一つは、賃上げなり、農産物価格の引き上げが、予想を上回って大幅に実行されてしまったことです。なぜ、予想を上回ったかということについて、最近の論文が一応説明しております。まず、賃上げについて申しますと、七九年の賃上げのさいに労働者の四割を対象として賃上げをやろうとした。労働者総数の四割を賃上げ該当者とする方針であった。ところが、だれがその四割に入るかということで大議論になりまして、結局、この決定に半年から一年もかかってしまった。七九年から賃上げすべきものが、実際に賃上げが行われたのが、八〇年夏から秋へかけてであった。つまり「評級」と言っておりますけれども、中国の労働者はみな一級工とか三級工とか属人的な級がついているわけです。誰の級を上げるかということでひと騒動が起こった。日本の場合ですと、定昇があり、年功賃金になっておりま す。毎年上がる仕組みの日本では考えられないようなことが中国で起こった。中国では十数年賃金が上がっていなかったわけですから、この際、上げてもらえないと大変だということで、ものすごい議論になったらしい。自殺者さえ出たと言われている。つまり、自分が賃上げの該当者にならなかったのはメンツをつぶされたという話です。メンツだったのか実際の生活の問題だったのかその辺はわかりませんけれども、いずれにせよ、この賃上げを七九年中にやるということが失敗して、半年から一年延びた。じゃその間は賃金が上がらなかったかというとそうではございませんで、今度はプレミアムあるいは、ボーナスみたいなもの、それからいろんな形の手当て、これは出てしまった。しかも、これがかなり乱発ぎみで、むしろ予定を上回ったということであります。もう一つは、賃上げの場合は、労働者の定員総数をどうおさえるか、それに対して何％上げるかということで賃金の総額がきまるのですが、その定員の枠のとらえ方が、政治体制の動揺と絡んで、ピシッと従来のノルマが守られていない。闇でいろんなことをやっているらしい。その結果として、支出が増えてしまったようであります。

農産物についても似たような事情でございまして、中国の農産物は大きく言いまして、三つのレベルの価格がある。一つは、政府が農産物を供出で買い上げるときの、いわば供出価格であります〔「定購」に対する「定価」〕。それから、供出を上回ったときに三割のプレミアムがつく。超過供出手当てですね〔「超購」に対する「超価」〕。日本でも食糧不足時代にありましたけれども。それから、それより高いところに、もう一つ自由市場の価格がある〔「議購」に対する「議価」〕。価格のレベルが三つあるわけです。政府は、当時、供出で買えるのはこれぐらい、超過供出で買えるのはこれぐらいというふうな枠を組んで予算を考えたようでありますけれど、実際には、農民としては、できれば供出分の方を少なくして超過供出扱いで売りたい、あるいは、これも一定のところまでいけば、さらにそれ以上は自由価格で売りたいという形で、農民が対応する。その結果として、政府の支出が増えてしまった。つまり、本来おさえるべき基本建設の投資をおさえることができず、他方、賃金なり農産物価格の引き上げに伴う支出が予定を上回ってしまった。そういったことが財政赤字の理由であろう。

そろそろ時間ですので先を急ぎます。今年になりましてから、プラント問題を通じて中国経済の実情についていろんな議論が賑やかになってきたようであります。高度に政治的な判断から中国側に資金をつけてやることによって、プラント問題を解決しようとしているかにうかがわれます。確かに資金の問題は大事な点でありましょう。けれども、金をつけてやれば問題が解決できるということではないだろうと私はみております。つまり鋼材にしても、木材、セメントにしても、私が先ほど申しましたような、昨年のレベルで充足率五～八割ということであります。これは一例でありまして、こういった問題がありますと単に金をつけるだけではうまくいかないであろうと考えられます。この点を最後に指摘しておきたいと思います。

二　経済改革の方向

1　集中と分権の試行錯誤（一九四九～七六年）

中国の経済改革を論ずることが小稿の課題である。改革の前提となる経済体制がどのような経緯を経て成立し、今日に至ったのかを素描することから始めたい。

一九四九年一〇月、中華人民共和国が成立したが、地方レベルの政権機構が整うまでに約五年の年月が必要であった。地方レベルの行政機構は、「人民解放軍が初めて解放した地方においては一律に軍事管制を実施し」、「中央人民政府または前線の軍事機関より要員を任命して軍事管制委員会および地方人民政府を組織する」（「中国人民政治協商会議共同綱領」第一四条）という形で樹立されていったのである。この軍事管制委員会が置かれていた、いくつかの省からなる行政区域は当時「大行政区」と呼ばれていた。だが、一九五四年六月、第一次五カ年計画（一九五三〜五七年）の出発にさいし（初めての五カ年計画であり、計画案の正式決定は一九五五年七月第一期全人代第二次会議においてであった）、この大行政区は廃止された。高崗、饒漱石の「反党同盟」事件の摘発は一九五四年二月の第七期四中全会においてであるが、彼らの「独立王国」をつぶすことは、すなわち中央人民政府の強化を意味した。大行政区は、華北、東北、西北、華東、中南、西南の六地域に置かれていた。ここで華北地区が中央人民政府によって直接統治されていたのを除けば、残りの地区はこの大行政区レベルごとに管理が行なわれていた。

大行政区の廃止に伴い、大型国営企業は中央人民政府の国務院を構成する各工業部によって直接管理されることになった。中央各部門が直接管理する工業企業数は、大行政区廃止前の一九五三年には二八〇〇余であったが、一九五七年には九三〇〇余に増えている。[*1] 工業の生産計画、新規投資の計画（固定資産の増加を伴う投資のことを中国では「基本建設」と呼ぶ）などはすべて行政命令として各工業部から企業レベルへ下達されることになった。

農業、手工業、資本主義的商工業の場合は、接収して国有化された工業企業とちがって当初は統制は間接的であったが、いわゆる「社会主義改造」（農業の集団化、商工業の公私合営化）に伴い、国家計画による直接的統制がしだいに強められた。こうして国家計画委員会と中央各部が統一分配する物資の品目は一九五三年の二二七種から一九五七年までに五三二種に増え、基本建設投資用物資は約九割まで中央が配分した。[*2]

一般にソビエト・モデルあるいはスターリン・モデルと称される中央集権的経済管理体制は、中国ではこうして五〇年代中葉に成立した。この高度に集中的な経済体制のもとで、地方（省）レベル、企業レベルの権限はきわめて小さく、人事、財務、資材供給、製品販売、すべてが上級部門の指示にしたがわなければならず、減価償却資金でさえ中央に上納する建前になっており、企業独自の投資活動は許されていなかった。

一九五六年四月、毛沢東は「十大関係について」においてこの集権体制をこう批判した。[*3]「なにもかも中央または省・市に集中して、工場にはすこしの権限も、すこしの融通の余地も、すこしの利益をも与えないのは妥当なやり方ではないだろう」。

(1) 一九五八年の分権

このような問題提起を受けて、一九五八年三月から年末にかけて、中央直属企業の八七％が「下放」された。これによって中央企業は九三〇〇（一九五七年）から一二〇〇（一九五九年）に減少した。各種物資のうち国家から統一分配されるものは、一九五七年には五三二種あったが、一九五八年には一三二種まで約四分の一に減らされた。省レベルの計画権は拡大された。国家の定めた生産と基本建設の任務および原材料、設備、消費財の調達計画の達成が前提ではあるが、それを達成したならば省政府は当該地区の工農業生産指標に対して調整を行なうことが許された。こうして地方計画は、中央から下達された計画数字〔「必成数」という〕と地方独自の期待数字〔「期成数」〕あるいは〝計画という名の希望的観測〃の二本建てとなった。後者は二冊目の帳簿〔原文＝第二本帳〕と呼ばれ、両者を含めて二重帳簿〔原文＝両本帳〕制度が推奨された。基本建設項目の「審批権」すなわち審査認可権も下放され、国家予算内の地方プロジェクトの投資比重は第一次五カ年計画期の一〇％から五〇％に高まった。企業は利潤留保制度を行ない、財務権限を拡大した。これらの分権の試みは、地方と企業の積極性を引き出し、地方工業の発展に役立ったが、他方で新たな矛盾も生じてきた。その一つは企業の従来の原料供給、製品販売の関係が断ち切られたことである。下放された企業の多くは全国の経済とかかわりをもつ大企業であったが、省レベルに下放された結果、全国レベルの情報を欠くようになり、流通が地方レベルの小さなものとなった。

第二に省レベルの当局者たちには近代的企業の管理経験が欠如していた。このため協業関係は中断され、生産物の構成は勝手に変えられ、下放された企業の生産は大混乱に陥った。また二重帳簿制度のもとで計画数字は、各関門ごとに上乗せされ〔「層層加碼」という〕、計画はなきに等しいものとなった。計画不在のもとで基本建設に勝手に着手し、労働者を勝手に増やすという「盲目的建設」が行なわれた。

第三に、中国が全体として（とりわけ最高指導部の責任が重大だが）、「大躍進」のスローガンのもとで「高指標、瞎指揮、〃共産〃風」の誤りを犯した。これによって管理制度が破壊され、経済各部門のバランスが無視され、結果として工農業生産の大減産が生じた。

(2) 中央への再集中（一九五九年後半〜六三年）

こうした異常事態に対処するため、一九五九年後半、中央各部は下放した企業の管理権限の再集中に着手した。一九六〇年までに中央各部管理の企業数はかつての一二〇〇から二〇〇〇余に増え、中央の統一分配の物資はかつての一三二から四〇〇種に増えた。一九六一年から調整政策が展開され、中共中央はあらためて集中統一を強調し、経済管理の権限を中央各部および党中央局（かつての大行政区に対応する範囲ごとに中共中央の出先機関として設けられた）に再集中した。この分権—再集中の経過を経て、六〇年代初めの管理体制は基本的に第一次五カ年計画期のそれに戻り、部分的には集中がより強化されたものもあった。中央部門の直属企業は一九六三年には一万企業に達し、中央の統一分配の物資は五〇〇種に増え、基本建設項目の審査認可権も中央に戻った。同時に一部の業種ではトラスト化が試行された。これらの手直しによって経済は回復に向かったが、中央集権に伴う矛盾が再び深刻化してきた。

(3) 再分権（一九六四年、六六年、七〇年）

一九六四年、物資、財政、投資などに対する地方当局の機動権の拡大に手をつけた。まず一九の非工業部門の基本建設投資を地方の配分に委ねた。つまり国家は毎年、業種、用途、項目を指定せずに省レベルに資金を渡し、配分の権限を委ねたのである。ついで一九六六年には地方小型企業の生産物、主として鉄鋼、セメント、化学肥料、石炭、小型農機具などの企業の生産物を地方当局の支配に委ねた。たとえば年産一万トン以下の鉄鋼工場で生産される鋼材はすべて地方の分配にまかせた。また財務管理の面では地方企業の減価償却基金をすべて地方の処分に委ね、地方の機動財力を拡大した。

一九七〇年には経済権限をよりいっそう下放する措置がとられた。国務院の提出した「第四次五カ年計画発展綱要（草案）」にはつぎの構想が盛りこまれていた。まず企業を下放し、基本建設、物資分配、財政収支の請負〔原文＝大包乾〕を試行し、中央の統一指導のもとで「下から上への方向で上下を結合し、地方政府を主としつつ、地方政府と中央各部の業務系統とを結合する」〔原文＝由下而上、上下結合、塊塊為主、条塊結合。ここで塊とは省レベル政府のこと、条とは中央各部の上から下への業務系統のこと〕方針がそれである。この構想に基づき、一九七〇年以後、中央各部直属の大部分の企業・事業単位は地方政府に下放された。一九七三年に中央に留保されていた直属企業は二〇〇〇以下であり、鞍山鋼鉄公司、大慶油田などのような大企業でさえ省レベルの管理に委ねられた。中央の統一分配の物資は一九六六年の五七九種から一九七一年の二一七種へ再び減少した。

(4) 一九七五年の再再集中

これらの改革を通じて中央と地方の関係は改善されたが、文化大革命の後遺症ともいうべき経済管理の混乱はなお続き、また下放された大型企業を地方レベルで管理しきれぬ現象もみられた。そこで一九七五年、中央から地方に下放していた企業の半分以上を中央各部の代理管理〔原文＝代管〕に移し、生産任務の按配と物資供給を中央各部が責任を負うこととした。これは企業にとって多頭指導〔原文＝多頭領導〕をもたらし、全国的な統一計画、建設の合理的配置、重要生産物の供給販売において統制を失わせ、各部門、各地方のアウタルキー〔原文＝自成体系〕をいっそう深刻ならしめ、重複生産、重複建設に伴う浪費が大きな損失をもたらした。

二十数年来の中国経済体制の変遷を以上のようにみてくると、それは権限の下放と再集中（あるいは集中と下放）の繰り返しの過程であったことがわかる。何回かの試行錯誤を経てなにがしかの成果をあ

経済管理体制の集中と分権

時期	集中か分権か	中央所属の企業数	統一分配物資の数
1953-57 年	集中化	2,800 → 9,300 増	227 → 532 増
1958 年	分権化	9,300 → 1,200 減	532 → 132 減
1959-63 年	再集中化	1,200 → 2,000（'60）増 2,000 → 10,000（'63）増	132 → 400（'60）増 400 → 500（'63）増
1964, 66, 70 年	再分権化	10,000 → 2,000（'73）減	579（'66）→ 217（'71）減
1975 年	再再集中化	2,000 → 6,000 増	

出所）劉国光・王瑞蓀『中国的経済体制改革』第1章の数字を整理した。

げ、一定の経験を積んだが、国家の統制過大・企業の権限過小の問題、主として行政命令による管理に伴う根本矛盾は解決されるに至らなかった。以上の経過を表にまとめておけば上のごとくであろう。

2　経済改革派の主張（一九七九年八〜九月）

現行経済体制の矛盾を批判し、改革の必要性を説く論文はきわめて多い。ここでは改革論争が最もにぎやかに行なわれた一九七九年夏から秋にかけての代表的論文をいくつかみておくことにする。もっとも、中国における論争のつねとして、改革反対あるいは改革に対する消極論は新聞雑誌には登場しないので、われわれは改革派の論文の行間からそれを読みとるほかない。

まず北京の自動車工場のある幹部は、工場レベルからみて企業の自主権を奪うものとして、いわゆる「五定」をきびしく批判している。*4 一九六一年に定められた「工業七〇カ条」も、一九七八年に前者を手直しして発表された「工業三〇カ条」も、いずれも国営企業に対して「五定」を義務づけている。ここで「五定」とは、

(1) 生産物の内容と生産の規模
(2) 人員とその組織
(3) 原材料、燃料、動力、工具の消耗ノルマとその供給先
(4) 固定資金と流動資金
(5) 他部門、他企業との協業関係

これら五項目を企業の義務として「定」めたものである。

この結果、企業は原材料、燃料、動力、設備の供給について心配せず、資金の有無を心配せず、生産物に販路のないことを心配しない。これこそが企業をして国家に対する依頼性を助長せしめ、企業の積極性を損なっている元凶だと論文の筆者（郭林岱）は攻撃している。一九五〇年代には私営商工業との競争が存在したが、その後全人民所有制と集団所有制の二大セクターに改編され、私営部門との競争がなくなった。こうして国営企業の長期欠損、サービスと品質の悪化がもたらされた。国営企業が一手独占しているために品質が悪くとも商業部門は買付けせざるをえないし、消費者も購入しないわけにはいかない。サービスが悪くとも甘受せざるをえない。筆者はこう結論する。「私は私営企業がよいというのではない。工業管理体制の改革と企業の自主権拡大を通じて、国営企業の一手独占状況を打破し、国営企業間、国営企業と集団企業の間で競争を許さなければならない」、「企業が業績に責任をもち、企業間で競争ができるようになって初めて全商工業、そして国民経済は生きかえるだろう」。

さて現行の全人民所有制、集団所有制のもとで、「企業が業績に責任をもつ」ことがどの程度実現でき、またどの程度「実のある競争」が行なえるようになるかはむずかしい問題であるが、改革派は企業

の自主権拡大に望みを託している。この問題をズバリ「企業本位論」として大胆な意見を提起したのが、蔣一葦（社会科学院工業経済研究所副所長）である。[*5]

「国家を一つの大〝企業〟として扱うことはできるであろうか？　明らかにこれは一種のユートピア的幻想である。だがわが現行経済体制は事実上このユートピア的幻想にしたがって事を行なっているのだ」。

つまり生産任務は国家から下達され、生産物は国家が分配し、人員は上級機関が割当て、設備は国家から調達され、利潤はすべて上納し、欠損は国家が請負う。ここでは企業は国家という大企業の「部分機構」として存在するにすぎない。国務院は工場の事務部門、国家計画委員会は工場の計画科、経済委員会は生産科、基本建設委員会は工場の基本建設科、物資総局は工場の供給科、労働総局は工場の労働賃金科、各業務主管部はそれぞれの生産物を対象とする製造工程に対応する――こうして国務院を指令部とする〝大企業〟が各工場を分工場として従える体制になっているのが現状である。だが社会的分業および分業をつなぐ商品生産という客観的条件のもとにある以上、わが社会主義経済は「独立性をもった企業」が基本的経済単位となりうるように再編されるべきではないのか、と筆者は強調する。

「独立性をもった企業」の権利と義務は、「企業法」で具体的に規定し、これによって企業は「独立した利益をもつ経済組織」として、法律上「法人」としての資格をもつようにする。そして国家と企業の経済的関係は、税収、資金の貸付と返済、利息、賞罰、価格、国家の発注、政策的補助金などの経済的手段によって取り結ぶようにせよ、というのが筆者の結論である。それは「自己運動し、自己発展する企業」を基本単位として編成される経済という形になるが、そのイメージは資本主義企業にきわめて酷似している。

つぎに房維中（国家計画委副主任）は、中国で採用すべきだと考えられているモデルをつぎの三つに整理し、その得失を論じている。[*6]

⑴ **古典的中央計画経済モデル**

高度な集中を特徴とする第一次五カ年計画期（一九五三〜五七年）のモデルである。現在改革派からその弊害がきびしく批判されているものであるが、このモデルを主張する同志は「やはりまだいる」〔原文＝還是有的〕。彼らは改革反対派、消極派である〔なお、これは一九七九年九月の時点での事実なのであるが、三年後の今日改革に伴う新たな混乱のなかで「やはりまだいる」同志は元気づいているかもしれない〕。

⑵ **省レベルを主とする地方計画経済モデル**

このモデルは企業の自主権問題を解決できないばかりか、中央集権モデルの欠陥を各省レベルへ移すだけであり、行政区画ごとの行政手段による管理という弊害も解決できない。ちなみにアメリカの企業が数十の州ごとに分かれているわけではないし、日本も数十の県ごとに企業を管理しているのではない。いわんや多国籍企業の盛んな時代にあって中国経済を二九の行政区に分けただけでは問題は解決できない〔にもかかわらず、このモデルを支持する人々はやはり存在するものとみられる。すなわち省レベルの官僚機構に身を置く人々は、自らの権限拡大をはかり、あるいは既得利益を保持しようとしている、と行間を読んでおきたい〕。

(3) 企業に自主権を与え、部門と行政区画の枠を打破するモデル

企業を基礎とすることによって初めて社会化した大生産の要求に応えることができる。企業はどこに立地しようが、その地方で納税することにし、その地方はインフラストラクチュアを整備する責任を負うようにする。国家から企業への指令性計画はできるかぎり少なくし、企業に生産、交換、分配の主導権をもたせるようにする。筆者房維中の見解は第三の企業自主権モデルであるが、「実行が容易でない」ことを率直に認めている。

最後に財政関係者による問題整理をみておこう。これは社会科学院財貿物資経済研究所と財政部財政科学研究所がハルビンで開いた「経済計算と経済政策についての討論会」の論点を整理したものである。[*7]

(1) 改革の中心問題は何か

（イ） 財政管理体制説

企業経営のよしあしが当該企業の労働者の物質的利益の面に反映する体制になっていないことが問題だとみる。

（ロ） 計画管理体制説

計画が「半計画」「無計画」状態にあることが経済の均衡を失わせている。計画の管理を改善せよ。

（ハ） 所有制改革説（全人民所有制から集団所有制へ）

企業の業績に責任をもたせるとは、事実上全人民所有制を集団所有制として扱うことである。しかも集団所有制こそが現在の生産力の発展水準に合致している。この集団所有制論に対する反論は、問題の核心は所有制自体にあるのではなく、全人民所有制内部の調整をいかに行なうかにあるのだ、というも

のである。かりに国営企業に対して集団企業のような独立自主権を与えるとすれば、企業行動はいっそう盲目的になり、国家計画は打撃を受けるであろう。

（二）改革のプライオリティ

財政管理体制の改革が先か、それとも経済管理体制の改革が先か。「いまの改革論はポイントがまだはっきりしていない。こうした状況のもとでは、財政管理体制は小改革なら一歩先行してもさしつかえないが、大改革は不適当である」。財政担当者の立場を率直に表明したものであろう。

(2) **企業の権限拡大の程度について**

（イ）積極論

企業に対して「独立の商品生産者」がもつべきすべての権限を与えよ。たとえば計画作成権、生産物販売権、資金支配権、人事管理権、賃金調整権、生産物に対する価格づけの権限、対外貿易権、など。

（ロ）消極論

企業に対しては単純再生産の権限、若干の拡大再生産の権限を与えれば十分である。企業幹部の経営管理水準は一般に高くはないので、メクラ指揮〔原文＝瞎指揮〕はもっとひどくなるおそれがある。

(3) **固定資産償却率の引き上げについて**

（イ）現行の二五〜三〇年償却を一〇年償却に短縮せよ。

（ロ）利潤の増加を前提としつつ逐次引き上げよ（上納利潤の減少を憂える財政担当者の立場が出ている）。

（ハ）償却率は現行のままでよいが、償却資金は上納をやめ、企業に全額留保することとする。

(4) **流動資金の貸付化について**

(イ) 人民銀行からの貸付方式にすれば資金の合理的使用に役立つ(現在は財政資金の支出であり、定額流動資金については利子をとっていない。ただし定額を超えた部分については利子つき)。

(ロ) 貸付方式反対。その理由は、

a 企業の自己資金はいっそう減り、企業の自主権を弱めることになる、

b 企業の負担を増やすだけである、

c 流動資金を全額貸付方式にすると、企業の非商品資金も銀行借入れとなるわけで、貸付金と商品の流れがかみあわなくなる。

3 経済改革の歩み

経済改革の動きを日誌風にまとめておけば以下のとおりである。

一九七八年一〇月六日 『人民日報』胡喬木論文を発表

一〇月 四川省で六企業を試点(実験箇所)に指定

一二月 第一一期三中全会、経済改革の方向を確認

一九七九年 一月 四川省「企業権限拡大についての意見」

三月 国家経済委、企業改革試点会議で北京、上海、天津三市の八企業を試点に決定

六月　　　中国企業管理協会発足
七月　　　全人代第二次会議、主要三報告とも企業改革に言及
七月　末　四川省成都で全国工業交通増産節約会議（一〇～二三日）
八月　初　国務院、企業管理についての六文件を下達
　　　　　四川省企業自主権拡大試点工作会議
　　　　　第一回全国品質管理小組代表会議（北京、一四～三一日）
八月　　　国家経済委、東北地区生産調度弁公会議（瀋陽、二四～三一日）
九月　　　劉国光論文「計画と市場」（『紅旗』一九七九年第九期、なお同誌は巻頭において
　　　　　真理の基準問題で自己批判）
一二月　末　試点単位は四〇〇〇余（『人民日報』一九八〇年一月二日）
一九八〇年二月　一日　国家経済委、財政部「国営企業利潤留保試行弁法」
　　　　二〇日　国家経済委「三つの意見」同日付『人民日報』によると、試点企業数は全国で
　　　　　三〇〇〇余、国営重点企業数の七％、工業総生産額の三〇％以上、工業利潤の
　　　　　四五％を占める
三月一六日　四川省党委拡大会議で趙紫陽が総括報告（『人民日報』四月二一日）
六月　末　実験企業総数六六〇〇、重点企業数の一六％を占める。総生産額の六〇％、工
　　　　　業利潤の七〇％を占める
九月　二日　国家経済委「企業自主権拡大の試点工作と今後への意見についての報告（『人

民日報』一九八〇年九月七日）

一一月　六日　『人民日報』特約評論員論文が「経済改革よりも経済調整を」と呼びかける

二三日　国家経済委、財政部、人民建設銀行の通知「八一年から設備改造資金の一部を人民建設銀行からの融資に改める」

一一月二七日　国務院通知「八一年から基本建設費の支出を人民建設銀行からの融資に改める」

一二月三〇日　「調整期の基本建設は高度の集中統一を必要とする」（『人民日報』特約評論員論文）

一二月　末　試点企業は六六〇〇余、うち一九一企業は「以税代利」を試行。試点企業数は国家予算内の四・二万企業の一六％、生産額の六〇％、利潤の七〇％を占める（『人民日報』一九八一年一月二日）

一九八一年二月　四日　国務院、財政引き締めのための八項目の決定

四月　全国経済管理体制改革の理論と実践の問題討論会（成都、四月一六〜二五日、報道は『人民日報』五月八日付、なお二九日付に詳報）

全国工業交通工作会議（上海、一五〜二五日）、工業生産における経済責任制を提唱

七月一五日　国務院通知「商品流通における不正の風を制止せよ」

二六日　商業部通知「商業部門における経営責任制の改革実験を」

一二月一三日　「経済契約法」成立（八二年七月から実施）

一九八二年一月二五日　陳雲、国家計画委の責任者たちに対して「計画経済を主として、市場調節を輔とせよ」と指示

五月　一日　房維中論文（『紅旗』第九期）が計画経済を強調

四日　経済体制改革の推進母体として趙紫陽首相を主任とする国家経済体制改革委員会を設置

国家経済体制改革委、国務院経済研究中心（センター）「経済管理体制改革理論問題討論の動員報告会」で薛暮橋が自己批判を含む報告（『光明日報』八二年五月一九日に掲載。なお薛は『紅旗』第八期にも執筆）

九月　一日　一二回党大会で胡耀邦が政治報告（『人民日報』九月八日）

六日　劉国光論文「改革の基本方向を堅持せよ」（『人民日報』）

上記の日誌から明らかなように中共中央が経済改革（企業改革）にゴーサインを出したのは一九七八年一二月の第一一期三中全会においてである。その二カ月前、当時四川省第一書記を務めていた趙紫陽のリーダー・シップのもとで、四川省では全国に先がけて試行が始まっていた。試行が全国の先進省市で行なわれたのは、一九七九年六月の全人代第二次会議以降である。この会議における華国鋒報告（政府工作報告）は経済管理体制の改革についてこう指摘していた。[*8]「経済管理体制の改革工作は国民経済の全局にかかわっており、およぶ範囲がきわめて広い。国務院の関係部門は前段の調査研究を基礎とし

て、最も切実な問題について、以下の文件を初歩的に策定した。

(1) 企業の自主権を拡大することについての若干の試行弁法
(2) 職員労働者の賞罰試行条例
(3) 財政管理体制の初歩的改革方案
(4) 外国貿易管理と外貨分配についての規定
(5) 基本建設投資を逐次銀行融資に改める方法

である。「これらの改革弁法は各地での試行と修正を経て、国務院から正式に公布されよう」。

余秋里報告〔一九七九年国民経済計画草案〕では、改革の問題はつぎのように軽くふれられているだけである。[*9]「経済管理体制の改革は、国民経済の調整と企業の整頓をりっぱにやり、四つの近代化の歩みを早めることに対して、重要な促進作用を果たす。われわれは国務院の統一的配置のもとで、積極的かつ段階的にこの工作を展開しなければならない」。内容的にみて改革にかかわる発言は、つぎの一カ所だけである。すなわち「商業、外国貿易部門が買付けない生産物については、軽工業、紡織工業部門は国家の定めた価格政策にしたがって自ら販売〔原文＝自銷〕してよい。

張勁夫の財政報告は財政管理体制の改革と企業の財務権限拡大の問題についてこう指摘した。[*10]「現行の財政管理体制は、中央財政と地方財政の関係においてまだ真に各行政レベルごとの管理〔原文＝分級管理〕になっておらず、各級の財政権限がはっきりしておらず〔中略〕中央と地方との二つの積極性を発揮するうえで不利である。国家と企業の関係では、一方では統制がきつすぎ、他方では管理が混乱して、国家資金を浪費する状況が存在している」。「一部の地区で〝比例包乾〟と〝増長分成〟を試行している」。ここで比例包乾とは、省レベル財政支出の財政収入に占める比率を基準として、中央と省レベルが財政収入を分けあい使用すること、増長分成とは、省レベル財政収入の毎年の増加分を一定の比率で中央と省レベルが分けあうことである。「企業の財務権限拡大においては、国営企業に企業基金を設ける制度を試行した」。「財政体制、企業財務管理制度、税収制度を全面的に改革するには、経済管理体制全体の改革を前提としなければならない」。

全人代の三つの報告を対比すると、それぞれの立場を反映していて興味深い。余秋里は計画委の責任者として計画の遵守を指導する立場からして、経済管理体制の改革には消極的であり、張勁夫は財政担当者として「経済管理体制全体の改革」に結論を委ねている。華国鋒報告は、国務院全体のとりまとめに苦慮しているが、基本は第一一期三中全会以後の流れに沿っているかのごとくである。

全人代閉幕後の七月二九日『人民日報』は、国務院が企業管理の改革にかかわるつぎの五つの文件を正式に下達したことを伝えた。

(1) 国営工業企業経営管理の自主権拡大についての若干の規定
(2) 国営工業企業利潤留保実行についての規定
(3) 国営工業企業の固定資産の償却率を高め、償却費の使用方法を改善することについての暫定規定
(4) 国営工業企業に固定資産税を設けることについての暫定規定
(5) 国営工業企業の流動資金を全額銀行融資方式とすることについての暫定規定

しかし、これら五つの規定の具体的内容は公表されなかった。国務院では当時つぎの三委員会が工業の管理にかかわっていた。余秋里を主任とする国家計画委員会、康世恩を主任とする経済委員会、谷牧

を主任とする基本建設委員会である。このうち経済改革を扱っているのは主として経済委員会であった。

一九七九年七月一〇〜二三日、四川省成都で全国工業交通増産節約会議が開かれ、同時に全国物資局長会議も成都で開かれた（『工人日報』一九七九年七月二四日）。会議の中心テーマは三中全会で提起された八字方針〔調整、改革、整頓、向上〕をいかに実行するかであった。開会式と閉会式では康世恩が演説した。

国家経済委員会はまた八月二四〜三一日、瀋陽で東北地区生産調度弁公会議を開いた。これは成都会議の精神を東北地区に伝えるため開かれたもので、経済委、国務院各部、物資総局の責任者のほか、東北三省で工業交通を主管する三省の計画委、経済委のメンバーが出席した。この席上康世恩は改革のための資金源としてつぎの六つをあげている。

(1) 基本償却資金はすべて企業に留保すること
(2) 企業の自主権を拡大し、利潤の一部を生産基金とすること
(3) 企業の流動資金のうち五〇％を銀行に返済し、残りの五〇％を企業に残し、銀行貸付の形とすること
(4) 企業にとって余分な固定資産を転売し、その資金を改革のための資金としてよいこと
(5) 企業の廃棄物資を利用すること
(6) 地域的総合プロジェクトにおいては合資の形をとり、受益単位が共同で用いること

なんとかして資金を捻出し、企業の自主的投資の拡大を模索している姿がうかがわれる。ところで国家経済委の任務は、国家計画委によって与えられた年間計画を実現するためにショート・タームにおい

て原燃料、資材、労働力などの調度を行なうことにある。だが、現行の管理体制のもとでは、物資は計画委が、幹部の任免は組織部が、労働力は労働局が、資金は財政部門と銀行が管理することになっており、経済委には、人事権、物資動員権、財務権がなく生産を弾力的に調整することができにくい。この欠陥を改めるために、省レベル経済委の権限拡大の動きがある。たとえば広東省ではこう改めた(『南方日報』一九七九年九月一二日)。すなわち、年度計画の決定後、生産、補修、技術改革に属する物資は経済委が扱うこととし、計画委は機動物資の一部を経済委に委ねる。省の物資局は経済委の指導を受けるものとする。石炭、電力、原油も基本的には管理を経済委に移す、というものである。この広東省の事例がどこまで広がるかは不明だが、タテ割り行政機構のゆえにヨコの連絡がうまくいっていないことは、中国の経済体制の基本的欠陥の一つである。

4　四川省の実験から全国へ

ここで視点を四川省に移して観察する。一九七八年一〇月、四川省党委員会、省革命委員会(現在は省人民政府)は、重慶鋼鉄公司、寧江工作機械工場、四川化学工場、新都県窒素肥料工場など六企業を自主権拡大の「試点」とすることを決めた。

一九七九年一月、第一一期三中全会の決議に基づき、試点企業数を一〇〇に増やすとともに、「地方工業企業の権限を拡大し、生産建設の歩みを早めることについての意見を四川省として作成した。この

「意見」は当初八カ条からなり、七九年八月現在一四カ条に増えたが、全文は公表されていない。ただその骨子が以下のごとくであることは当時の『人民日報』からうかがうことができる。[*11]

企業は国家計画の達成後、つぎの各項を自主的に行なうことができる。

(1) 原料の委託加工を行なうこと

(2) 商業、物資、供給販売部門の買付けない生産物については企業が自ら販売すること（余秋里報告で言及あり）

(3) 年間賃金総額、計画利潤指標を基礎として計算した企業基金を企業に留保すること

(4) 計画を上回る利潤〔原文＝超過利潤〕の一部を企業に留保すること

(5) 固定資産償却基金の一部を企業に留保すること

(6) 企業が（貿易部を通さずに）独自に輸出契約を結んでよいこと、などである。

同日の『人民日報』（一九七九年八月三一日）は企業に与えられた権限をつぎの七項に整理している。[*12]

(1) 利潤留保権

利潤計画指標の最大五％までを企業に留保してよい。計画超過利潤については二〇％留保できる。この結果、一九七九年一～七月、八四試行企業のうち五五企業が超過利潤を得た。

(2) 自己調達資金による拡大再生産の権限

これによって得た利潤は二年間上納する必要がなく企業に留保できる。銀行融資により資金調達した場合は返済がすむまで上納しなくてよい。これによって某工場では一九七九年に一〇〇〇万元の利潤をあげ、年内に投資額を回収できる見通しがついた。

(3) 固定資産償却費の企業留保分を拡大する権限

償却費の企業留保分を従来の四割から六割へ増額する。固定資産の原価額一〇〇万元以下のものについては償却費を上納しなくてよい。

(4) 一部生産物の販売権、計画外生産権

関係部門の買付対象とならない生産物および新規生産物については企業に販売権を認める。企業が自己努力により、原料を入手し、あるいは委託加工を行なう「買料加工〔材料仕入〕権」「換料加工〔材料転用〕権」「来料〔委託〕加工権」を認める。

(5) 外貨留保権

外貨の一部を企業レベルに留保し、企業はその外貨で新技術を導入してよい。

(6) 労働者に奨励金を与える権限

(7) 労働者に対する処罰・処分権

賃金カットから配転、解雇までの権限を企業に与える。

では、この改革の成果はどうであったか。一九七九年上半期の工業総生産額をみると、四川省全体では対前年同期比九％増であったが、八四の実験地方企業のそれは一五・一％増であった。つぎに実現利潤をみると、四川省地方工業全体の伸びは対前年同期比一七・一％増であったのに対し、八四の実験地方工業のそれは二六・二％増であった。[*13] さらに国家への上納利潤をみると、四川省全体では前年同期比五・八％減であったのに対し、八四実験地方企業では二五・三％増であった。[*14] 四川省の全工業企業数は六〇〇〇余であり、このうち一〇〇企業がモデル〔試点〕として指定され〔うち中央所属企業一六、地

方すなわち省所属企業八四）、そのうちの地方企業についての成果が以上のごとくであった。中央所属企業（大型、重要企業）の方については成果が報道されていない。ただ「企業基金と償却資金」については、一〇〇企業のそれが合計七〇〇〇万元であり、以前の資金量の二倍になったという報道がある。[*15]

個別企業について実験のありようをみると、以下のような事例が報道されている。[*16]

（1）　重慶第二メリヤス工場

一九七八年紡織部は八〇台の靴下編機を配分しようとしたが、工場では資金の手当てができず買えなかった。一九七九年に企業基金を利用して二〇台買い入れた。四月から使用し、一カ月で七万足の靴下を作り、増加利潤五万元を得、これによって投資を回収できただけでなく、七九年内に八〇台の靴下編機を買うメドがついた。

（2）　新都県窒素肥料工場

現有設備の改造により、一九七九年には合成アンモニア生産量を四〇％以上増産できるようになった。

（3）　重慶タイヤ工場

現有設備の改造により、同工場の生産能力を一七万本から三五万本へ増やした。

（4）　南充絹織物工場

一九七九年の改造により、八〇年の生産額、生産量、利潤をそれぞれ二倍に増やすメドがついた。

（5）　睢水炭鉱

商業部門が買い付けないため滞貨が多かった。セールスマンを派遣し、ユーザーの意見を求め、これによって契約を結ぶことに成功した。滞貨をユーザーまで送り届けてさばいた。一九七九年上半期の工業生産額は対前年同期比一三・二%増であり、利潤は六一%増となった。

(6) 重慶中南ゴム工場

原材料不足のため、一九七九年の計画生産額は七八年より一二・五%減の四二〇〇万元となっていた。買付員を派遣し、委託加工の注文をとることによって一九七九年の生産額は六・五~七万元に、利潤は原計画の八八四万元から一三〇〇万元に増える見通しがついた。

(7) 四川化学工場

原料、動力、材料、管理経費の節約により、一九七九年上半期の実現利潤は六四七〇万元、対前年同期比六・四%増となった。

(8) 寧江工作機械工場

工場長が香港へ市場調査に出かけ、輸出契約を結んだ。

(9) 重慶鋼鉄公司

傘下の二四工場を独立採算制とし、工場間は契約による発注受注関係に改めた。これによって公司外への発注分一〇〇〇万元を節約できた。

上海では一九七九年五月からジーゼル・エンジン工場、蒸気タービン工場、彭浦機器工場の三工場で試行し、九月までの四カ月余りに、「比較的よい経済的効果」を得たと報道された。これらの成果をふまえて九月一四日に上海市革命委(同年一二月以降上海市人民政府と改称)は、「企業自主権拡大試点工作大会」を開き、試点企業一〇六企業および六企業化公司(試点企業中から選ばれた模範企業。所属工場一八〇）に拡大した。これらの企業は工業総生産額でみて全市の四分の一以上、上納利潤でみて全市の三分の一弱を占める。[*17]

一九七九年一〇月、『人民日報』評論員論文は、七九年三月に国家経済委が企業改革試点会議を開き、北京、上海、天津三市の九八企業を試点に決定して以来半年間の状況を総括して、「一方では喜び、他方では憂う」と述べた。[*18]喜びの方は四川省の成功だが、憂うのはその他の地域では必ずしも順調に進まなかったことである。全人民所有制八万企業の中から八つを選んだわけだが、そのなかには試点企業に指定されるのを返上する企業さえ現われた。その理由は、利潤留保の見通しをあらかじめ推算したところ、企業が得ることになる奨励基金は前年の実績よりも低く、関係部門や企業指導部が労働者大衆を説得できなかったためである。つまり改革は企業指導部の責任を大きくし、また労働者を含む企業関係者の「既得利益」と抵触する側面をもつことをこの例は示している。

一九七九年は建国三〇周年、経済改革に着手した年として記憶されることになろうが、年が明けて八〇年二月二〇日、『人民日報』は実験企業数は全国で三〇〇〇であり、これは国営重点企業数の七％を占め、工業生産額の三〇％以上、工業利潤の約四五％を占めている、と報じた。[*19]過去一年の経験を総括して、国務院は一九八〇年二月一日、国家経済委、財政部連名で「国営工業企業利潤留保試行弁法」を発出した。この指示は従来地方が独自に行なってきた利潤留保措置を統一化しようとするものである。すなわち従来の全額利潤方式を改め、計画利潤に対する「基数利潤留保」と、計画超過利潤に対する

「増加利潤留保」の二本立てとする。この場合企業が生産の量と質、利潤、出荷契約の四つの計画指標を達成した場合にのみ利潤留保を行ない、任務を達成しない場合は、各項ごとに一〇%ずつ留保すべき利潤から削減する。このほか試点企業を一般にはこれ以上増やさないことにし、増やす場合には国家経済委と財政部の批准が必要なことを明記している。[*20]

5 中間総括――趙紫陽報告（一九八〇年三月）と国家経済委報告（一九八〇年九月）

経済改革の旗手・趙紫陽は一九八〇年二月の一一期五中全会で胡耀邦とともに政治局常務委員に昇格したが、その直後に四川省委拡大会議（三月一六日）において改革の成果と問題点を以下のように総括している。[*21]

(1) 企業の自己資金をどう使うか

自主権拡大以後、国家財政は困難だが、企業の保有資金は増えた。国家は企業の保有資金を上納させてはならないが、その使用についていては指導が必要である。

(イ) 企業の拡大再生産にとって必要な原材料、設備などは企業の自己努力あるいは市場に委ねてもよいが、国家計画による配分を必要とするものもある。

(ロ) 企業は拡大再生産にあたり、地区全体の動力や原料を考慮せず、重複投資を行なう傾向がある。地区、業種別の「長線」「短線」〔前者は供給過剰のもの、後者は不足のもの〕の視点、交通、エネルギー条件などのマクロの視点〔原文＝宏観経済的角度〕から企業を指導する必要がある。

（ハ）一部の企業は資金があっても使い道がなく、他方で技術革新投資をしたいが自己資金の足りない企業がある。銀行を通じて中短期融資を受けるやり方や合営方式で資金を利用し、利潤を分配するのもよい。

(2) 利潤留保の格差に伴う労働条件の格差の拡大

資源条件、技術装備の差、またとりわけ価格の不合理さのゆえに生ずる企業収益の格差をどう扱うのか。たとえば加工業の利潤率は高いが、原材料、燃料工業や農業機械工業は低い。同じ繊維工業でも化学繊維や混紡工場は高いが綿布の工場は低い。同じメリヤス工場でもナイロン靴下は利潤率が高く、綿糸靴下は低い。こうした利潤率格差のために、企業のなかには金物や農業支援製品のような利潤率の低いものを厭う傾向がある。この問題の解決には価格体系の改革が必要だがまだその条件は整っていない〔ここで、「その条件」をどう整えるかがきわめて重要であろう〕。

(3) 市場調節の問題

企業が市場の需要動向に注意を払うようになったのはよいが、品不足で利潤率の高い商品にいっせいに飛びつき、生産の重複と浪費がもたらされている。以前は買付け係〔原文＝採購員〕が至る所を飛び回っていたが、今はセールスマン〔原文＝推銷人員〕が飛び回っている。これは倉庫流通業〔原文＝貨桟〕、生産財交易センター、委託販売店の設置といった形の流通チャンネルに改めるべきである。

市場による調節への改革のなかで以下のような物価問題が出現した。

（イ）一部の単位では協議価格商品〔原文＝議価商品。つまり自由市場価格で売買するもの〕の範囲を勝手に拡大し、計画配分とすべきもの〔原文＝計劃調撥〕を協議価格で売っている。また野菜の値上がりも問題である。野菜基地からは自由市場に出荷してはならず、蔬菜公司の買付けにまかせることにし、公定価格で販売しなければならない。

（ロ）一部の企業の自販製品の価格は通常の小売り価格より高い。とりわけ人気商品を任意に値上げしているのは困る。

(4)　専業公司の設立

一つの中核的企業を主体とし、周辺の同業種の小工場と連合する上海の例はよい。重慶でも始まった。

(5)　大都市の企業と他省企業との協業

最近上海市は江蘇、浙江、江西、湖南などの各省と連合して企業を設立した。上海が技術を提供し、各省が原料、労働力を提供し、「合弁」で工場を作る。「補償貿易」方式の国内版である。

(6)　奨励金の問題

奨励金の乱発、悪平等主義〔原文＝平均主義〕的支給を改めて、労働に応ずる分配を旨とすべきである。

趙紫陽のあげた六つの問題点のうち(1)(2)(3)がとりわけ重要であると思われる。(1)で指摘されたように、企業が自主的に投資を始めた結果として重複投資はいっそう増え、経済の調整はいっそうやりにくくなるであろう。(2)の価格体系のゆがみの是正もきわめて困難な課題であろう。財政に余裕があり、しかも物不足経済からひとまず脱出しなければ、解決に着手することさえできないものとみられる。(3)の物価問題も深刻である。一九七九年の消費者物価上昇は五・八％と公表されているが（『人民日報』一九八〇年五月一日)、実質的にはこれをはるかに上回るものと推定される。物価上昇は(イ)政府による政策的値上げ(副食品など)、(ロ)便乗値上げ〔「公定価格」で売るべき商品を「協議価格」扱いにする、量目をごまかす、などさまざまの手口がある〕。(ハ)自由市場開放に伴うもの、主として以上三つのタイプに分けられる。この物価上昇は賃上げ、奨励金の支給による所得増を相殺してしまうおそれさえある。インフレはソ連東欧の改革のさいにも生じたことが想起される。

趙紫陽報告から半年後の一九八〇年九月、国家経済委の「企業自主権拡大試点工作の状況と今後への意見についての報告」を国務院が批准した。[*22] この報告の一つのポイントは、企業自主権拡大の工作を翌八一年から国営企業において「全面的に推進する」という積極的な方針にあった。報告は試点企業が二九省市自治区の六六〇〇余企業に達し、生産量、生産額、上納利潤のいずれにおいても試点前の水準を上回っているだけでなく、非試点企業の水準よりも高い、と成果をたたえ、積極路線を打ち出したものである。ただ、一九八〇年初めから統一化されたばかりの利潤留保の方法については、大きな修正がある。つまり、価格、税制が調整されるに至っていない現状のもとでは、利潤留保は状況に適合したいくつかの異なる方式で行なわなければならない、という点である。

報告のもう一つのポイントは、企業の自主権拡大をさらに一歩進め、独立採算制を強化する試みを各省で一〜二企業ずつ行なうという提案であった。これは企業が各種税金〔たとえば四川省では、(1)工商税、(2)固定資産税、(3)所得税〕を納め借入金を返済したあとは、その収益をすべて自ら処理してよい、とするもので、利潤留保よりもさらに一歩踏みこんだ形である。この方式は「独立核算、国家徴税、自負盈虧(えいき)」の試点と名づけられた〔以下「独立採算制」と略す〕。

『人民日報』は四川省では年初から五つの企業〔(1)四川第一綿紡織プリント工場、(2)成都電線工場、(3)重慶印刷第三工場、(4)重慶時計公司、(5)西南電工工場、主としてエナメル線の製造〕で、この独立採算方式を試行して成果をあげてきたと、三回にわたって報じた。[*23] だが、皮肉にも、この報告をもって経済改革の積極路線は終わりを告げる。「さらなる経済調整」〔原文＝進一歩抓調整〕（『人民日報』一九八〇年一一月六日特約評論員論文）の大波が、経済改革を押し流すことになる。改革路線の一環として一一月末には、投資資金の銀行融資化〔基本建設の場合は一般に年利三％、低収益業種は二・四％、高収益業種は三・六％、設備改造資金は年利三・二四％〕が行なわれるが、これはむしろ財政引き締めの文脈で観察した方が理解しやすい政策である。

これに先立つ一一月六日、『人民日報』は特約評論員論文を掲げ、「一部の指導的同志は体制改革に力を費やしていて、調整の仕事に力を入れていない」と批判した。[*24] 一九七九年以来二年連続の財政赤字、そして物価上昇、加えて一九八〇年食糧の減産見通し、これらのマイナス要素をふまえて、改革よりも調整を、と呼びかけたものである。この調整強化政策は一九八一年初のプラント契約の破棄通告を契機として全世界に衝撃を与えた。

6　経済改革の軌道修正

かくて一九八一年は調整に明け、調整に暮れた。四月後半に成都で経済改革についての会議が開かれたが、それは社会科学院工業経済研究所と四川省社会科学院が組織したもので地味な扱いしか受けなかった。[*25]時期を同じくして上海で開かれた全国工業交通工作会議で提唱された「工業生産における経済責任制」の報道の方が大きな扱いであった。しかし一九八一年を通じて「調整のなかでの改革」というスローガンのもとに、すでに試点企業とされていた企業では改革が引き続き行なわれた。この年末から翌年初にかけて、経済改革は大きな軌道修正を行なう。一九八〇年一二月の中央工作会議で「大調整」を呼びかけた陳雲が、今回（八一年一二月）は省レベル第一書記座談会で「計画経済を主とし、市場調節を輔とする」考えを明らかにしたのである。[*26]明けて一九八二年一月二五日、陳雲は国家計画委の主任姚依林、副主任房維中らを招き、計画経済強化を改めて強調したのである。[*27]この陳雲指示をふまえて書かれた房維中論文[*28]は、これまでに行なわれた改革論の欠点をこう批判している。

「一部の論文は計画経済を弱めるおそれのある不正確な思想と観点を提起した」。たとえば⑴計画経済の欠点を誇張し、メクラ指揮のようなものを統一計画の必然的産物だと考えた。⑵計画的発展の法則の存在を承認せず、価値法則の意義を不当に誇張した。⑶指令性計画と必要な行政干渉を否定し、企業が独立した経済実体となるよう主張した。⑷計画をやれば死であり、市場調節をやれば活であると強調し、計画経済をして市場調節の基礎の上に樹立すると主張した。⑸計画調節はマクロ経済〔原文＝宏観経済〕だけに対して行ない、ミクロ経済〔原文＝微観経済〕は完全に市場調節に頼るべしと主張した。

ではこの「偏向」の結果、何が生じたのか。⑴農業では供出〔原文＝徴購、派購、上調〕用の農産物が少なくなり、一部の地方では供出任務〔原文＝統購、派購〕が放棄され、食糧作付面積が減少した。一部の経済作物の作付面積が統制〔原文＝控制〕を失い、また一部の都市では野菜が供給不足に陥った。

(2)工業では、一部の単位が国家の定めた生産計画と調達計画〔原文＝調撥計劃〕を受け入れず、供給不足商品の出荷を任意にカットし、自己販売の枠を拡げた。利潤の大きい生産物は国家計画を上回って生産され、滞貨をもたらし、虚偽の財政収入〔原文＝財政虚収〕をもたらした。(3)基本建設では自己調達〔原文＝自籌〕資金および銀行融資による建設が統制できず、盲目的建設が発展した。(4)流通領域では、盲目的競争、相互封鎖が行なわれ、国の統一市場が破壊され、計画的物資供給と商品流通が衝撃を受けた。(5)収益分配では、一部の企業が利潤留保を勝手に拡大し、みだりにコスト操作を行ない、脱税した。奨金や各種の福利手当て〔原文＝津貼〕が統制できなくなった。(6)対外経済活動の面では、値下げ競争、足のひっぱりあい〔原文＝競相削価、互相拆台〕が行なわれ、地方、企業は利益が少なくなり、国家も被害を受けた。(7)経済管理の抜け穴を利用して、犯罪分子が密輸、汚職、投機サギ〔原文＝走私販私、貪汚受賄、投機詐騙〕を行ない、国家と集団の財産を盗む行為が「かなり猖獗する程度にまで達した」。この論文の筆者房維中〔国家計画委副主任、一二全大会で中央委員候補〕は、経済改革派に属する経済官僚なのであるが、改革の偏向、その結果もたらされた否定的現実に対する批判の舌鋒は改革反対派のものかと見まがうほど鋭い。

一九八二年五月四日、国務院の行政簡素化の一環として「国家経済体制改革委員会」〔主任は趙紫陽が兼任〕が発足した。同委は同じ日に「国務院経済研究中心（センター）」（一九八〇年八月成立、『人民日報』一九八一年八月三〇日）と共同して「体制改革理論問題動員報告会」を開いた。同改革委の顧問で、しかも同研究中心の責任者でもある薛暮橋がこの会議の基調報告を行なった。[*29] この報告のなかで薛暮橋はこう自己批判した。「昨年中（一九八一年）、私自身、理論上のある重要問題をはっきりさせていなかった。私は経済的テコを自覚的に利用して計画調節を行なうことをも市場調節の範囲に含めていた。その結果、不適切にも計画調節の大部分を市場調節を通じて実現させるもの、と考えてしまった」。この修正が陳雲の指示の影響を受けたものであることは明らかであろう。彼はここで「健康な、同志的な討論」を呼びかけ、昔の仕返しをしたり、新しい恨みをはらしたりしてはならぬ〔原文＝既不算老帳、也不要算新帳〕と強調している。これは経済改革が、改革派と保守派のきびしい緊張関係のなかで一進一退している現実を反映したものと読める。

中国共産党第一二回党大会（一九八二年九月一日～一一日、北京）の胡耀邦報告[*30]は、経済問題をこう論じている。まず所得四倍増計画。これは全人代第四次会議の趙紫陽報告（一九八一年一一月三〇日）の確認である。工農業総生産額を一九八〇年の七一〇〇億元（八〇年価格。七〇年価格なら六六一九億元である。『人民日報』一九八二年九月二一日「答読者」）から二〇〇〇年の二兆八〇〇〇億元へ四倍〔原文＝翻両番〕に増やす。年率平均七・二％強の成長率が必要だが（一九八一～九〇年年率四～九％、一九九〇～二〇〇〇年は同九％の目標）、実現可能性を疑問視する向きが少なくない。

つぎに肝心の経済改革の展望であるが、現行の第六次五カ年計画期（一九八一～八五年）においては、改革の全般的な方策と実施の段どりの決定にとどめ、改革の全面的な展開を第七次五カ年計画期（一九八六～九〇年）に繰り延べた。第六次期の課題は主として調整政策の継続に力を入れるわけだ。調整の成果がはかばかしくなく、加えて改革に伴う混乱に直面し、改革にブレーキをかけた感がある。マイナス面として、農村では農田水利施設の破壊、森林の乱伐、集団用内部留保の停止などの現象があげられ、また国営商工業企業においては統一配分物資の勝手な横流し、上納利潤の勝手な削減、脱税逃税、勝手な物価値上げ、縄張り封鎖主義などの現象が指摘されている。

これらの現象がなぜ生じたのかについては、改革の措置が有機的組合わせを欠いていたこと、管理工作が対応しきれなかったことをあげ、その結果国家の統一計画が弱められた、としている。したがって当面の対策は「計画の強化」である。(1)国営経済の重要な生産手段と消費資料の生産と分配は「指令性計画」で行なう。食糧とその他重要農産物の供出〔原文＝徴購派購〕も同じ。(2)指令性計画によらない生産物や企業に対しては「指導性計画」を用い、経済的テコ〔原文＝経済杠杆。価格、税率、利子率などのこと〕を手段として計画を実現する。(3)小商品は生産と供給の時間性、地域性が強いので市場の需給に委ねる。要するに指令性計画、指導性計画、市場による調節、これら三者の範囲と境界を論じ、そのうえで物価安定を前提としつつ価格体系を修正し、価格管理の方法、労働制度、賃金制度を改めていこうという目論見である。

胡耀邦政治報告を解説した『人民日報』評論員論文[*31]は、「計画管理体制」の改善を呼びかけ、同報告が指令性計画、指導性計画、市場調節の三者の概念を明確にしたと強調している。なるほど二年前の改革論においては、計画経済を市場経済で代替し、指令性指標をすべて指導性指標とせよ、といった類の議論が少なくなかったことからすれば一定の進歩であるにはちがいないが、この程度の試行錯誤に二年もかかったのは、ソ連や東欧の十数年の経験からあまり学んでいなかったことを示すのではないかと判断される。

さて、胡耀邦報告が年初以来の陳雲指示[*32]をふまえて経済改革にブレーキをかけるなかで、改革派のイデオローグたる劉国光〔社会科学院副院長、経済研究所長、一二回大会で中央委員候補〕が「改革の基本方向を堅持せよ」と論じている。[*33]

財政面での省レベルへの分権、自主権拡大という形での企業への分権によって生じている困難は、分権という「方向において生じた問題ではなく、分権の程度が当面の経済的能力を超えたからであるにすぎない」とし、分権の行きすぎを認めない考え方（改革積極派）と再集権を主張する見解（保守派）をともに批判している。つまりは中央と地方レベルの財政収入の分配比率と企業利潤の留保比率を「実際の状況に基づいて適当に調整せよ」という胡耀邦報告の一句に帰着する。ここで「実際の状況」がどうであり、それを誰が判断するのか、「適当に」の内実は何か、は不明である。前述の薛暮橋の自己批判した問題点については、「指導性計画による調節」とは国家からみれば価格とパラメーター〔原文＝参数〕による調節であり、「価値法則を自覚的に利用して計画目標を達成するという意味で計画調節ではあるが、企業からみれば、国家の指令に基づくのではなく、価格とパラメーターに基づいて自己の活動を決定するのであるから、「ここには疑いなく市場調節の要素が含まれている」として、「指導性計画とは市場調節を運用して行なう計画の調節であると規定した人がいるが、これには道理がないわけではない」と薛暮橋らを慰めて（?）いる。ここでも、指令性計画の範囲の若干の拡大は認めつつも、重点は指導性計画の拡大に置くべきであり、市場情報〔原文＝市場信息〕と調節のメカニズム〔原文＝機制〕の研究の必要性を強調している。

最後に、行政的方法による管理と経済的方法による管理の組合せ問題については、行政組織による管理から経済組織による管理への移行が問題だとして、上海、常州、沙市の経験にかんがみて、中心都市の、ブランド商品から着手して、専門化協業と経済合理性の原則にしたがって各種の経済連合体を組織する方向を呼びかけている。以上が集権と分権、計画と市場、行政的管理と経済的管理の三大テーマに対する主流派＝改革派の現段階（一九八二年九月）での公認見解である。

ここまでを執筆したのは八二年九月中旬であるが、その後九月二一日付けの『人民日報』評論員論文「わが国の情況によりふさわしい計画管理体制を樹立せよ」を読んでいささか驚いた。名指しではないが、明らかに劉国光の見解が批判されている。劉はこう主張していた。

「指令性計画に対しては、特定条件のもとでのそれの必要性と、他の管理方法よりもタイムリーであり有効だという優越性を見極めるとともに、一般の情況のもとでの限界性と欠陥を見極めなければならない。指令性計画を実行しているすべての国家の経験が示しているように、この計画管理形式は、需要に合わぬ生産〔原文＝産需脱節〕、資源の浪費、質の悪さ、種類の少なさ、ミクロの効率の低さ、といった集権計画体制に固有の伝統的な病弊を解決するのがむずかしい。この体制を長期にわたって実行している国の経験〔劉が一九五〇年代に留学し、一九八二年に再訪問したソ連を指すものと判断してよい〕が示しているように、ミクロ経済の効率が低下した結果、マクロ経済の効率の優位性をくいつぶし、経済発展速度の下降傾向を逆転できず、経済構造のユガミを是正できなくなっている。したがって、やや長期的にみれば、われわれは指令性計画の範囲の拡大を体制改革の方向とすることはできない。経済調整工作の進展につれて、『買手市場』〔原文＝買方市場〕が形成されるにつれて、価格が合理化されるにつれて、指令性計画の範囲を逐次縮小し、指導性計画の範囲を拡大しなければならない」。

この箇所を前記評論員論文はこう批判している。

「指令性計画はある同志〔劉を指す〕が断定したごとく、国民経済の調整期という特定条件のもとでのみ必要なのではなく、経済全体にかかわりをもつ生産物の生産と分配、経済全局にかかわる基幹企業〔原文＝骨幹企業〕に対しては、一般条件のもとでも必要かつ不可欠である。指令性計画こそが〝計画経済を主とし、市場調節を輔とする〟原則のカギであり、計画経済の主要かつ基本の形式である」。

『光明日報』のコラム「経済学」第一二三期（一九八二年九月二五日）は、さらに劉国光らを批判した。張萍「計画経済における指令性計画の地位と作用」はいう。「一部の同志の主張するごとく、指令性計画をなくし、あるいは副次的地位におろすべきであろうか？　否である。〔中略〕指令性計画による調節がなければ、社会主義の計画経済はない」。「指導性計画は〔中略〕企業の各生産物の生産の拡大縮小の数量的限度を統制はできない。もし経済の全局にかかわる主要生産物に対して指導性計画を実行するならば、国家は重点建設と人民生活の基本需要を保証できず、社会主義の計画経済は資本主義国と同程度の国家による干渉に変わるであろう。だから指令性計画の機能を指導性計画によって代替することはできない」。したがって張萍の積極的主張は、⑴指令性計画の科学化。科学性に基づいた強制性、権威性の樹立。⑵指令性計画のもとでの経済的テコの活用。⑶指令性計画の範囲を生産物の種類ごとに確定すること、である。一九七九年夏の改革論争から約三年、改革の部分的実施に伴う混乱状況をふまえて保守派、改革反対派が口を開き始めたのであろうか。

一九七八年以来、さまざまに変化し、重点の置き場所を変えてきた改革理論の諸潮流の経済学的検討、改革の成果と限界の具体的検討は他日を期したい。ここでは手許の論文集の書名だけを列挙しておく。

(1)『社会主義経済中計画与市場的関係――社会主義経済中価値規律問題文章選編』北京・中国社会科学出版社、上下巻、B六判、一九八〇年一月、七八一頁。

(2)『商品生産価値規律与拡大企業権限――社会主義経済中価値規律問題文章選編』北京・中国社会科学出版社、B六判、一九八〇年六月、三九九頁。

(3)『社会主義制度下価格形成問題――社会主義経済中価値規律問題文章選編』北京・中国社会科学出版社、B六判、一九八〇年二月、二九二頁。

以上三冊は一九七九年四月に無錫市で行なわれた価値法則討論会の論文集である。

(4)『経済研究』編輯部編『関於我国経済管理体制改革的探討』済南・山東人民出版社、A五判、一九八〇年七月、二八五頁。

(5)同編『社会主義政治経済学若干基本理論問題』済南・山東人民出版社、A五判、一九八〇年九月、三二八頁。

(6)同編『国民経済調整与経済体制改革』済南・山東人民出版社、A五判、一九八一年九月、二九七頁。

(7)同編『社会主義再生産、所有制、商品価値問題』済南・山東人民出版社、A五判、一九八二年二月、三二三頁。

以上四冊は『経済研究』叢刊シリーズである。

(8)劉国光主編『国民経済管理体制改革的若干理論問題』北京・中国社会科学出版社、A五判、一九八〇年五月、三三六頁。

(9)国家計画委員会経済研究所編『社会主義経済規律問題』北京・中国財政経済出版社、B六判、二九九頁。

⑽有林ほか編『経済改革文叢』第一輯、瀋陽・遼寧人民出版社、A五判、一九八一年三月、三二〇頁。

⑾『政治経済学争論（一九七七～一九八〇年夏）』西安・陝西人民出版社、B六判、一九八二年二月、三二一頁。

＊1　この項の記述は、以下に断わらないかぎり劉国光・王瑞蓀『中国的経済体制改革』（北京・人民出版社、一九八二年二月刊、六四頁）の第一章に依拠している。
＊2　中央で統一分配する生産手段は、その重要性からみて、国家計画委員会が統一分配する「統配物資」と中央の各主管部門が分配を扱う「部管物資」に分けられる。前者には鋼材のほか銅、アルミニウム、鉛などいくつかの有色金属、木材、セメント、石炭、自動車、工作機械、工業用ボイラーなどが含まれている。一九五三年には統配物資一一二種、部管物資一一五種の二二七種が中央によって統一分配されていたが、一九五七年には統配物資二三一種、部管物資三〇一種、計五三二種に増えた。
＊3　『毛沢東選集』第五巻、北京・外文出版社、四一九頁。
＊4　郭林岱「対改革工業管理体制進一言」『北京日報』一九七九年八月二〇日、第三面。
＊5　蔣一葦「〝企業本位論〟雛議――試論社会主義制度下企業的性質及国家与企業的関係」『経済管理』一九七九年第六期。なお、この論文はのちに『人民日報』（一九七九年八月一四日第三面）に転載されたが、その標題は「経済体制改革的一個根本問題」とされている。
＊6　房維中「現行経済管理体制改革的一些設想」『人民日報』一九七九年九月二一日第三面。なお、この論文の原載は『財貿戦線』である。

＊7　郭代模・楊炤明「経済管理体制改革討論中的不同論点」『人民日報』一九七九年九月二一日第三面。
＊8　華国鋒「政府工作報告」『人民日報』一九七九年六月二六日。
＊9　余秋里「関於一九七九年国民経済計画草案的報告」『人民日報』一九七九年六月二九日。
＊10　張勁夫「関於一九七八年国家決算和一九七九年国家預算草案的報告」一九七九年六月三〇日。
＊11　本報記者王黎江・李文「四川省一百個企業進行拡大自主権試点見聞」『人民日報』一九七九年八月三一日。
＊12　新華社李峰「闖開了一条弁活企業的路子」『人民日報』一九七九年八月三一日。
＊13　本報記者方恭温「四川省拡大企業自主権試点取得好効果」『光明日報』一九七九年七月二八日。
＊14　11に同じ。
＊15　新華社成都電「四川百個企業迅速拡大再生産」『人民日報』一九七九年九月一日第一面。
＊16　13に同じ。
＊17　新華社上海電「上海一百零六個企業和六個企業化公司開始拡大企業経営管理自主権試点」『人民日報』一九七九年九月二一日。
＊18　本報評論員「要勇於跨出体制改革的第一歩」『人民日報』一九七九年一〇月一〇日。
＊19　新華社北京電「為了做好拡大企業自主権試点工作国家経委提出三条意見」『人民日報』一九八〇年二月二〇日第一面。
＊20　新華社北京電「国務院通知従今年起企業改革試点単位採用新利潤留成法」『人民日報』一九八〇年二月二日第一面。
＊21　趙紫陽「研究新問題、把経済改革搞好」『人民日報』一九八〇年四月二一日。
＊22　新華社北京電「国務院批転国家経委的報告明年在国営企業全面進行拡大自主権」『人民日報』

一九八〇年六月七日。

＊23　記者范畦『四川五個企業実行自負盈虧試点情況』『人民日報』一九八〇年九月一四日、九月一七日、九月一九日。

＊24　特約評論員「進一歩抓調整、継続穏定経済」『人民日報』一九八〇年一一月六日。

＊25　新華社成都電「有計画有歩驟地全面改革経済体制」『人民日報』一九八〇年五月八日、なお同二九日付けに波紋「経済管理体制改革問題討論会綜述」がある。

＊26　房維中「対堅持計画経済為主、市場調節為輔的幾点認識」『紅旗』一九八二年第九期。

＊27　新華社訊「陳雲同志約請国家計委負責人座談加強計画経済問題」『人民日報』一九八二年一月二六日。

＊28　26に同じ。

＊29　記者方恭温「国家経済体制改革委員会和国務院経済研究中心決定開展経済管理体制改革理論問題的討論」『光明日報』一九八二年五月一六日。

＊30　胡耀邦「全面開創社会主義現代化建設的新局面――在中国共産党第十二次全国代表大会上的報告」『人民日報』一九八二年九月八日。

＊31　本報評論員「建立更加符合我国情況的計画管理体制」『人民日報』一九八二年九月八日。

＊32　27に同じ。

＊33　劉国光「堅持経済体制改革的基本方向」『人民日報』一九八二年九月六日。

三　孫冶方の経済学

一九八二年一二月一八日午前、北京医院に入院中の孫冶方は中国社会科学院党組第一書記梅益、第二書記馬洪らの見舞いを受けた。その前々日、中国共産党中国社会科学院機関委員会全体会議が孫冶方に対して「模範共産党員」の称号を授与することを決定したので、それを伝えるために彼らが訪れたのであった。(5) この栄光の日から二カ月余、一九八三年二月二二日午後五時五分、孫冶方は肝臓ガンのため死去した。(18)

＊文中の（　）内の数字は「孫冶方の主要論文」（八〇頁〜参照）の論文番号、肩付き（　）内の数字は「孫冶方について書かれた文章」（八三頁〜参照）の文章番号を表わす。文末八〇頁以下を参照。

1　革命期中国の孫冶方

孫冶方は本名薛萼果、一九〇八年一〇月二四日江蘇省無錫に生まれた。(5) 彼の故郷は無錫県玉祁公社にある。[19] 薛という姓、そして無錫という地名でわれわれは薛暮橋を想起する。薛暮橋の本は戦前から邦訳されていて、われわれになじみが深い。実は一九〇四年生まれの薛暮橋は孫治方にとって四歳年上の堂兄(いとこ)にあたる。没落地主である薛家の二人の若者はともに経済学の道を歩むことになる。ついでながら薛暮橋のプロフィールはかつて『光明日報』(一九八一年二月一二日)で紹介されたことがある。

さて、孫治方は一九二三年一五歳のとき中国社会主義青年団に加わり、学生運動と労働運動を行った。翌一九二四年初め中国共産党の正規党員となり、無錫党支部の初代書記をつとめた。一九二五年党組織から派遣されてモスクワに行き、中山大学でマルクス主義理論を学んだ。卒業するやモスクワの中山大学、東方勤労者共産主義大学で政治経済学の講義通訳(原文=講課翻訳)を務めた。[20] 中山大学を卒業したのは一九二七年であるが、[3][15] 卒業した校名を東方大学と書いたものもあるが、[4] おそらく誤りである。当時、著名な経済学者であるレオンチェフと一緒に仕事をしたことがあるともいう。[4] クートベの略称でわが国にも知られている東方大学の全称は「東方勤労者共産主義大学」であり、一九二一年モスクワに創立され、三〇年代末に閉鎖された。その目的はソ連の東方各共和国および植民地、従属国のために革命幹部を養成することに置かれていた(『周恩来選集』の注釈による)。モスクワ中山大学の全称は「孫中山中国勤労者大学」で、一九二五年モスクワに創立され、一九二九年「中国勤労者共産主義大学」と改称され、一九三〇年秋に閉鎖された(同上の注釈による)。

孫治方は中山大学の学生であったとき、「党員大衆が王明の家父長制的統治に反対する動きに積極的に参加したため迫害された。[5] 一九三〇年九月上海に帰るまで、[15] 三年間ロシア語による政治経済学の講義を中国人留学生のために中国語に通訳していたのであるから、彼がロシア語および政治経済学の理論に強いことが推察できる。

＊一九八三年六月、私はソ連科学アカデミー極東研究所に招かれてモスクワを訪問した。東洋学研究所を訪れたさいに郭肇唐氏（А. Г. Крымов）と会い、孫冶方の思い出を聞いた。孫の当時の名は фенкер であった（八四年五月記）。

孫冶方が帰国した三〇年代初期の政治状況を劉国光はこうスケッチしている。[7] 当時王明グループが党中央の指導権を握り、「極左日和見主義路線」を推進していた。すなわち彼らは「中国社会と革命の性質の認識において資本主義の比重を誇張し、党が武装土地革命を行なうことに反対していた。トロツキー派は王明と呼応して（？──矢吹）、中国は国際金融資本の支配する資本主義社会であり、中国革命は社会主義革命であり、革命の対象は民族ブルジョアジーである」と主張していた。[7] 帰国した孫冶方は上海で労働運動や左翼文化運動に従事し、「中国農村経済研究会」に参加し、『中国農村』誌の編集陣に加わった。彼らは理論戦線ではトロツキー派および王明の左翼日和見主義路線と闘争した。[20] 従来中国農村経済研究会のメンバーとしては、薛暮橋、陳翰笙、銭俊瑞、姜君辰などの名がよく知られていたが、わが孫冶方もパリパリのモスクワ帰りとして同人の一員だった。

一九三七年九月、中共江蘇省文化工作委員会書記に任じられ、その後長らくマルクス主義の理論教育および経済部門の指導的工作に従事する[20]「一九四一年、私は華中局党校で教育科長になった。当時私の用いていた名は宋亮であった。〔劉〕少奇同志は華中局書記兼党校校長であり、よく党校へ来られ、講義をされた。私は学員（がくせい）に対する少奇同志の報告はいつも聞き、しかも直接接触する機会を得た」。「党校に来てまもなく、マルクス主義の理論を扱う正しい態度について講義するはめになって、一九二五年のモスクワを想起した。当時、中国人留学生の党支部指導者は任卓宣（のちに裏切者となった葉青である）であったが、課外時間にわれわれが理論やロシア語を学ぼうとすると反対し、毎晩生活検討会を開き、日常生活の些事を〝工作匯報〟の中心内容とし、批判を加えた。課外に講義録やマルクス主義の原著を読んだりすると学院派のレッテルを貼られた。この偏向は任卓宣個人の独創ではなく、当時の方針の表われだと考えてはみたものの、自信がなかった。そこで少奇同志に手紙を書き教えを請うた」。「少奇同志はその日のうちに（一九四一年七月一三日）三千字近くの長信で返事をくれた。それはのちに『宋亮同志に答える』と題して文集『党を論ず』に収録された。この手紙は私の意見を肯定するとともに革命運動を指導するうえでの革命理論の重要性を詳しく説いたものであった」（30）。

劉少奇は一八九八年生まれであるから、孫冶方より一〇歳年長である。革命家としてのキャリアにおいても大先輩であり、孫は劉を敬慕していた。孫が文化大革命において批判されたのは、なによりもまずその理論的主張のためであるが、劉少奇との人脈は罪状にさらに一カ条を付加するものとなった。たとえば彼はこう批判されたのである。「長きにわたって孫冶方は猖狂反党・反社会主義・反毛沢東思想をやり、罪悪累累、臭名昭彰であった。けれども彼は党内の一部の実権派の庇護を受けているために、これまで当然受けるべき批判と闘争を受けてこなかった」(1)。ここで「一部の実権派」とは劉少奇を暗示している。

2　孫冶方経済学の基本テーマ

一九四九年の建国後は、上海軍事管制委員会重工業処処長、華東軍政委員会工業部副部長を経て、五四年国家統計局副局長となり、五七年中国科学院経済研究所代理所長になった[20]。

一九五六年、スターリン批判で揺れるソ連共産党第二〇回大会直後のソ連を訪れ[1]、ソ連経済の実情を視察したことは彼にとってきわめて大きな体験となった。スターリン型経済体制の矛盾、限界をきびしく見つめつつ、彼は改革派経済学者としての苦難の道を歩み始めることになる。なお、ソ連を再訪した時期を「五〇年代初」と書いたものもある[3]。一九五六年に書いた三篇の論文〔1〕〔2〕〔3〕で彼は経済計画が依拠すべき根拠として価値法則を論じ、総生産額指標の矛盾をつき、孫冶方経済学の基本テーマを突き出している。五七年中国科学院（当時）経済研究所に移ったが、国家統計局副局長は依然兼任していた。研究所は新たに国家計画委員会の指導をも受けることになり、彼は計画委の党組会議に列席する機会を得た。これによって接触しえた大量の事実は自らの観点の正しさをいっそう確信させるものであった[3]。

いくつかのエピソードがある。一九五八年大躍進運動のとき、経済研究所は河北省昌黎県に農村経済研究のための「実験田」を設けた。ここでの調査をもとに二人の研究者が公共食堂に批判的な「食堂報告」（『光明日報』一九五九年一〇月五日）を書いた。曰く、農民の食事を公共食堂でとるやり方は農民の生活習慣と意識の水準からして不適当であり浪費をもたらしている。一九五九年夏の「反右傾運動」のとき、この報告が大禍を招いた。科学院の哲学社会科学部〔現在の社会科学院の前身〕党組会議は、孫治方の異議にもかかわらず、両名の処分を決定した。孫治方はその二年後、上級の許可を得て、二人のために「平反」の措置をとった(9)。

同じく一九五八年、コストを無視して小型高炉を建て鉄を作ることが行なわれていた。「社会主義が追求するのは使用価値なのであって、価値ではない。鉄ができさえすれば損益は問わないのが社会主義だ」とする風潮を彼はこう批判した。「社会主義は価値を重んじないというものでは断じてない。価値を軽視するのは、三〇年代のソ連経済学の〝自然経済論〟の害毒である。それは老本を食いつぶすものだ。坐して吃わば山のごとき富も空し、ではないか?(3)」と。

一九六一年、彼は上海へ調査に行き、上海機床廠でアメリカの一九四四年製の平削盤を見た。それは効率が悪く、済南機床廠の国産ものの三分の一の生産性しかなかった。ところがその非効率平削盤は償却期限まであと九年あり、以後二回の「大修理」を経てようやく廃棄処分できるという「規定」に縛られていた。彼はこの工場をみて、骨董の複製にも似た減価償却方式に深い疑問を抱く(3)(7)。のちの論文〔13〕〔24〕は、この体験から技術進歩を阻む減価償却の低率償却を改めるよう主張したものだ。

3　利潤導入論で批判・逮捕さる

一九六二年八月、孫冶方は陳伯達の起草したある『報告（草稿）』に対して書面意見〔10〕を書いた。「当時、彼〔陳伯達〕は度量が大きいようにふるまい、私を呼んで意見をほめてくれた。ところが私の意見は、この〝理論家〟の水準の低さを暴露することになったので、彼は恨みをもち、その二年後、経済研究所で〝四清〟を行なった機会を利用して、私に対して〝中国最大の修正主義者〟の帽子をかぶせ、私に対する〝批判〟を組織した」。孫は論文〔10〕の脚注で事情をこう説明している。彼はいよいよ政治の激動の真只中へまきこまれる。

一九六四年八月、『紅旗』編集部が北京と天津の一部の経済学者を招いて、再生産問題について座談会を開いた。孫冶方は生産価格の問題について「発言提綱」〔15〕を書いた。「この座談会は陳伯達が私を中国最大の修正主義者と内定したあと開かれたものである。したがって名義上は座談会とはいえ、実際にはもっぱら私の経済学についての観点、とりわけ資金利潤率〔すなわち生産価格〕論を批判する批判会あるいは闘争会なのであった。それゆえ〝座談〟というのは、実際には陳伯達が前もって内定した枠内での発言にすぎない。この枠に従って発言しない者は誰もが〝挨批（ひはんされ）〟〝挨闘（とうそうされ）〟る危険があった。ただ、林彪、陳伯達、四人組は〝全面専政（どくさい）〟なるものを実行する以前には、〝批判会〟であれ、〝闘争会〟であれ、〝挨批（ひはんされ）〟〝挨闘（とうそうされ）〟る側の発言を許していた。批判は経済学の理論問題をめぐるものだったので私により深く問題を思考させることになり、研究にとってはやはりプラスがあった」〔15〕。「座談会」という名の「闘争会」の内幕がうかがえる。彼は批判に対して反駁し、あるいは弁明した〔16〕〔17〕。このとき、薛暮橋も孫の批判者の一人として動員されている。

一九六四年の「四清」運動のときには、「張聞天・孫治方反党聯盟」なるレッテルも登場した。事のいきさつは、張聞天が廬山会議で解任されたあと、一九六〇年一月、経済研究所の特邀研究員に任ぜられたことにはじまる。一九六一年三月から五月にかけて、孫治方、張聞天ら数人は『社会主義経済論』の執筆計画を討論した。あるとき、張聞天が上海へ経済問題の調査に行き、食事中に知人に会った。知人がたずねる、「今度はどこに調査に行かれますか?」。張聞天が答える、「湖南へ行ってみたい」。知人がいう、「彭老総〔彭徳懐〕も湖南にいますね。あなたがたは再会できますね」。

この会話が「情況」として書かれ、孫治方の副学術秘書に届けられた〔一種の密告であろう〕。その「情況」はまた経済研究所の業務副所長のデスクにも届けられた。そしてこの「情況」は翼もないのに空を飛び、広まった。折からの「四清」運動のなかで、張聞天が湖南へ行き、彭徳懐と「反党串聯」をたくらんでいる罪証とされたわけだ。かくて「情況」の「上報」〔上級への報告〕を怠った副学術秘書〔当時三四歳の若い経済学者〕は政治的に危険な立場に立たされた。上司である孫治方は「〝情況〟を読んだかどうかおぼえていない。読んだとしても、私はそれを上報しないよ、食事時のひまつぶしの話さ」と発言して、副学術秘書を救ったが、それは孫治方自身の罪状を一カ条増やすことになった[9]。このエピソードは当時の張聞天およびその周囲の人々がいかなる政治的雰囲気のもとに置かれていたかの一端をうかがわせる。

◆

一九六八年四月五日、夕食の最中に数人の大漢が孫治方宅を訪れ、手錠をかけ、「あなたは逮捕された」と宣告した。入党歴四〇年の老党員は獄中で腹を決める。「私は自らの経済学的観点のゆえに逮捕されたのであるから、自らの経済学的観点のために生きねばならぬ(3)」と。入獄したあと、「死は惜しむに足らず、名声の毀損もどうということはないが、長らく研究してきた経済学の観点は失ってはならない。私は私の堅持する真理のために生き続け、死のまえに自己の見解を残して大衆に手渡し理解してもらわねばならぬ、と考えた」と語っている。こうして入獄の翌日から『社会主義経済論』の提綱(テーゼ)を記憶だけを頼りとしてまとめ始めた。全書は序言を除き、二二章一八三節(二三章二〇六節と書いたものもある(3))からなるが、自由を失っていた七年プラス五日の間、彼は何十回も腹稿を練っていた。このほか監獄当局が彼に対して「交代材料(じきょう)」を書かせるために用意した紙と筆を用いて、『経済学界の一部の人々と私との論争』数万字(一説に三万字(3))を書いた。一九七五年四月上旬、いかなる説明もなしに、孫治方は胡里胡涂地(わけもわからぬまま)釈放された(6)。実はのちに孫治方の弟子となる霍俊超らが「南方で孫治方のために翻案」の努力を続けた結果なのであった。彼らは檔案(はんざいきろく)にある「叛徒孫宝山」が孫治方を指すものではないことを証明した。霍俊超は皮肉にも孫治方の「専案〔特捜〕工作」に参加して無実を知ったのである(14)。

釈放は一九七六年四月一〇日であり、肝臓を患っていた彼はよろよろ歩くことしかできなかった(3)。彼は六〇歳から六七歳まで牢獄で生きたわけである。出獄した彼は一九七八年八月経済研究所顧問に迎えられ、一九八〇年五月には社会科学院顧問に選ばれた。さらに一九八二年九月の中共一二回大会では新設の顧問委員会の委員に選ばれた。「党歴四〇年以上」が顧問委員の資格であるが、孫治方の党歴はすでに五八年であった。

4　孫経済学の評価（1）

孫治方の経済学上の貢献を分析した論文が三篇ある。いずれも弟子筋あるいは彼がかつて所長を勤めていた経済研究所にかかわりをもつ経済学者たちの書いたものである。

何建章（現国家計画委経済研究所副所長）・張卓元（社会科学院経済研究所）の論文[6]は孫治方の理論上の貢献を以下の五カ条に整理している。

(1)最小の費用で最大の効果を得ることを社会主義経済活動の最高準則とみなすこと。

階級闘争を強調し、政治スローガンをもって経済分析に代え、実際の経済生活においては主観意志をもって経済法則に代え、経済のソロバンをはじかない極左思潮に抗して、孫治方は最小の費用で最大の効果を追求することが社会主義経済活動の最高準則であるとする論点を提起した。この観点から彼は「コストを犠牲にしても」を「社会主義建設の気魄」であるかのごとくみる風潮を批判した。だが経済効率、経済合理性を尊重せよとする主張は、「政治優先（原文＝政治挂帥）」に反対」し、「階級闘争を否定するもの」として批判され、文化大革命においては「反革命修正主義」の罪名をかぶせられた。

(2)資金を節約し、合理的に使用すること。

資金の使用効率をみるうえで、彼は資金利潤率をもって企業の経営管理効果をはかる総合的指標とし、生産価格をもって生産物価格決定の基礎にするよう主張した。生産価格論による価格決定というこの観点は一九五六年ごろ、重工業製品の価格を引き下げるべきか否かの論争のなかで提起されたものである。彼は重工業製品の価格引き下げに反対した。なぜなら、そのコスト利潤率は比較的高いとはいえ、資金利潤率は高くなかったからである。彼は資金の使用効率を重視する立場から資金利潤率に注目したのであった。一九六三年の研究報告「利潤指標」〔14〕において彼はこう指摘している。国家計画に照らして「生産方向を定め、協業関係を定め、生産販売契約を厳格に執行し、計画価格を遵守する条件のもとで、利潤の大小は企業の技術水準と経営管理の良し悪しを反映する最も総合的な指標である。社会的平均資金利潤率は各企業が達成すべき水準であり、平均資金利潤率の水準を上回った企業が先進企業であり、平均水準に達しなかった企業が後れた企業である」〔24〕。孫冶方のこの観点は「利潤優先」（「利潤挂帥」）の罪名で批判されたが、彼はこの点についていささかの検討も行なわなかった。

(3) 経済管理体制改革の提唱

一九五六年、孫冶方は計画経済と価値法則の関係を論じ、経済管理体制の改革にふれた〔1〕。一九六一年六月、中央に提出した「内部研究報告」〔7〕において、体制改革の必要性と一連の改革案を提起した。その論拠はこうだ。財政経済体制の中核の問題は企業の権限、責任と国家との関係、すなわち企業の経営管理権の問題である。その他の問題、たとえば中央と地方の関係、中央各部門の上からの管理系列と各級の地方政府との関係〔原文＝条条与塊塊〕などは、企業の権限の問題が解決されれば容易に処理しうる。

社会主義のもとで、企業は「独立の経済採算単位」でなければならない。むろん全人民所有制企業の所有者は国家であり、企業が占有、使用、支配の権限のみをもつという意味では、社会主義企業の独立性は相対的である。けれども、企業が独立の採算単位であるからには、元来の協業関係、原料供給、製品販売関係の範囲内では、元来の生産方向の範囲内では、企業は相互に供給販売契約、その数量と種類規格を自主的に決定してよく、国家や地方政府は介入しない方がよい。孫冶方はここで企業の自主権の限界を明確に提起した。それは「資金価値量」の単純再生産の範囲内のことは企業が自己管理すべき「小さな権限」〔原文＝小権〕とし、「資金価値量」の拡大再生産、たとえば新企業への投資、旧企業の拡張投資を国家が管理すべき「大きな権限」〔原文＝大権〕としたことである。

⑷流通の生産発展に及ぼす影響を重視したこと。

孫冶方は社会主義経済には流通過程は存在しないとみる誤った観点、すなわち流通不在論または流通非存在論〔原文＝無流通論〕を商品生産と商品交換の発展を妨げるものとして斥けた。「流通不在論」は交換と分配の機能を混同し、分配をもって交換に代えようとする。だが、交換と流通がなければ、社会化大生産を発展できないはずである。「流通不在論」は企業内部の技術的分業と社会的分業とを混同し、不当にも全人民所有制経済を一つの大工場であるかのごとくにみなす。ここでは異なる車間（ワークショップ）、工段（ワークショップセクション）における技術的分業が存在するのであって、社会的分業は存在しない。だが、社会主義全人民所有制経済は数十万の独立採算の企業から成り立っており、各企業間には社会的分業が存在している。各企業間で生産物の交換を行なわなければ、全社会の再生産は順調に行なえない〔ここで、「全人民所有制経済を一つの大工場であるかのごとくみなした」元祖はほかならぬレーニンであったことを想起したい。孫冶方も他の経済学者たちもいまだあえてレーニンの名に言及することをしていない〕。

孫治方は実物配給制に一貫して反対し、生産手段の流通を商業の軌道に入れるよう主張した〔ちなみに中国で商業部門が扱うのは消費財のみであり、生産手段の流通は物資部門が専一的に分配するという体制になっている。これは五〇年代にソビエト・モデルを模倣してできたやり方である〕。メーカーとユーザーの間に壁があるため、製品が需要に合わず〔原文＝貨不対路〕、過剰在庫滞貨〔原文＝超儲積圧〕が生ずる。行政区画ごとの封鎖があるため、一方ではモノがあっても売れず、他方で需要に間に合わず、材料待ちの操業停止〔原文＝停工待料〕が生ずる。流通部門の独占体制のためサービスの質的低下が生ずる。これらの流通面の矛盾は「流通不在論」の帰結であるとする。

(5)技術革新を重視し、既存企業の技術改造を重視したこと

孫治方は生産力と結びつけて生産関係を研究するよう主張し、生産力から離れて孤立的に生産関係を研究することに一貫して反対してきた。彼はとりわけ技術革新の生産力発展に対する影響を重視した。社会主義のもとでも機械設備の道徳的磨滅〔原文＝無形損耗〕があるとみて、技術革新を妨げるような設備管理制度を批判した。そして、企業の技術革新を促すために、固定資産の減価償却率を現行の三～四％から一〇％まで引き上げること、償却引当金は企業レベルに留保し、企業が自主的に設備更新を行なえるようにすることを提案した。一九八二年九月の一二回党大会で提起された工農業総生産額四倍増計画に対しては、既存企業の技術革新を中心とする発展戦略をとり、新企業の建設はむしろ少なく押える方が効率よく、したがって高成長が可能だと主張した〔44〕。これはソ連の数十年の工業成長率、中国の三〇年の工業成長率においていずれも傾向的に低下傾向がみられる事実から出発した立論――「基数が大きくなれば、速度は慢（ゆるやか）になる」――を鋭く批判したものであった。それゆえ陳雲、趙紫陽ら中共

中央のリーダーたちから激賞された。

5　孫経済学の評価（2）

劉国光（社会科学院副院長、経済研究所所長）の論文[7]は孫冶方の「主要経済観点」として、つぎの四カ条をあげている。

(1)最小の労働力消費で最大の経済効果をあげる効率性の追求。
(2)計画工作において価値法則の役割を重視すること。
(3)企業の経営管理権限を拡大し、単純再生産の範囲内のことは企業の自治に委ねること。
(4)平均資金利潤率を用いて企業の業績をはかり、生産価格論に照らして製品の価格決定を行なうこと。

劉国光のあげた四カ条のうち、(2)を除けば残りは何建章の指摘（本稿七一頁～参照）と一致する。すなわち劉(1)→何(1)、劉(3)→何(3)、劉(4)→何(2)と対応している。

経済研究所所長として研究所の運営方法に関する孫冶方の功績として、何建章は研究所を中央宣伝部と国家計画委員会の「二重指導」体制として、周恩来、李富春の賛同を得たと指摘している。この点について劉国光は研究所は孫の提案で国家計画委員会と中国科学院の「二重指導」となったと書いている。中国科学院を「指導」するのが中央宣伝部であるとすれば、両者に矛盾はない。ただ、研究所の運営を実質的に指導するのが（現在の）社会科学院なのか、中央宣伝部であるのか、研究内容の自由度の問題としてはやはり気になるところであろう。

6　孫経済学の評価（3）

孫尚清（社会科学院副秘書長）、呉敬璉（社会科学院経済研究所研究員）ほかの論文[12]は、経済政策論は除き、理論面での孫冶方の貢献を以下の五カ条に整理している。

(1)最小の費用で最大の経済効果をあげることを、政治経済学の一本の赤い糸とした。これは何(1)、劉(1)に同じ。

(2)計画を価値法則の基礎の上に置くこと。劉(2)に同じ。

(3)流通は社会化生産の物質代謝過程であること。何(4)に同じだが、以下のような解説がある。社会主義政治経済学における「流通不在論」は生産関係に対するスターリンの命題以来広く行なわれるようになった。これは、十月革命以後の実物配給制を迫られた現実から進行した、経済実物化の過程を概括したものであるにすぎない。中国では、解放区において供給制を実行し、解放後はソ連のやり方を学んで長らく「実物配給制」を実行してきたので、流通不在論は当然のごとく受容された。孫冶方は、五〇年末から六〇年代初めにかけて、中国人民大学の講義その他の報告や論文のなかで「流通不在論」に起因する弊害をたびたび指摘し、生産手段の流通を商業の軌道に乗せるよう提案した。

(4)利潤を総合指標として扱うこと。何(2)、劉(4)に同じ。

(5)生産価格をもって計画価格の基礎とすること。何(2)、劉(4)に同じ。

孫尚清らの論文は、経済理論的観点として以上の五カ条を指摘したあと、孫冶方の政治経済学方法論の特徴として、自然経済論批判および〔上部構造決定論あるいは唯意志論という形の〕観念論批判の二点をあげている。とりわけ後者に依拠して、スターリンの『ソ同盟における社会主義の経済的諸問題』における生産関係の定義の欠陥を批判したのだという。

さて、その方法論に基づく成果として、第一に、生産関係の研究においては、生産力と切り離して弧立的に生産関係を研究してはならないことがあげられる。つまり各種の技術的経済的措置の経済効率の評価、その評価に基づいて最良の方策を選択することも政治経済学の視野に収めようとする。さもなければ、政治経済学は「政治学」に変わるか、あるいは現実の生産力から遊離した観念論に堕する、というのが孫の方法的主張の一つである、とみる。その第二は、生産過程、流通過程、全社会的生産の総過程から社会主義の生産関係の運動を分析する観点である。従来ともすれば、「法則」の羅列や政策の記述に終わっていた社会主義経済論を、『資本論』にならって、まず生産過程、ついで流通過程、最後に社会主義社会の全生産過程を分析する順序で、孫冶方は一九六〇年から独自の「社会主義経済論」執筆に取り組んだ。だが、その後の「運命の転変」と「厳格な推敲ぶり」のゆえに、それはついに未完成に終わった、と彼らは惜しんでいる。

孫治方は、『新人口論』のゆえに北京大学総長を解任された馬寅初について、こう語っている。「私には馬老に謝罪すべき責任がある。というのは私自身が馬老を批判する論文を書いたわけではないが、私が代理所長を勤めていた経済研究所の雑誌『経済研究』が、一〇篇の批判論文を掲載したからである。これに対して私は「行政上の責任」を負っている」〔28〕。

7 結びに代えて

孫治方は自らの観点の正しさを確信して死んだが、つぎの二点については自己批判している。それは一九六三年の「利潤指標報告」〔14〕において、ひとつは労働者への奨金(ボーナス)を「物質刺激」として否定したこと、もうひとつは利潤を企業レベルに留保することを否定し、全額上納を主張したことである。その自己批判は〔19〕にみえる。

さて、私自身の孫治方評価を述べよう。孫治方が学んだ経済学は基本的にスターリン経済学、すなわちのちに『経済学教科書』に集約されたごとき内容であった。そこでは価値法則は単に商品経済の法則、資本主義経済の法則とされるのみであった。あらゆる社会の再生産に不可欠な労働時間の配分を、資本主義のもとでは商品という特殊歴史的な形態を通じて処理する。そこに商品価格を規制する法則として価値法則が働く。ここで重要なのは、価値法則という特殊歴史的法則を通じて、あらゆる社会に不可欠な経済原則が貫かれているという本質である。孫治方は、一九五六年に価値法則のもつ経済原則としての側面を発見し、以後死に至るまで、この側面を経済計画の根拠とするよう主張し続けた。この認識は卓見であり、中ソのマルクス経済学者のなかでは「鶏群に鶴が立つ」ごとく突出していた。『資本論』を繰り返し読むなかで、彼はそれに気づいたのだが、おそらく彼は中国人のなかで「最良の読み手」であった。だが、彼の才能をもってしても、「超歴史的な経済原則」と「特殊歴史的な価値法則」の関係、すなわち価値法則を通じて経済原則が実現されるという相互関係を十分解明するには至らなかった。そこで彼は、「経済原則に依拠した計画経済」を意図しつつも、「価値法則に依拠した計画経済」と表現してしまった。これは「価値法則の廃棄」こそが社会主義への道だとする通念と矛盾する。それゆえ彼は、「資本主義復活をはかるもの」という論難をかわすことができなかった。ここに孫冶方の限界があった。そして孫冶方の正当な問題提起を「修正主義」として斥けてしまった中国社会主義の悲劇があった。十数年を経て孫冶方の主張は名誉回復した。それは喜ばしい事実ではあったが、あまりにも遅すぎた感を否めない。この間に、中国社会主義が失ったものは大きい。

一九八三年一月一八日、孫冶方は死を目前に控えて『光明日報』編集部および中共中央宣伝部に宛てつぎのような手紙を書いた。「最近の一時期、貴報および他の紙誌が私について多くの報道を行ないました。党の知識分子政策を宣伝し、経済理論にかかわる問題を討論するために、一定の報道を行なうことはしてよろしい。私は党と人民が私に与えてくれた莫大な栄誉に、そして貴報と他の紙誌の激励に感謝するとともに、忸怩たるものを痛感しています。近日来、貴報がコラムを設け、篇を連ねて私個人についで報道していることに対して、私は強い不安を感じています。一人の共産党員として、党のために工作に努力し、国家と民族の振興のために貢献するのは、当然尽すべき本分であり、過褒すべきものではありません。私と同時代に革命に身を投じた多くの同志が、党のため国のため身命を捧げ、壮烈な犠牲となっています。また多くの中年、青年の同志が孜々として働きながら、世に知られていません。これらの同志のことを宣伝するよう私は希望します。私の経済理論の観点に対しては適当な宣伝と討論を行なうことに賛成であります。ただし、私個人に対して過度の宣伝を行なってはなりません。これは決して謙譲の辞ではなく、肺腑の言なのであります」。

彼は頌歌のなかに、文革時代の批判の大合唱を想起し、「不安」を感じたのであろうか。二月一三日付け『人民日報』によると、人民出版社はこのたび『孫治方文集』の出版を決定した。未完の『社会主義経済論』はそれに収録される予定である。

孫治方の主要論文

〔1〕「把計画和統計放在価値規律的基礎上」『経済研究』一九五六年第六期。
〔2〕「関於生産資料和消費資料的画分問題」一九五六年。国家統計局の討論会での発言。
〔3〕「従〝総産値〟談起『統計工作簡報』」一九五六年第二九期。
〔4〕「要懂得経済必須学点哲学」一九五八年。
〔5〕「要用歴史観点来認識社会主義社会的商品生産」『経済研究』一九五九年第五期。北京経済学者座談会での発言記録稿。
〔6〕「論価値」『経済研究』一九五九年第九期。
〔7〕「関於全民所有制経済内部的財経体制問題」一九六一年六月二日。研究報告。
〔8〕「関於等価交換原則和価格政策」一九六一年。討論資料。

〔9〕「対社会主義政治経済学中若干理論問題的感想」一九六一年一〇月二一、二二日。南京経済学会での講話記録稿。
〔10〕「対一個《報告（草稿）》的意見」一九六二年八月。書面意見。
〔11〕「流通概論」一九六三年四月。中国人民大学経済系での講義稿。
〔12〕「関於経済研究工作如何為農業服務的問題」『経済研究』一九六三年第五期。
〔13〕「固定資産管理制度和社会主義再生産問題」一九六三年九月三日。研究報告。
〔14〕「社会主義計画経済管理体制中的利潤指標」一九六三年九月一八日。研究報告。
〔15〕「在社会主義再生産問題座談会上関於生産価格問題的発言提綱」一九六四年八月一〇日。
〔16〕「在社会主義再生産問題座談会上関於生産価格問題的発言紀要」一九六四年八月一〇日。
〔17〕「要全面体会毛主席関於価値規律的論述」『経済研究』一九七八年第一一期。一九六四年一二月一六日執筆。
〔18〕「関於〝資産階級法権〟」一九七七年三月二七日。
〔19〕「要理直気壮地抓社会主義利潤」『経済研究』一九七八年第九期。
〔20〕「千規律、万規律、価値規律第一条」『光明日報』一九七八年一〇月二八日。
以上〔1〕～〔20〕の二〇篇は『社会主義経済的若干理論問題』（北京・人民出版社、一九七九年五月刊）に収録されている。
〔21〕「在南斯拉夫和羅馬尼亜考察時対幾個経済学問題的一些個人体会」一九七九年四月。書面発言。
〔22〕「在全国経済科学規画会議上的発言」一九七九年三月二日。
〔23〕「関於政治経済学和経済管理問題」一九七九年三月九日。
〔24〕「従必須改革〝複製古董、凍結技術進歩〟的設備管理制度談起」『紅旗』一九七九年第六期。
〔25〕「関於改革我国経済管理体制的幾点意見」『関於我国経済管理体制改革的探討』一九八〇年所収。

〔26〕「論作為政治経済学対象的生産関係」『経済研究』一九七九年第八期。
〔27〕「政治経済学也要研究生産力」平心著『論生産力問題』序、一九七九年一〇月。
〔28〕「経済学界対馬寅初同志的一場錯誤囲攻及其教訓」『経済研究』一九七九年第一〇期。
〔29〕「甚麼是生産力以及関於生産力定義問題的幾個争論」『経済研究』一九八〇年第一期。
〔30〕「重視理論　提唱民主　尊重科学――回憶劉少奇同志的幾次講話」『経済研究』一九八〇年第四期。
〔31〕「価値規律的内因論和外因論」『中国社会科学』一九八〇年第四期。
〔32〕「談談搞好綜合平衡的幾個前提条件」『経済研究』一九八一年第二期。
〔33〕「流通概論」『財貿経済』一九八一年第一期。
〔34〕「加強統計工作、改革統計体制」『経済管理』一九八一年第二期。
〔35〕「講経済就是要以最小的耗費取得最大的効果」『国民経済的調整和経済体制的改革』一九八〇年所収。
〔36〕「関於生産労働和非生産労働、国民収入和国民生産総値的討論」『経済研究』一九八一年第八期。
〔37〕「也談理論聯係実際和百家争鳴問題」『財貿経済叢刊』一九八一年第六期。一部のみ『経済研究』一九八一年第一〇期。
〔38〕「調整、改革与速度」『世界経済導報』一九八一年九月一四日。
〔39〕「為甚麼調整？　調整中応該注意的一個重要問題」『経済研究』一九八二年第二期。
〔40〕「価値規律和改進計画統計方法問題」一九五六年一〇月。
〔41〕「対積累率問題的幾点意見」一九六一年八月二日。
以上〔21〕～〔41〕の二一篇は『社会主義経済的若干理論問題（続集）』（北京・人民出版社、一九八二年一〇月刊）に収録されている。
〔42〕「対《論作為政治経済学対象的生産関係》一文的批判者的答復」『経済研究』一九八二年第一〇

期。

〔43〕「堅持計画経済為主、市場調節為輔」『中国財貿報』一九八二年二月一三日、『人民日報』一九八二年二月二二日。

〔44〕「二〇年翻両番不僅有政治保証而且有技術経済保証」『人民日報』一九八二年一一月一九日。

孫治方について書かれた文章

（1）夢奎・暁林「評孫治方反動的政治立場和経済綱領」『紅旗』一九六六年第一〇期。

（2）伊凡『文革下的中共経済』第六章「大陸経済学界的修正主義」の第一節「赤膊上陣」的孫治方（香港・友聯出版社、一九六八年）。

（3）鮑光前（新華社記者）・林晰（人民日報記者）「探索真理的人――著名経済学家孫治方同志的事迹」『人民日報』一九八〇年七月二八日。

（4）柏生（人民日報記者）「恬念――訪孫治方同志」『人民日報』一九八二年一二月六日。

（5）新華社北京電「孫治方栄獲模範共産党員称号」『人民日報』一九八二年一二月一九日。

（6）何建章（国家計画委員会経済研究所副所長）・張卓元（社会科学院経済研究所）「孫治方同志在経済理論上的重要貢献」『紅旗』一九八二年第二四期。

（7）劉国光（社会科学院副院長、経済研究所長）「学習孫治方理論与実際相結合的好学風」『人民日報』一九八三年一月七日。

（8）張天来（光明日報記者）「孫治方頌――雪山上的蓮花」『光明日報』一九八三年一月一六日。

（9）林玉樹（光明日報記者）「孫治方――鉄肩担正義」『光明日報』一九八三年一月一七日。

（10）グラビア特集「孫治方頌」『光明日報』一九八三年一月一八日。

（11）張卓元「提倡指名道姓的弁論」『人民日報』一九八三年一月二五日（孫冶方と于光遠との公開論争をたたえる）。
（12）孫尚清・呉敬璉・張卓元・林青松・霍俊昭・冒天啓「試論孫冶方的社会主義経済理論体系」『経済研究』一九八三年第一期。
（13）王武（光明日報記者）「孫冶方頌——新松恨不高千尺」『光明日報』一九八三年一月二八日。
（14）張天来（光明日報記者）「孫冶方頌——学術講壇創新風」『光明日報』一九八三年二月二日。
（15）陳英茨（光明日報記者）「孫冶方頌——理論的力量従何而来？」『光明日報』一九八三年二月一〇日。
（16）グラビア特集「孫冶方頌」『光明日報』一九八三年二月一九日。
（17）「孫冶方就宣伝個人問題致函本報」『光明日報』一九八三年二月一〇日（孫冶方の手紙の日付は一九八三年一月一八日）。
（18）「孫冶方同志与世長辞」『人民日報』一九八三年二月二四日（死去は二月二二日、死因は肝臓ガン）。
（19）本報訊「紀念著名経済学家孫冶方同志」『人民日報』一九八三年三月五日。
（20）新華社「資料　孫冶方同志的革命経歴和学術貢献」『人民日報』一九八三年三月五日。
（21）本報訊　人民出版社将編輯出版《孫冶方文集》『光明日報』一九八三年二月二一日。
（22）林玉樹（本報記者）「春風春雨……」『光明日報』一九八三年二月二四日。
（23）グラビア特集「悼念孫冶方同志」『光明日報』一九八三年二月二五日。
（24）王武（本報記者）「為有源頭活水来——孫冶方青年時期的故事」『光明日報』一九八三年二月二六日〔一九三五年五月に日本から帰国と記す〕。
（25）李昭「病魔奪不去的……依依哀思寄懐孫爸爸」『光明日報』一九八三年二月二八日（李昭は孫

治方の養女。孫治方には実子はなかった〕。

(26) 呉大琨「読者来信」『光明日報』一九八三年三月一日〔日本からの帰国は一九三五年九～一〇月であろう、と王武の記述を訂正〕。

(27) 鮮金城「革命者的本色——随孫治方同志転戦南北」『光明日報』一九八三年三月三日〔鮮は一九四七年当時孫治方の「警衛員」、なお孫自身は華東財経弁事処秘書長〕。

(28) 本報訊「紀念馬克思主義経済学家孫治方同志」『光明日報』一九八三年三月五日。

(29) 冒天啓「一条発展経済科学的正確道路——悼念孫治方同志」『光明日報』一九八三年三月六日。

(30) 沙沙「一盆艶麗的山茶花献給外公孫治方」『光明日報』一九八三年三月七日〔沙沙にとって孫治方は母方の祖父にあたる〕。

(31) 本刊編輯部「向在経済科学上做出卓越貢献的孫治方同志学習」『経済研究』一九八三年第二期。

(32) 孫尚清・呉敬璉・張卓元・林清松・霍俊超・冒天啓「評孫治方的経済改革設想和経済政策建議」『経済研究』一九八三年第二期。

(33) 董輔礽「孫治方同志治学精神和治学方法点滴」『経済研究』一九八三年第二期。

(34) 黄範章「積極倡導経済管理体制改革的経済学家——孫治方」『経済研究』一九八三年第二期。

(35) 卓炯「論計画経済与価値規律——重読孫治方同志《把計画和統計放在価値規律的基礎上》的感受」『経済研究』一九八三年第二期。

(36) 梅益「紀念我国著名的馬克思主義経済学家孫治方同志」『経済研究』一九八三年第三期。

(37) 項啓源「孫治方同志是怎様在経済研究所貫徹〝双百〟方針的」『経済研究』一九八三年第三期。

(38) 賈春峰、王夢奎「徹底批判孫治方反対無産階級政治挂帥経済〝理論〟」『光明日報』一九六六年一二月七日。

(39) 斉文兵「駁孫治方〝政治挂帥不能代替客観経済規律〟等謬論」『光明日報』一九六六年一二月

五日。

(40) 言文学「絶不容許孫治方攻撃、纂改党的社会主義建設総路線」『光明日報』一九六六年一二月一二日。

(41) 寧経声「粉砕孫治方対社会主義計画経済的攻撃」『光明日報』一九六六年一二月一九日。

(42) 鉄金「駁孫治方対粮食統銷的汚蔑」『光明日報』一九六七年一月九日。

(43) 李金玉「不許孫治方攻撃人民公社」『光明日報』一九六七年一月九日。

四　孫治方の「スターリン経済学」批判

1　孫治方の生涯と著作

現代中国において最も注目すべき経済学者の一人は孫治方（一九〇八〜八三年）であろう、と私はかねて目してきた。彼の死にさいして追悼文[*1]を書いたことがある。彼の死後発表されたある報告文学（ルポルタージュ）[*2]は、つぎのような人物評を紹介している。括孤内は私の説明である。

周揚同志〔現中共中央宣伝部顧問〈「現」は前記の報告文学が発表された時期を意味する。以下同様〉〕が中央宣伝部のある会議で語った――文化界と理論界において十年浩劫〔文化大革命のこと〕のあいだ終始原則を堅持し毫も妥協しなかった硬骨漢は二人しかいなかった。一人は賀緑汀〔現中国音楽家協会副主席〕であり、もう一人は孫冶方である。

鄧力群同志〔現中共中央宣伝部長〕が国務院財経委員会のある重要会議で語った――中国には理論的に創造的見解をもつ経済学者は二人しかいなかった。一人は胡喬木〔現政治局委員〕であり、もう一人は孫冶方である。

多くの人々が孫冶方を最も尊敬する経済学者にあげ、学者たちは彼を薛暮橋〔現国家計画委員会顧問〕、許滌新〔現中国社会科学院顧問〕、于光遠〔現中国社会科学院顧問〕の三人と合わせて経済学界の「四大名旦」と称している。

右の人物評はそれぞれに興味深いが、孫冶方の輪郭を最もくっきりさせるニックネームは「中国利別爾曼」であった。彼の研究報告「社会主義計画経済管理体制における利潤指標」(一九六二年九月一八日執筆、『社会主義経済的若干理論問題』北京・人民出版社、一九七九年に初公表)は「利潤挂帥」を主張したものとされ、彼はまず「中国最大の修正主義分子」のレッテルを貼られた。彼は批判され解任された最初の経済学者であり〔文革前夜の一九六四年冬に科学院経済研究所所長の職務を解かれた〕、文化大革命が始まるや牛棚(うしごや)と俗称された「私設監獄」ではなく正規の「国営監獄」に投獄された唯一の経済学者であり、「反革命分子」の範疇に分類された唯一の経済学者であった。[*3] 彼は一九六八年四月五日から七五年四月一〇日までの七年間プラス五日を中国の「巴士底(バスティーユ)」と呼ばれている秦城監獄で暮らした。[*4] 一九二〇年代後半にモスクワに留学し、モスクワ中山大学を卒業し、革命後は経済研究所長を勤めていた共産主義者が、その理論的主張のゆえに投獄されたという事実は、一個人の悲劇であるばかりでなく、中国社会主義の悲劇を象徴するものでもあった。

孫冶方のおもな著作は『社会主義経済的若干理論問題』および『社会主義経済的若干理論問題（続集）』（北京・人民出版社、一九八二年）に収められている。前者（以下『問題』と略す）には五〇年代六〇年代に執筆された論稿一七篇、七〇年代のもの三篇が収められているが、このうち文革以前に公表されていたのは五篇にすぎず、しかもそのうち一篇は「方青」という署名によるものであった。後者（以下『続集』と略す）には七九〜八二年に発表されたもの一九篇のほかに五〇年代、六〇年代のもの各一篇が補遺として付されている。

2 スターリン論文の価値法則外因論

本項においては孫冶方のスターリン論文批判の論旨を整理してみたい。孫冶方はスターリンの一九五三年の著作『ソ同盟における社会主義の経済的諸問題』（邦訳、大月書店国民文庫）に対して、価値法則外因論、流通不在論、生産関係の定義の欠陥の三点にわたって批判している。三つの論点は相互に深く関連している。ここでは価値法則外因論を中心にみていくことにしたい。

「価値法則の内因論と外因論——兼せて政治経済学の方法を論ず」(『続集』第一一論文)において、孫冶方はスターリンの価値法則理解を「外因論」と名づけている。外因論の論理は以下のごとくである。社会主義のもとでは生産手段の公有制の二つの形式、すなわち「全人民所有制」と「集団所有制」が存在している。これら二つの所有制間の経済的取引は「商品交換」であるとし、ここでは「価値法則」が作用しているとみる。そして国家(=全人民所有制)と農民(=集団所有制)との交換においては等価交換の原則を重んじなければならないという。スターリンはここで価値法則の作用は二つの所有制の「辺縁」において、すなわち交換の過程において初めて生まれるものとした。あたかも原始共同体の辺縁から商品が生まれたように。スターリンはさらに一歩進めて、全人民所有制の外部になお商品・商品交換が存在するからには、全人民所有制内部で移動する生産手段(たとえば機械製造工場から機械を使用する工場へ)は商品の〝外被〟を帯びないわけにはいかない。ただし、生産手段のこの種の移動は価値関係の作用する流通ではないと考えた。

ところで「集団所有制」はやがて「全人民所有制」に移行するのが社会主義発展の道筋であるとの認識から、単一の全人民所有制が実現したあかつきには価値法則はきれいさっぱり存在しなくなるという展望が導かれる。[*5] 右のスターリンの議論において特徴的な点は生産手段の所有制から論を進めていることである。孫冶方はいう、「スターリンは生産関係の定義において所有制を孤立した一項となし、生産・交換・分配・消費の外から所有制を研究しているが、これは社会主義経済にとって害毒が大きい」[*6]。

ここで孫治方はマルクスからつぎの三カ所を引用し、所有制の正しい扱い方を検討している。まず第一はロシアの経済学者アンネンコフへの手紙（一八四六年一二月二八日付）である。

> 最後に、所有は、プルードン氏の体系のなかの最後のカテゴリーをなしています。現実の世界では、これとは反対に、分業も、その他のプルードン氏のすべてのカテゴリーも、今日人々が所有とよぶところのものを全体として形成する社会的諸関係なのです。これらの関係をほかにしては、ブルジョア的所有は、一つの形而上学的または法律的幻想以外のなにものでもありません。別の一時代の所有、封建的所有は、一連のまったく違った社会的諸関係のなかで発展します。プルードン氏は、所有を独立の一関係として立てることによって、単に方法上の一誤謬を犯しているだけではありません。――すべてのブルジョア的生産形態を結びつけている紐帯を彼は把握していないこと、一定の時代における生産形態の歴史的な一時的な性格を理解していないこと、このことを彼は明らかに示しています。[*7]

第二は『哲学の貧困』第四節「土地所有または地代」の冒頭の一句である。

> 所有は、それぞれの歴史的時代に、それぞれ別様に、しかも全然異なる一連の社会的諸関係のなかで、発展してきた。それゆえ、ブルジョア的所有に定義をくだすことは、ブルジョア的生産

の社会的諸関係のすべてを説明することにほかならない。[8]

第三は『共産党宣言』の末尾に近い一句である。

> 要するに共産主義者は、どこでも、現存の社会状態および政治状態に反対するあらゆる革命運動を支持する。
>
> すべてこれらの運動において、共産主義者は、所有の問題を、それがいくぶんとも発展した形態をとっているかどうかにはかかわりなく、運動の根本問題として強調する。[9]

マルクスからこれら三つのことばを引用することによってスターリンの所有制、生産関係理解を批判したあと、孫冶方は中国の経済政策の欠陥がスターリンの所説とかかわっていた、とこう指摘する。

> 生産関係と切離して所有制を研究するのは、まさに所有制の問題を貶しめるものである。しかもそれは経済工作における唯意志論に道を開くものである。二十数年来わが経済は多くの問題で、とりわけ農業合作化の過程およびそれ以後、もっぱら所有制あるいは財産形態のたえざる昇級(エスカレーション)のみを論じてきたが、これはスターリンの生産関係に対する誤った定義と無関係だとはいえない。所有制のたえざる昇級(エスカレーション)に伴って、価値法則の立場はいよいよ分が悪くなり、ついには洪水・猛獣なみに扱われて社会主義経済界から追放されてしまった。[10]

革命以後三〇年近くにわたって農業政策の主要な柱とされてきた農業集団化路線はいま農業の発展を阻むものとして解体されつつあるが、孫治方は集団化政策の理論的支柱たる生産関係変革論の生産関係理解がスターリンの誤れる定義に依拠していたと主張しているわけだ。中国の農業集団化の失敗については、いくつかの観点から論じられているが、孫治方のこの視点は十分注目してよいと思われる。

なお孫治方は「政治経済学の対象としての生産関係を論ず」(『続集』第六論文)において、スターリンの生産関係理解の欠陥を論じている。エンゲルスは政治経済学の研究対象としての生産関係には(イ)生産、(ロ)交換、(ハ)分配、が含まれるとした。これに対してスターリンは「同志ヤロシェンコの誤りについて」のなかで、生産関係とは(イ)所有制、(ロ)異なる社会集団の生産における地位と彼らの相互関係、(ハ)生産物分配の形式、であるとした。エンゲルスとスターリンは二つの点で異なっている。第一はエンゲルスの定義に「所有制」がなく、第二はスターリンの定義に「交換」がないことである(『続集』六〇頁)。

3　スターリン論文の流通不在論

スターリンのもう一つの重大な誤りは「流通不在論」〔原文＝無流通論〕である、と孫治方はいう。スターリンは社会主義経済から交換を排除してしまった。すなわち、直接的生産過程における交換〔工場内交換〕を用いて直接的生産過程から独立して存在している交換〔社会的交換〕と代替した。とりわけ彼は全人民所有制内部の交換を否定し、調達・配給〔原文＝調撥〕をもって流通に代え、配給〔原文＝配給〕をもって交換に代えた。ところでスターリンが生産手段は商品ではなく、国営企業と国営企業との交換は商品交換ではない〔生産手段非商品説〕としている点については孫冶方は支持する。ただし、「商品交換」ではなく「産品（せいさんぶつ）交換」を行なうとしても、やはり等価交換の原則を重んじよ、と孫冶方は主張する。全人民所有制の企業において生産に対する価値法則の調節作用が全く斥けられてしまったのはスターリンの流通不在論のゆえであると孫冶方は説く。

以上要するに、スターリンは一方では全人民所有制内部の交換を否定して「流通不在論」を主張し、他方で全人民所有制外部における商品交換を肯定し、いまなお全人民所有制に包摂されるに至っていない集団所有制の残存から社会主義における価値法則を説いたのである。というわけで、全人民所有制に対する「自然経済論的観点」こそが価値法則外因論の根源である、と孫冶方は結論している。なお、ソ連経済学界の事情に明るい孫冶方はつぎの小話を紹介している。スターリンがある重要な経済論文〔『ソ同盟における社会主義の経済的諸問題』を指す〕を書いたときのこと。彼は当初は工業生産物と農産物の等価交換が必要だと強調していた。ある人がスターリンに王手をかけた。「かりに等価交換を実行した場合、もし財政が赤字になったらどうなさいます？」。財政赤字の前でスターリンはやむなく譲歩した。工業生産物の等価交換を語るのをやめて、農業内部の相対価格すなわち食糧と綿花の関係を論ずることに切り換えてしまった〔邦訳、大月書店国民文庫、二八頁〕。つまり工業生産物と農産物の交換から商品および価値法則を導いておきながら、具体例を挙げる段になって農産物内部の相対価格しか挙げられなかったわけである。[*11]

スターリン論文の影響下で中国の経済学者あるいはイデオローグたちが価値法則についてどのような理解を示してきたかは、たとえば『社会主義商品生産和価値規律論文選』(北京・科学出版社、一九五九年)および『建国以来社会主義商品生産和価値規律論文選』(張問敏・張卓元・呉敬璉編、上・下冊、上海・上海人民出版社、一九七九年)などから知られる。

4　外因論批判　その一――経済効率の無視

スターリン流「価値法則外因論」およびその系としての「流通不在論」は三〇年来中国の経済建設にさまざまの害毒を流してきたと孫治方はいう。なかでも最大の問題は経済建設において経済効果を重んじないこと。あるいは効果を語るさいに費用を語らないことであった。「コストを惜しまず」(原文＝不惜工本)とか「損益を無視して」(原文＝不計盈虧)といった表現があたかも天下の大義のごとく横行し、「鉄飯碗をもって」(親方日の丸)「大鍋飯を食う」(丼勘定)ことが行なわれてきた。四人組失脚以後しばしば指摘されるようになったこの負の現実は、孫治方によれば全人民所有制企業の生産に対する「価値法則の調節作用」(この表現の難点についてはのちにふれる)を否定したこと、すなわち社会的平均的必要労働時間に応じて生産を組織する客観的必要性を否定したことを一因としている。[*12]

孫冶方は右の論拠から外因論を批判したのであるが、最近は外因論批判の反動が生じているという。すなわち「全人民所有制内部における生産手段の交換＝商品交換説」の登場である。商品交換から価値法則を導く論理を転倒させ、全人民所有制内部において価値法則が存在するからには商品交換が存在するとしなくてはならぬというものである。論者によっては、およそ交換される生産物はすべて商品なのであり、共産主義に到達したとしてもやはり商品交換が存在する、とエスカレートする議論も登場している。

以上からうかがわれるように中国経済学界の理論的混迷は根が深いようであるが、先にゆずり、孫冶方の言に耳を傾けよう。価値法則を強調する孫冶方説は「価値万歳論」であるとする批判に反論して孫はいう。

「私は一貫してこう考えてきた。経済工作においては最小の労働消耗で最大の経済効果を得ることを強調すべきである、と。[*13] そしてその論旨を支えるためにマルクス、エンゲルスから以下の章句を引用している。

まず『資本論』第三巻第七篇の末尾。

資本主義的生産様式が廃棄された後にも、社会的生産が保持されるかぎり、価値規定は労働時間の規制と、種々の生産群間の社会的労働の分配と、最後にそれにかんする簿記とが、従来よりも一層重要になるという意味において、依然として力をもっている。[*14]

同じく『資本論』第三巻四八章。

この領域における自由は、ただ次のことにのみ存しうる。すなわち、社会化された人間、結合された生産者が、この自然との彼らの物質代謝によって盲目的な力によるように支配されることをやめて、これを合理的に規制し、彼らの共同の統制のもとに置くこと、これを、最小の力支出をもって、また彼らの人間性にもっともふさわしく、もっとも適当な諸条件のもとに、行なうこと、これである。[*15]

つぎはエンゲルス『国民経済学批判大綱』一八四四年。

価値とは、生産費と効用との関係である。価値の最初の適用は、ある物を総じて生産すべきかどうか、すなわち、その物の効用は生産費をつぐなうかどうかという問題を解決することである。ついではじめて、価値を交換に適用することが問題になることができる。二つの物の生産費がひとしいなら、それらの物の比較上の価値をきめるために決定的な契機となるものは効用であろう。……物の実際の固有な効用とこの効用の規定とのこの対立、効用の規定と交換者の自由とのこの対立は、私的所有を廃棄せずには、廃棄することができない。だが私的所有が廃棄されるやいなや、いま存在しているような交換を論じることはもはやできなくなる。そうなれば、価値概念を実際に適用することは、ますます生産について決定をくだすことにかぎられるようになるであろう。そしてこれこそ価値概念の本来の分野なのである。[*16]

つぎはエンゲルス『反デューリング論』

生産についての決定をおこなうさいに効用と労働支出とを比較秤量することが、経済学の価値概念のうちから共産主義社会に残るすべてであるということは、私がすでに一八四四年に述べたところである（『独仏年誌』、九五ページ）。だが、この命題の科学的な基礎づけは、人も知るように、マルクスの『資本論』によってはじめて可能になったのである。[*17]

これらの引用を総括して孫冶方はいう、「ここに述べたのは現実の経済建設において、とりわけ全人民所有制の企業において、経済採算を語らず、労働生産性を語らず、経済効果を語らず、最小の労働消耗で最大の経済効果を取得するという観念をもたないこと、これは価値法則の客観的要求に背いていると指摘したかったからにほかならない。しかもその理論的根源はまさに価値法則外因論なのである。[*18]

5　外因論批判　その二——等価交換の無視

価値法則外因論によってもたらされる害毒の二として孫治方は等価交換の軽視あるいは無視をあげる。外因論者は不等価交換を社会主義にとって当然の交換様式とみなし、つぎのような〝道理〟(非論理)をもてあそぶ。

(イ) 等価交換は集団所有制内部の交換 (たとえば農産物と農産物の交換) に限られるのであって、工業生産物と農産物との交換においては不等価交換が当然だとする説。

この説を支持する者は、農産物の買付価格は価値より低く、工業製品の販売価格は価値より高くしておき、国家はこのシェーレ〈独占化した産業部門と非独占部門との価格差が鋏状に開いていく現象。特に工業製品と農産物間の価格差に現れる〉を通じて農民から社会主義建設の資金を取得すべきだと説く。

毛沢東は五〇年代に国民経済建設計画草案を審査したとき、計画工作者にこう問うたことがある。「全国の二億近くの農民の国家に対する貢献が財政収入の十数%にすぎないのに対し、工業交通部門労働者はわずか一〇〇〇万人にすぎないのに財政収入の八十数%を貢献しているとは、いったいどうした計算かね?」。理由は単純である。農産物の買付価格が低すぎるため、この低価格で国民所得を計算すると、農民の創造した価値は価格に隠されてしまう、あるいは工業部門の生産額のなかに含まれてしまうだけのことである。孫治方がかりに国際市場価格で計算し直してみたところ農民の貢献は少なくとも財政収入の三十数%を占めたという。

中国では従来、やれ「農業基礎論」とか、やれ「農業、軽工業、重工業の順序で投資を配分する」とか、農業重視を主張する理論は少なくなかったのであるが、実際にはシェーレを解決する努力を怠り、歴史的に残された負の遺産と弁解するばかりであった、と孫治方の舌鋒は鋭い。彼は農産物に対する低価格政策を「暗拿（ひそかにとる）」ものと批判し、「明拿（こうぜんととる）」方式に改めるよう主張し続けてきた。つまりシェーレを利用して農民の富をひそかに奪うのではなく、農民の負担すべきものは直接税形式で数量金額を厳密に規定し、この直接税の完納後は農産物を等価交換で買付けよという主張である。[*19]
（ロ）等価交換とは等価値物ではなく等価格物の交換のこと、さもないと国家の社会主義的蓄積が不可能になるという〝道理〟。
国家の蓄積のためには農民を収奪するのが当然であり、しかもその場合、買付価格は価値とは無関係に任意に設定してよいとする議論である。
（ハ）価格を価値に一致させるのは「経済の原則」であり、価格を価値から乖離させるのは「政治桂（ゆう）帥（せん）」だとする説。
ソ連科学アカデミー会員ストルミリンはかつて「価格を価値から乖離させなければ価格政策を放棄するに等しい」と論じた由である。[*20] これらの迷論を紹介したあと孫治方はいう。中国の現在の価格は価値すなわち社会的平均的必要労働を歪曲して映すこと、あたかも哈哈鏡（アハハかがみ）〈表面の凹凸によってゆがんだ姿を映し出して笑わせる鏡〉のごとくである。価格が価値から乖離しているために少なからざる問題がもたらされている。たとえば企業の利潤額は必ずしも企業の業績を正しく反映せず、利潤額に応じて奨励給を与える制度に不公平さをもたらしている。「私のみるところ三〇年来、等価交換の原則は貫徹されなかった。それを語ることはしたけれども口先だけにすぎなかった」[*21]。

6 外因論批判 その三――国民経済のバランス

価格が価値から乖離する場合、経済計算に不便なだけでなく、国民経済各部門間の比例関係の実態が見失われ、国民経済の総合バランス〔原文＝綜合平衡〕をとりにくい、と孫冶方は指摘する。ソ連から導入された「計画バランス」方式のやり方はこうだ。一キロワット時の発電を行なうためには石炭がどれだけ要るか、一トンの銑鉄を作るためにコークスがどれだけ要るか、一トンの粗鋼から一定の重量のレールが何メートルとれるか、一定の型の機関車あるいは他の機械を製造するのに鋼材がどれだけ要るか、を調べ、これらの技術係数〔原文＝技術定額〕を基礎として石炭、電力、鉄鋼、機械などの生産部門間の実物比例をはかるものである。これは「技術経済学」であり、ここで追求されているのは「使用価値のバランス」にすぎないと孫冶方は批判する。「生産を行なうには、生きた労働（v）と物化労働（c）をバランスさせなければならない。もし工業製品と農業生産物の価格がアンバランスであり、軽工業製品と重工業製品の価格がアンバランスであるならば、総合バランスは空語にすぎない。なぜならば、総合バランスとは究極的には価値のバランスなのであって、使用価値のバランスではないからだ」[*22]。

M・エルマンの紹介によれば、ソ連では生産計画および配分計画のための物財バランス（material

balances)、労働計画のための労働バランス(labour balances)、エネルギー部門の計画のための燃料=エネルギー・バランス(fuel-energy balances)、財務計画のための財務バランス(financial balances)がある。「一九六〇年代のソ連の計画化における大きな新機軸としては、新しい型の統合バランス(integrated balances)すなわち投入産出表の計画化作業への導入がある[*23]」。

「総合平衡(バランス)」とは何かについて中国でさまざまの理解が行なわれていることは、たとえば『論総合平衡』(北京・中国財政経済出版社、一九八一年)、『国民経済綜合平衡的若干理論問題』(劉国光編、北京・中国社会科学出版社、一九八一年)などからうかがわれる。ただ、ソ連流の物財バランスは使用価値のバランスであるにすぎず、綜合バランスとは価値のバランスであるべきだと論じているのは孫冶方ただ一人であるようだ。なお、総合バランスをうまく処理するための前提条件として、孫冶方は(イ)価格体系の調整、(ロ)正確な統計資料の提供、(ハ)資金量の単純再生産と拡大再生産を区別し、後者すなわち新投資に対して国家が厳格な統制を行なうこと、の三点をあげている[*24]。

7 孫冶方経済学の意義と限界

われわれはすでに宇野弘蔵『経済原論』(一九五〇年)、大内力『経済原論』、日高普『経済原論』(一九六四年)によって、価値法則とは何かを十分教えられている。われわれの価値法則理解の地点から孫治方の価値法則理解を批判することはやさしい。孫冶方が終生説き続けた「価値法則のもう一つの内容、すなわち生産調節の作用あるいは社会的生産力を分配する作用」(『問題』六頁)とは、日高教授の説く「社会の原則としての労働配分」(一九八三年、有斐閣版、一七三~七四頁)なのであった。一九五〇年代以来三〇年間、中国ではスターリン経済学の圧倒的支配のもとで、極度に主観主義的な経済計画が立案、実行されてきた。孫冶方が「計画は価値法則を基礎とせよ」と主張したのは(『問題』第一論文、一九五六年)、まさに計画は社会の原則に依拠したものでなければならない、との意であった。今日の政策転換が雄弁に物語っているように孫冶方の問題提起はきわめて正当であった。だが、「社会の原則」「経済原則」として提起すべき「労働節約の法則」(『続集』一六八頁)、「最小の消耗で最大の効果を得よ」(『続集』二〇二頁)といった主張を「価値法則の遵守」ということばで語ったことへの反動はきわめて大きかった。その「生産価格論」(『問題』第一五、一六論文)、「利潤再評価論」(『問題』第一四論文)とあわせて、折からの修正主義批判の風潮のなかで「資本主義復活のイデオローグ」とされてしまったのである。

孫冶方は名誉回復して栄光のうちに「不安」を感じつつ死んだ。[*25] その「不安」の内容は知る由もないが、中国の経済学界がスターリン経済学の呪縛から真に解放されるのはいつの日であろうか。日高普教授の説く「《資本論》の方法」(『資本論を学ぶ』第一巻第三章第一節、有斐閣選書)がいわば批判材料として紹介されているのをみると、[*26] 中国の「通俗的マルクス経済学」克服の道はきわめてけわしいように思われる(一九八三年八月)。

＊1　拙稿「孫冶方の経済理論と新中国の歩み」（『日中経済協会会報』一九八三年四月号）
＊2　張揚「黄金的品格——著名経済学家孫冶方」（『広州文芸』一九八三年第四期、五期）
＊3　同右、第四期五一～五二頁、第五期四七頁。
＊4　鮑光前、林晰「探索真理的人」（『人民日報』一九八〇年七月二八日）および「黄金的品格」第四期、四五頁。なお中国の監獄については、方丹「鄧小平の監獄」（『中央公論』一九八三年六月号）が参考になる。
＊5　『社会主義経済的若干理論問題（続集）』一四九～五〇頁。
＊6　同右、一五〇頁。
＊7　『馬克思恩格斯選集』第四巻、三二四～二五頁。邦訳『マルクス＝エンゲルス全集』第四巻、五六七頁。孫はこの箇所を『社会主義経済的若干理論問題（続集）』六八、一五〇頁で二度引用している。
＊8　『馬克思恩格斯選集』第一巻、一四四頁。邦訳『マルクス＝エンゲルス全集』第四巻、一七一～七二頁。『社会主義経済的若干理論問題（続集）』六七、一五〇頁で引用。
＊9　『馬克思恩格斯選集』第一巻、二八五頁。邦訳『マルクス＝エンゲルス全集』第四巻、五〇七～〇八頁。『社会主義経済的若干理論問題（続集）』六六、一五〇頁で引用。
＊10　『社会主義経済的若干理論問題（続集）』一五一頁。
＊11、＊12　同右、一五二頁。
＊13　同右、一五四頁。
＊14　『馬克思恩格斯全集』第二五巻、九六三頁。邦訳、岩波版『資本論』第三巻第二部、一〇六四

頁。孫は『社会主義経済的若干理論問題』七、一一四、三一六、三二五、三七三頁、『社会主義経済的若干理論問題（続集）』一五六、二七九頁と七回引用している。

＊15 同右、第二五巻、九二六〜二七頁。邦訳、岩波版『資本論』第三巻第二部、一〇二四〜二五頁。『社会主義経済的若干理論問題（続集）』一五七頁。

＊16 同右、第一巻、六〇五頁。邦訳『マルクス＝エンゲルス全集』第一巻、五五一頁。『社会主義経済的若干理論問題』一一八、一二九、一五八、一六五頁、『社会主義経済的若干理論問題（続集）』一五七頁と五回引用。

＊17 同右、第三巻、三四八〜四九頁。邦訳『マルクス＝エンゲルス全集』二〇巻三一九頁。『社会主義経済的若干理論問題』一一七、一六一、三一五、三一七頁、『社会主義経済的若干理論問題（続集）』一五七頁と五回引用。

＊18 『社会主義経済的若干理論問題（続集）』一五八頁。

＊19 同右、一五九頁。なおこの主張は『社会主義経済的若干理論問題』二八九、二九九頁にも見える。

＊20 同右、一六〇頁。なお『社会主義経済的若干理論問題』一五二頁でもストルミリンのことばを引いている。

＊21 同右、一六一頁。

＊22 同右、一六二頁。

＊23 Michael Ellman "Socialist Planning" Cambridge University Press, 1979, p. 18. 訳書二四頁。

＊24 「談談搞好綜合平衡的幾個前提条件」『社会主義経済的若干理論問題（続集）』一六八〜一七二頁。

＊25 注1拙稿の末尾。

＊26　趙洪「日本学術界《資本論》方法論的討論」『《資本論》研究資料和動態』（第二集、武漢・江蘇人民出版社、一九八二年）。

五　毛沢東の人口観

1　解放前後の人口観

中華人民共和国の建国前夜、アメリカ国務省は「アメリカと中国との関係」と題したいわゆる「中国白書」を発表した（一九四九年八月五日）。白書は八章からなり、一八四四年の「望厦条約」から一九四九年までの中米関係を総括している。新華社通信は白書に対して全面的な論評を加えた。

(1)「いかんともしがたいという供述書」（四九年八月一二日）
(2)「幻想をすてて闘争を準備せよ」（同八月一四日）
(3)「さらば、スチュアート」（同八月一八日）
(4)「なぜ白書を討論する必要があるのか」（同八月二八日）
(5)「〝友情〟か侵略か」（同八月三〇日）
(6)「観念論的歴史観の破産」（同九月一六日）

これらの六篇の論評のうち「供述書」を除く五篇はいずれも毛沢東が執筆したものであり『毛沢東選集』第四巻に収められている。毛沢東の人口観を知るうえで重要なのは第六評「観念論的歴史観の破産」である。毛はまずアチソン国務長官の発言を引用する。

「中国の人口は一八、一九の二世紀で二倍にふえ、そのため、土地にたえがたい圧力をあたえた。人民の食の問題は、どの中国政府もかならずつきあたる第一の問題である。こんにちにいたるまで、この問題を解決した政府はひとつもない。国民党は、その法典のなかに数かずの土地改革法令を書きこむことによって、この問題を解決しようとした。それらの法令は、あるものは失敗に終わり、あるものは無視された。国民政府がこんにちの苦境に立つにいたった大きな原因は、中国にじゅうぶんな食べ物を提供しえなかったことにある。中共の宣伝の大半は、土地問題を解決するという公約である」（北京・外文出版社版、第四巻、六〇〇頁）。

この箇所の原文はつぎのごとくである。邦訳は中国語訳からの重訳と思われる。

The population of China during the eighteenth and nineteenth centuries doubled, thereby creating an unbearable pressure upon the land. The first problem which every Chinese Government has had to face is that of feeding this population. So far none has succeeded. The Kuomintang attempted to solve it by putting many land reform laws on the statute books. Some of these laws have failed, others have been ignored. In no small measure, the predicament in which the National Government finds itself today is due to its failure to provide China with enough to eat. A large part of the Chinese Communists' propaganda consists of promises that they will solve the land problem.

——The China White Paper, August 1949, Vol. 1 pp. IV ~ V

もしこの発言がアメリカ政府国務長官のものでなかったとしたら、毛沢東は以下のような苦しい論評を加える必要はなかったはずである。ちなみに毛沢東がその三〇年前に書いた「湘江評論創刊宣言」（一九一九年七月一四日）の第二段落はこうであった。「世界でいかなる問題が最大か？　飯を食う問題が最大である。いかなる力が最強か？　民衆の連合した力が最大である」（『毛沢東集』第二版、一九二七・五～二二・八、蒼蒼社、五三頁）。「吃飯問題」を世界最大の問題と考え、その解決の方法として「民衆の大連合」を組織しようとし、その具体的方策として「土地改革」を推進してきたのが、根拠地での農村革命の実質であった。したがってアチソンの発言は事実認識としては妥当なものである。

だが、アメリカ帝国主義との対決を決意しつつあった当時の毛沢東はこう反論した。「アチソンの論法でいけば、中国にはなんらの活路もない。人口が四億七五〇〇万人もあるというのは、一種の「たえがたい圧力」であって、革命をやろうとやるまいと、とにかく大変なことである。〔中略〕中国共産党は自己の経済問題を解決することができない、中国はいつまでも大動乱が続く、中国はアメリカの小麦粉に頼る以外には、すなわち、アメリカの植民地になる以外には活路がない、というのがそれである」。「上海などの失業問題すなわち食の問題は、すべて帝国主義、封建主義、官僚資本主義および国民党反動政府の情け容赦のない残酷な抑圧と搾取がもたらしたものである。人民政府のもとでは、わずか数年の歳月をかけるだけで、華北、東北などの地方と同じように失業すなわち食の問題を完全に解決することができる」。

「中国の人口が多いのは、きわめて結構なことである。このうえ人口が何倍に増えようとも、対策は完全にある。その対策とは生産にほかならない。西方のブルジョア経済学者たとえばマルサスの類の唱える、食物の増加は人口に追いつけないというデタラメな説は、早くからマルクス主義者によって理論的にすっかり反駁しつくされているばかりでなく、革命後のソ連や中国解放区の事実によって完全に粉砕されている」。

「世の中のあらゆるもののなかで、人間がいちばん大切なものである。共産党の指導のもとでは、人間さえいれば、この世のどんな奇跡でも作り出すことができる。われわれはアチソンの反革命理論を反駁するものであって、革命がすべてを改められること、人口の多い、物産の豊かな、生活にゆとりのある、文化のさかえた新中国が遠からずやってくることを信じている。悲観的な論調はすべて何の根拠もない」(同上、六〇一～三頁)。

革命後三〇余年、「一夫婦子一人」政策を迫られ、数々の悲喜劇を生んでいる現実を想起しながら上述の引用を読み返すと、毛沢東の革命的楽観主義のあまりの楽観性に空疎ささえ感じないわけにはいかない。この超楽観主義の根拠は以下の四点である。(1)マルサスの主張は誤りであることが証明されているという理論信仰、(2)革命後のソ連において人口過剰の問題が存在していないという事実認識、(3)中国の旧解放区すなわち根拠地において食の問題がひとまず解決されたという判断、(4)「革命がすべてを改めうる」という生産関係重視論、いいかえれば生産力の発展にさまざまな制約があるという認識の欠如、である。

マルサスの人口理論は生産関係を抜きにしたものであり、欠陥を伴うことは確かである。しかし二〇世紀後半の今日、第三世界では依然マルサス命題が妥当するかに見える現実が存在することもまた事実である。食糧危機が叫ばれるたびにマルサスの亡霊はよみがえる。この意味では人類はまだマルサス命題を実践的には克服しえていない。ソ連においては革命以後ほぼ一貫して労働力不足の状態が続き、失業はほとんど問題にならなかった。それは社会主義経済体制のゆえに、というよりはロシアの資源賦存の条件によるところが大きかった。しかし、この事実が社会主義なるがゆえに人口問題は解決された、とイデオロギー化され、中国に輸出された。

以上二つの論点に加えて、革命という生産関係変革への無限の期待のゆえに、毛沢東が当時、上述のごとき論理を展開したのは、やむをえぬ歴史的限界であったかもしれない。しかしここでより重大なのは、このように疑問の少なからぬ人口論が、四九年建国までの毛沢東の唯一の人口論であり、しかもその後人口問題が登場するたびに、この論評の片言隻句が金科玉条として引照基準とされたことである。のちにみるように、経済学者馬寅初の正当な問題提起がマルサス主義、そしてアチソンの代理人の発言として斥けられてしまったのはとり返しのつかぬ愚行であった。

2　人口論と人手論の交錯

一九五七年二月二七日、二八日、三月一日の三日間、毛沢東は国家主席として最高国務会議を召集した。この拡大国務会議には各方面の人士一八〇〇人余が出席した。毛沢東は二月二七日午後「人民内部の矛盾を正しく処理する問題について」を演説した。二八日は丸一日、そして三月一日午前まで出席者たちはグループに分かれ、毛沢東の演説内容について討論した。一日午後は全体会議が行なわれ、李済深、章伯鈞、黄炎培、馬叙倫、陳嘉庚、陳叔通、郭沫若、程潜、馬寅初、許徳珩、達浦生、劉文輝、車向忱、盛丕華、孫蔚如、黄琪翔が発言した（『新華社新聞稿』一九五七年三月三日。『人民手冊』一九五八年版、三二六頁）。この毛沢東演説は周知のように、大幅な修正を経て同年六月一九日付『人民日報』に発表された。

さて経済学者馬寅初（五七年当時七六歳）は一九五五年の人民代表大会に提出すべく人口問題についての「発言稿」を準備していた。だが彼の出身母体である浙江小組会議で切り出したところ何人もの代表が馬老の見解がマルサス理論だと考えて反対した。ただ彼らの反対はいずれも「善意に基づくもの」（「当時の会議の空気」はこの問題を出すのにふさわしくなかった）だったので、馬老は自ら発言稿を撤回した（馬寅初『新人口論』）。「当時の空気」について『文匯報』（五七年四月二七日）は「ある人がソ連では〔人口問題を〕論じていないので、われわれも論ずることはできない、と言った」と説明している。ところが「百花斉放」「百家争鳴」の政策が提起されて以後、すなわち毛沢東の演説以後、「過去にはあえて論ずることをしなかった、あるいは論じてはならなかった問題についても論ずるようになった」（『文匯報』同日）。『文匯報』がこうした報道を行なったのも毛演説の結果であるが、それはともかく、馬老は三月一日、毛沢東ら一八〇〇人の前で人口を論じた。ついで七月三日全人代第四次会議中に「書面発言」として「新人口論」が大会に提出され、その全文が七月五日付『人民日報』に掲載された。発表後、全国各地から四〇余通の投書が届いたが、馬老の主張に反対したものはほとんどなかった（『新人口論』）。

さて、馬老の人口論に対する毛沢東のコメントはつぎのとおりである。

人口を六億に押えるとは、一人も上回らないということか（笑）？　これはひとつの仮定である。つまりある時期、たとえば以下のような条件が備わっていない場合である。すなわち食糧、衣服、住宅、教育などにほかならない。いま毎年一千万人余増えているのにそれらは供給を増やせない、というのは無政府主義だからだよ！　必然の王国はまだ自由の王国に変わっていないね！　この方面では人類は全く無自覚で、やり方を考え出していない。われわれはこの問題を研究してよいし、研究すべきである。政府は担当部門を設けるべきである。あの日私はこう話した。政府はある部門または委員会を設けるべきであり、人民団体はこの問題を広範に研究し、やり方を考え出したらよい、と。人類は要するに自分で自分を統制しなければならぬということだね！　ときには人口をちょっと増やすことができ、ときには一時停止するというのは計画的生産をやることじゃないかね（笑）？　これは〔人口を六億に押えること〕ひとつの仮定である。この点は馬寅初老がりっぱに話してくれた。今日の話はよかった！　私は彼〔馬老〕と志を同じくするものだ。これまで彼の意見は百花斉放できなかった。話そうとすると誰かが反対し、彼に対して話さないようすすめた。今日は思いきり話したといってよい。ただこの問題はまだ研究の余地があり、政府は機関を設けるべきであり、〔馬老の提案の〕ほかにもやり方があろう。人民はこの要求〔産児制限〕をもっているだろうか、それともわれわれの主観的考えだろうか？　人民がこれ〔産児制限〕を要求するとは、各人が要求するのではなく、多くの人々が要求するのである。たとえば農民がこれを要求するのは、人口が多すぎると、家庭が、彼が節育〔産児制限〕を要求する。都市においても農村においてもこの要求があるのであって、要求がないというのは適当でない。鄒先生〔不詳〕！　やあ、あなたがたは並んで座っておられる。（笑）（一九五七年三月一日〔?〕「最高国務会議の閉会の辞」『毛沢東思想万歳』丁本、九七〜九八頁。〈『毛沢東思想万歳』の版本については本著作選集1一一七頁を参照〉）。

『毛沢東思想万歳』丁本によれば、この発言の日付は三月二日とされているが、最高国務会議は三月一日に閉会しているので、一日が正しいものと思われる。

さて馬寅初との「対話」の一カ月後、毛沢東は産児制限と早婚についてこう語る。

節育〔産児制限〕問題。マルサスの結論は正しくない。人口が多いと必ず打仗〔戦争〕になるのだろうか？　中国の産児制限は省ごとに扱う必要がある。江蘇省は人が多いが、東北は人が少ない。婚姻法は変える必要はない。早婚してはならないことをもっぱら説得すべきである。（一九五七年四月「上海局杭州会議における講話」『毛沢東思想万歳』丁本、一〇七頁）

その半年後、毛沢東は「節育」〔産児制限〕ではなく「計画生育」〔原文＝計劃出産〕を論じた。教育を重んじ、大衆の同意を強調しており、慎重な態度がうかがわれる。

計画出産も、十年の計画をたてるべきである。少数民族地区ではおし広めてはならず、人口の少ない地方でもおし広めてはならない。たとえ人口の多い地方でも、まず試験的にやってみて、逐次おし広め、しだいに全面的な計画出産にもっていくべきである。計画出産については公然と教育しなくてはならず、これまた大鳴大放、大弁論でやるほかはない。人類は出産の面でまったく無政府状態にあり、自分で自分をコントロールすることができない。将来、完全な計画出産を実現しようとしても、もしも社会の力がなく、みんなが同意し、みんながいっしょにやるのでなければ、これはできない相談である。（一九五七年一〇月九日、「革命の促進派たれ」『毛沢東選集』北京・外文出版社版、第五巻、七二八〜九頁）

一九五八年に大躍進運動が始まると、食糧増産への過剰期待、人海作戦に伴う労働力不足などを背景として人口観が一変する。

わが国が工農業生産の面で資本主義大国に追いつくのに、以前想定したほど長い期間は不必要かもしれない。党の指導を除けば、六億人口が決定的要素である。人が多ければ、議論が多く、熱気が高く、幹勁（ファイト）が大きい。〔中略〕別の特徴を除けば、中国の六億人口の顕著な特徴は一窮二白である。これはみたところ悪い事のようだが、実は好いことである。窮すれば変〔変革〕を思い、幹り（や）たくなり、革命をやろうとする。白紙には何も書いてないから、最新最美の文字を書きやすく、最新最美の絵を描きやすい。（一九五八年四月一五日「ある合作社を紹介する」『紅旗』創刊号）

「人口は多ければ多いほどよい」（「人口越多越好」）という考え方が「マルクス主義の人口観」とされ、ついには「人口」というコトバ自身が「マルサス主義の匂い」だと斥けられ、「人口」は「人手」と改めるべきだという主張も登場した（田雪原「馬寅初先生和他的〝新人口論〟」『新人口論』）。

日本人はいう、われわれ中国人は人口論でなくて人手論である、と。われわれにはこんなに多くの人がいるのだから、仕事をやることができる。一九五八年の大躍進は基本的には妥当なものであった。具体的な数字においてちょっと多かったり少なかったりというのは、また別の事柄である。ただ証明されたのは大躍進ができること、しかも毎年大躍進ができることである。（一九五九年二月二日、「省市委書記会議における講話」『毛沢東思想万歳』丁本、二七七頁）

大躍進が失敗すると、再び「過剰人口」が問題として浮かびあがる。ソ連流の『経済学教科書』ではこの問題を扱っていないので、その論述は教科書評注「補遺」八項目のうちの最後に位置づけられた。

過剰人口をなくすには、農村人口が大問題であり、解決するには生産を大いに発展させなければならない。中国では五億あまりの人口、が農業生産に従事しているが、毎年働いていて腹一杯にならないのは不合理な現象である。アメリカの農業人口は一三％だけだが、一人平均一〇〇〇キロの食糧があり、われわれはまだ彼らに及ばない。農村人口を減らすにはどうしたらよいか？　都市へ移せないとすれば、農村で大いに工業をおこし、農民をその地で労働者にする。これはきわめて大きな政策問題である。つまり農村の生活を都市より低くないか、ほぼ同じか、やや高くするためには、どの公社も自らの経済的中心、高等教育の学校をもち自ら知識分子を養成する必要があり、こうしてこそ農村の過剰人口問題をほんとうに解決できる。（一九六〇年後半?「ソ連《政治経済学》読書ノート」『毛沢東思想万歳』丁本、三九八～九九頁）

数年でイギリスを追い越す大躍進の熱気は雲散霧消し、「百年あまりの時間」と悲観的になる。「人口多」はつぎの文脈ではマイナス・イメージである。『紅旗』創刊号の「人多議論多、熱気高、幹勁大」と対蹠的である。

社会主義は資本主義と比べて多くの優越性をもっており、わが国の経済発展は資本主義国と比べてずっと早い。しかし中国は人口が多く、基礎が薄く、経済が遅れているので、生産力を大きく発展させ、世界で最も先進的な資本主義国に追いつき、追いこすためには百年あまりの時間がなければダメだと思う。数十年かもしれない。一部の人が想定しているように五〇年でできるかもしれない。もしそうなら、感謝感激、雨あられだ！（一九六二年一月三〇日、「拡大中央工作会議における講話」『毛沢東思想万歳』丁本、四一三頁）

エドガー・スノーが一九六五年一月九日夜毛沢東にインタビューした際の人口問答は *China's Long Revolution*（Pelican Book, pp. 179-80）にある。

「主席、中国にはどれほどの人間がいるのでしょう。最近の国勢調査で明らかになった人口を教えていただけますか?」とわたしは聞いた。主席は本当に知らないのだと答えた。ある人々は六億八千万から九千万というが、それは信じられない。それほど多いはずがあろうか? 配給切符(布票と糧票)を基礎にして割出せば、計算するのはさして困難ではないのではないかとわたしが言うと、農民たちがときどき問題を混乱させるのだと毛沢東は指摘した。解放前の農民は、兵隊にとられることを恐れて、男の子が生れたことを隠し、戸籍にも入れなかったものだ。解放後は子どもの数は多く、土地は少なく届け、災害の影響は誇張し、収穫量は少な目に申請する傾向が出てきた。今では子どもの出生は直ちに届け出るが、死亡は何カ月間も報告されないことがある(こうして配給を余計にもらおうとしていることを彼は意味しているようであった)。出生率が本当に低下したことは疑う余地がないが、農民はまだ家族計画や産児調節をしようとしたがらない。死亡率の低下の方が出生率のそれをおそらく上回っているだろう。平均寿命はかつては三十歳前後だったが、五十歳近くまで伸びている。(邦訳『革命はつづく』エドガー・スノー著作集7、筑摩書房、一一五~一一六頁、ただし訳文は一部修正)

かくていよいよ産児制限の登場となる。

「銭××(信忠、当時衛生部長)、章×(不詳)を接見して衛生工作について指示――『医師が政治的に立派であることがきわめて重要だ』、『農村衛生工作を開始し、産児制限を進めなくてはならない』など

と語る」(一九六五年八月二日。*Chairman Mao's Instructions on Health Work*, 1928-66, SCMM-S, No. 22, April 8, 1968.『毛沢東著作年表』上巻、年表篇、二四〇頁、京都大学人文科学研究所)

3 毛沢東の人口観の背景

一 孫文のマルサス批判

毛沢東のマルサス批判が一九四五年に突如現われたのは、マルサス批判が常識化していたからとみてよさそうである。孫文は「三民主義」(一九二四年)においてこう論じていた。

百年前、マルサスというイギリスの学者がいた。彼は世界の人口が多すぎ、供給される物産にかぎりがあることを憂えて、人口を減らすよう主張した。そこで〝人口増加は幾何級数であるが、物産の増加は数学級数(ママ)である〟とする説を創った。〔中略〕フランスは百年前の人口は各国より多かった。マルサス学説がフランスに伝わるや歓迎され、人民は人口減少を実行した。今日、人口過少の苦痛を受けているのはマルサス学説の毒に当たったのである。中国のいまの新青年のなかにもマルサス学説に染まり、人口減少を主張する者がある。フランスではすでに人口減少の苦痛を知り、現在施行している新政策は人口増加、民族の保存を提唱し、フランス民族と世界民族の永久並存をはかるものであることを知らない者たちである。(『孫中山選集』下巻、北京・人民出版社、六〇〇頁)

中国とフランスを比較すると、フランスの人口は四千万、中国の人口は四億であるが、フランスの土地面積は中国の二〇分の一である……フランスの四千万の人口は農業を改良できたので中国の二〇分の一の土地でメシを食うことができた。中国の土地面積はフランスの二〇倍であるから、フランスに習って農業を経営し、生産を増やすならば、生産される食糧は少なくともフランスの二〇倍になる。フランスはいま四千万人を養っているから、わが中国は少なくとも八憶は養えるはずである。（同上、八〇七頁）

中国は全世界で気候が最も温和、物産が最も豊富なところであるが、各国が併呑できなかった原因は彼らの人口が中国のそれと比較して少なすぎたからである。百年後にもしわれわれの人口が増えず、彼らの人口が増えているならば、彼らは多数を用いて少数を征服し、必ず中国を併呑するであろう。そのとき、中国は主権を失い、亡国となるだけでなく、中国人は外国民族に吸収され、子孫が絶えてしまうだろう〔原文＝滅種〕。以前モンゴル、満州が中国を征服したのは、少数が多数を征服し、多数の中国人を利用しようとして、彼らの奴隷としたのであった。もし列強が将来中国を征服するならば、それは多数が少数を征服するのであり、われわれを奴隷とする必要はない。われわれ中国人はそのとき、奴隷にさえなれないのである！（同上、六〇一～〇二頁）

中国はこの百年来すでに人口問題の圧迫を〔帝国主義から〕受けてきた。中国人口はいつも増えず、外国人は日々増加している。いまや〔帝国主義の〕政治力、経済力が一斉に圧迫し、われわれは同時に三つの圧迫を受けている。もしほかに方法がないならば、中国の領土がどんなに広く、人口がどんなに多くとも、百年後には必ず亡国し、子孫が絶えるだろう。（同上、六一五頁）。

孫文は「国は民を以って本と為し、民は食を以って天と為す。食足らざれば胡(なに)を以って民を養わん？胡(なに)を以って国を立てん？」（「李鴻章への上書」一八九四年『選集』上巻一六頁）とする国家観＝人民観を抱いていた。国→民→食と下向してきて、人口の量を問題にするのである。いわく「古(いにし)えより民族の興亡するゆえんは、人口増減の原因によるものが多かった。これを天然淘汰と為す」（下巻、六〇二頁）。

以上の引用に明らかなように孫文にとっての人口問題とは、人口の過小なこと、過小なるがゆえの亡国の懸念であった。それゆえマルサスの人口抑制論は批判されなければならなかった。三民主義が新三民主義に衣替えされ、中国人民が「起て、奴隷となるな人民！」で始まる「義勇軍行進曲」を歌ったとき、孫文の亡国論とのかかわりはどうであったろうか。毛沢東はアチソンへの反論を「マルクス主義の立場」から行なったのであるが、マルサス批判の一点では孫文を踏襲できたごとくである。

二　原爆または核戦争

再びスノーのインタビューを聞く。

「中国は膨大な人口を有しているので、他国ほどには原爆を恐れてはいない、とあなたは言われたと伝えられています。他の諸国民は、全滅したとしても、中国には、まだ数億人残るだろうから、再出発できる、と。このような報道は事実に基づいているのでしょうか？」

いつ、どのようにそう言ったとされているのか、と毛沢東は聞いた。ニュース源の一つはユーゴスラビアの外交官で、彼は仮に全ヨーロッパの人びとが消滅したとしても、中国には依然として三億は残ると毛沢東が述べたと主張していた。

毛沢東はそのようなことを言った覚えは全くないが、言ったのかもしれないと答えた。彼はジャワハラル・ネルーが訪中した際（一九五四年十月）に話したことを思い出した。〔中略〕ネルーはインドの原子力委員会の議長であり、原子力がどれほど破壊的なものか知っていると語った。誰も生残ることはできないと彼は確信していた。ネルーの言うようにはおそらくなるまいと毛沢東は答えた。既存の政府は消滅するかもしれないが、それにとって代る別の政府が出現するであろう」（邦訳、二〇九～一一〇頁）。

毛沢東が核戦争の現実性をどこまで具体的に考えていたかは不明である。ただ長征の修羅場で味方が一〇分の一に減ったのを彼は忘れなかったはずである。六億の人口が三億に減るかもしれないといった想定が、産児制限の論理となじまないことは確かであると思われる。

三　人民と人口と人手と

毛沢東の人民概念を知るには、あの懐かしい『語録』の「大衆路線」の項を開けばよい。

「人民、ただ人民だけが世界の歴史を創造する原動力である」（「連合政府について」、一九四五年）。「大衆こそ真の英雄であり、われわれ自身のほうが、とかくこっけいなほど幼稚である。この点を理解しなければ、最低の知識もえられない」（『農村調査』のはしがきとあとがき」、一九四一年）。「人民大衆は限りない創造力をもっている。かれらはみずからを組織して、自分の力を発揮できるすべての場所と部門に向かって進軍し、生産の向上と拡大に向かって進軍し、自分のために日一日と多くの福祉事業をおこしていくことができる」（「中国農村における社会主義の高まり」、一九五五年）。

これらの引用文（北京・外文出版社版『毛主席語録』）において「人民」は「歴史を創造する動力源」であり、それゆえ「英雄」であり、「限りない創造力」をもって「生産闘争」に進軍できる存在である。ここでは「階級闘争」「生産闘争」に献身する人々が人民である。

だが人は同時に消費者である。消費者としての大衆は人口論の対象である。中国古代の人々が人の数を口で数えたのはたいへん示唆的である。生産闘争の成果がはかばかしくないとき、人民は人口として現われる。食糧不足は現実であるがゆえに人口概念を排除することはできない。そこで知謀の士が人口に対して人民論的解釈を加えた。かくて成立したのが「人手」概念である。整理すれば、生産者としての人間が人民、消費者としての人間が人口、消費者でありながら生産者として認識された人間が人手、という構造になる。人口学者田雪原が指摘するごとく、人口というコトバは「マルサス主義の匂い」として敬遠された。このとき、経済学者孫冶方の指摘するごとく、経済問題を扱うこと自体が「経済主義」として排され、利潤は「一定の利潤」「合理的利潤」と形容句つきで用いられるか、あるいは利潤というコトバを避けて「積累（ちくせき）」という表現が用いられたのであった（孫冶方『社会主義経済的若干理論問題』三五二〜五三頁）。かくて毛の中国共産党は唯物論を唱えつつ観念論の泥沼へ転落したのであった。

4 結びに代えて

資源・土地・水・環境などの自然的条件が経済活動の無限の拡大を許さない制約条件として存在することをわれわれが強く認識したのは、いまから一〇年前、一九七三年のオイル・ショックを契機としている。むろんローマクラブが「成長の限界」を提起したのは一九七〇年であったし、反公害運動にかかわった人々はそれ以前から環境破壊を問題にしていた。この一〇年、われわれの認識が格段に深化した地点からふり返ると、マルクスの一九世紀的限界は明らかである。当時、世界の人口は大きくなく、経済活動の規模も小さく、地球上には広大な開発の余地が残されていた。そのうえ近代科学の発達とそれに基づく技術の展開に対して無限の信頼が寄せられていたのであった。「マルクシズムの伝統的世界観には、そういう時代の潮流が反映されており、しかもそれがマルクスの権威によって固定化される傾向が強かった」（大内力『新しい社会主義像の探求』労働社会問題研究センター出版局、一九七九年、一六一頁）。「権威によって固定化」されたドグマが孫文をとらえ、毛沢東をとらえることができたのは、二〇世紀前半から中葉にかけての中国の「亡国の危機」を背景としていた。

エンゲルスは一八八一年二月一日、カウツキーへの手紙でこう書いた。「人間の数が〔中略〕その増加を制限しなければならないほどになるという抽象的可能性は、たしかに存在します。だが、いつか共産主義社会が、すでに物の生産を管理しているように、人の生産を管理する必要があると思うようになるとすれば、まさにその社会こそ、そしてその社会だけが、困難なしにそれ〔人口抑制〕をやりとげる社会でしょう」（邦訳『マルクス＝エンゲルス全集』第三五巻、一二四頁）。

かつてわたくしは二一世紀を切り拓く社会として「人民中国」をみた。どうやら「切り拓く」意味を誤解していたようである。モノの生産に合わせてヒトを生産するという意味で中国は歴史を切り拓かなければならないのであった（一九八三年一〇月三〇日）。

（初出・『二〇〇〇年の中国』論創社、第Ⅱ部、一九八四年七月）

市場経済、その制度設計

八〇年代前半における鳥籠経済論（計画経済を主とし市場経済を従とする）から商品経済論、市場経済論に至る過程は、毛沢東時代後期の議論と真逆の方向である。基軸は、毛沢東時代における共産主義への移行を主張する急進派と現実的条件を重んずる穏健派（実務派・実権派）との抗争から、鄧小平時代における現行体制の堅持に利益を見出す保守派と商品経済化・市場経済化を急ぐ改革派との抗争へと変化する。そして、九二年一〇月の第一四回党大会で社会主義市場経済論が認められ、九三年一一月の三中全会では「市場経済化への五〇カ条の決定」を採択し、市場経済へのグランド・デザインが描かれる。

一　中央政府と地方政府

1　中央級・省級・地区級・県級・市町村級——五級の政府

中国の地方制度は省級、地区級、県級、市町村（市・鎮・郷）の四レベルからなっている。省級は一級行政区とも呼ばれる。北京、天津、上海の三大中央直轄市、河北、山西、遼寧、吉林、黒竜江、江蘇、浙江、安徽、福建、江西、山東、河南、湖北、湖南、広東、海南、四川、貴州、雲南、陝西、甘粛、青海の二二省、これに内蒙古、広西チワン族、チベット、寧夏回族、新疆ウイグルの五自治区を加えた三〇の行政区画に分かれている。これらの三〇区画は、直轄市、省、自治区の三つのタイプに属するが、三分の二以上は省制をとっているので、一級行政区の代わりに省レベルという呼び方も行なわれる。

地区級は省レベルの下部に位置するが、これは独立の行政区画ではなく、省レベル政府の出先機関にすぎない。地区級単位は九四年末現在、全国に三三三ある。一省平均一一地区程度である。最も人口の多い四川省は二三の地区級からなり、江蘇、浙江、江西の各省は一一の地区からなる典型的な省である。省レベルの直轄市（すなわち省轄市）と少数民族地区の自治州は地区級の単位である。

県級は、省レベルの下部の行政区画である。県級の行政単位は二一四八あるから、一省平均七二県からなる。人口最大の四川省は一七四の県級単位をもつ。湖北省は六九、甘粛省は七五の県級区画をもち、典型的な省である。ふつう市は県と同格である。県や市の下に鎮、郷が位置する。鉱山町からなる特区や少数民族の住む自治県は県級単位である。

末端レベルは農村ならば、県の下に位置する町〔原文＝鎮〕あるいは村〔原文＝郷〕であり、都市ならば市の下に位置する町〔原文＝鎮〕あるいは村〔原文＝郷〕である。

中国には市という行政区画が六二二あるが、これを行政レベルで見ると、省レベルのもの三つ（北京、天津、上海）、地区レベルのもの二〇六市（たとえば瀋陽、武漢など）、県レベルのもの四一三市（たとえば延安、大理など）に分かれており、市の規模とその行政権限はさまざまである。[*1]

中央政府（国務院）は省政府に対して強い行政権力をもつ。たとえば、省政府の首脳部（省長、副省長）の人事権や省政府の定める法規や条例などの批准権をもつ。他方、省政府は中央政府の指導を執行する義務をもつ、といったぐあいである。

要するに、省政府は中央政府から業務を委託された出先機関にすぎない。地方自治は理論的にも実質的にも認められず、制度から見た中央・地方関係はきわめて「垂直的」である。とはいえ、中国のように大きく、かつ地域的にも多様な世界において、一元的支配を実際に行なうことはほとんど不可能である。この実情を逆用して、地方側はいわゆる「土政策」で中央の政策に対抗してきた。土政策とは、田舎の政策あるいはローカルな政策の意味だが、中央の政策を換骨奪胎し、骨抜きにすることをいう。たとえば「上に政策があれば、下には対策がある〔原文＝上有政策、下有対策〕」という俗語は、中央の政策を逆用し、地方当局が自らの利益をはかる手練手管を意味している。この言葉は、中央集権が緩む過程でしばしば公然と語られるようになってきている。

伝統中国は集権制が強いように見えるが、実は「分権国家」であった。清朝末期の地方長官（総督、巡撫）は、皇帝に直属し、中央官庁（六部という）と対等であったこと、中央官庁もそれぞれが皇帝に直属していたこと、財政権も実際には著しく分権的であったこと、これらの事実から坂野正高は清朝＝分権国家論を主張した。また村松祐次は、清代の政治制度が中央集権的な外形のもとできわめて複元的、分散的傾向をもち、タテマエとしての集権制と実態としての分散が混在していたと論じたことがある。[*2]

伝統的中国におけるタテマエとしての集権制と実態としての分権制という構造は、現代中国においても基本的に継承されているとみてよい。

2　タテ集権とヨコ集権

共産党組織は、党大会から党の末端組織に至るまで、総書記からヒラ党員に至るまで、「一枚岩」的ピラミッドの組織構造をもっている。共産党のタテのヒエラルキーにおいて、すべての権力がよりヒエラルキーの高い地位へと移る権力のダイナミズムを「タテ集権の論理」と呼ぼう。共産党はもう一つ別のチャネルによる支配を行なう。それは同級の国家機関への支配である。たとえば中央レベルでは、中共中央政治局が全国人民代表大会や国務院、最高人民法院、最高人民検察院など、他のすべての国家機関を支配する。

さらに地方レベルでは省レベルの党委員会は立法機関としての省人民代表大会、行政機関としての省政府、司法機関としての法院、検察院（裁判所、検察庁）など省レベルのすべての機関をコントロールしている。このように同級の国家機関に対する共産党の支配をヨコ集権と呼ぶことにする。[*3]

中国政治の構造を説明する特殊な用語として「条条(ティアオティアオ)」、「塊塊(クワイクワイ)」という言葉がある。「条条」とは上級から下級への指令があたかも「箇条書き」のように下りていく垂直的上下関係を指すものである。これに対して「塊塊」とは、カタマリの意で、行政区画をカタマリとして認識したものである。したがって「塊塊」とは、行政区画あるいはそれへの指令関係を含めて地域関係ほどの意味である。それゆえ、さきに述べたタテ集権の観念に対応するものが「条条」であり、ヨコ集権に対応するものが「塊塊」であるわけだ。では、中国ではタテ集権とヨコ集権の関係がどのように展開されてきたであろうか。

建国当初はタテ集権(条条)を追求した時代であった。この時期にはゲリラ戦争を通じて地域ごとに解放区を樹立していった経緯から生まれたヨコ集権の体制を全国統一の目的のためにタテ集権に再編成する方向が追求された。

大躍進期にはヨコ集権(塊塊)へ回帰した。これは人民公社作りが根拠地コミューン作りでもあった経緯を反映している。つまり一方では、中央集権的管理体制のもとで官僚主義がはびこったことへの反省があり、他方、第三次大戦をも予想したサバイバル作戦のためには、全民皆兵のゲリラ根拠地作りが模索されたのであった。

調整期にはタテ集権(条条)が復活した。この時期には秩序再建のためにタテ集権が復活した。劉少奇のトラスト論はその一例であるが、のちに「条条独裁」(タテ集権万能)と呼ばれた工業管理体系がそれである。

文化大革命期にはヨコ集権(塊塊)が追求された。これは大躍進期のコミューンの夢の繰り返しである。

鄧小平時代がスタートし、経済改革がはじまるとヨコ集権が追求された。たとえば八〇年代初めから財政請負制（本稿二－2）という制度が導入された。これは中央政府と省レベル政府との間で徴税の請負を行なうものである。

なお、毛沢東時代を通じて、中央政府のイニシャチブか、地方政府のイニシャチブかという選択肢しか想定されなかったが、鄧小平時代になってから、政府（中央、地方）対企業というテーマが経済改革を模索するなかで浮かび出てきた。つまり、中央か地方かというのは、いずれも行政権限による企業管理の分権の問題にほかならず、肝心なのは、企業の活力自体であるとする認識への転換である。

3　検察機関のヨコ集権

国家権力の中枢が検察であることは、いうまでもない。検察の一元化は近代国家にとって最も重要な要件の一つである。しかし、中国では検察に対しても「共産党の指導」が行なわれるために、複雑な様相を呈することになる。すなわち、省レベルの検察院に対して、同じ省レベル党委員会の指導と上級検察院（実は上級検察院内の党組織だが）の指導とが交錯することになる。

まず中国がモデルとした旧ソ連の検察のあり方を考えてみよう。ロシア革命直後のソビエト政権は、その基礎が不安定であり、中央集権の統一的指導が必要とされていた。一九二三年、連邦検察のシステム、すなわちソ連最高法院検察長とその助手のシステムが導入された。しかし連邦検察機関と各加盟国の検察機関は従属的なものではなく、両者は並列的であった。アメリカで連邦と州の二つのシステムが並存する状況に類似していた。[*4] 一九三三年六月、ソ連最高法院検察署が廃止され、独立したソ連検察院が設けられた。同年一二月、ソ連検察条例が公布され、ソ連検察院は各加盟共和国検察院の工作に対して一般的な指導を行なうようになった。[*5]

一九三六年七月、各加盟共和国検察機関は当該共和国の司法系統から分離され、ソ連総検察長に直属するようになった。三六年末のソ連憲法を通じて、検察機関の国家体制における地位、役割、職権、組織原則などが明確化された。こうしてソ連特有の高度に垂直的な検察制度が完成した。[*6] 五五年と七九年に「ソ連検察監督条例」と「ソ連検察院組織法」が公布され、若干の修正と補充が行なわれたが、基本的内容に変化はない。

解体前の旧ソ連の「検察院組織法」はこう規定していた。ソ連総検察長はソ連最高ソビエトが任命し、各共和国の検察長はソ連総検察長が任命する。州・区・市の検察長は加盟共和国検察長が指名し、ソ連総検察長が批准任命する。全ソ連の検察機関は垂直的統一指導を実行し、各級検察長は一律にソ連総検察長によって任命され、指揮を受け、ソ連総検察長は直接的にも、あるいは所属検察長を通じることによっても監督の機能を果たすことができる。検察機関は独立した系統をなしており、裁判所に従属せず、政府の干渉も受けず、各級検察機関は独立して職権を行使できる。いかなる地方機関も干渉できず、ただソ連総検察長にのみしたがう形になっている。[*7]

中国共産党は建国直後に、このソ連(=スターリン)方式をモデルとしたが、実際にはソ連のように垂直的な方式を樹立するには至らなかった。中国ではまず四九年に中央人民政府組織法において、国家検察機関を設けることが規定され、同時に、中央人民政府委員会(一九四九年一〇月の共和国設立から五四年九月まで存在した国の最高権力機関〉が最高人民検察署の組織条例を制定すると定められた。

この規定にもとづき四九年一二月、「中央人民政府最高人民検察署組織条例」が批准されたが、そのなかにつぎの一句が盛り込まれた。

「全国各級検察署はひとしく独立して職権を行使する。地方機関の干渉を受けず、ただ最高人民検察署の指揮にのみ服する」[*8]。

この考え方はまさにソ連方式を踏襲した「垂直指導」の原則である。しかし、この垂直指導体制は実践において障害があり、執行できなかった。というのは当時の最高人民検察署は幹部の配置、事務をとる条件などすべて「地方機関に頼る必要」があり、垂直指導を実行しようにも、地方各級検察機関を樹立するのが難しく、垂直指導を断念するほかなくなったからである[*9]。

五一年九月、中央人民政府委員会は「各級地方人民検察署組織条例」を採択したが、そこでこう規定された。すなわち「各級地方人民検察署は上級検察署の指導を受ける」と垂直指導を残しつつも、同時に「同級の人民政府(たとえば省レベル政府)の構成部分であり、同級の人民政府委員会の指導を受ける」と規定したのである。こうして上級検察署と同級の人民政府との「二重指導」の原則が導入された[*10]。

当時、最高人民検察署副検察長李六如は中央人民政府委員会でこう説明した。

わが国は、経済発展が不均衡で各地の状況が異なっており、地域は広大で交通も不便である。そして「各級人民検察署の多くは不完全であるか、いまだ樹立されていない」。したがって、暫時、中央の統一した方針、政策のもとで「地方人民政府に権限を与え、その機動性と積極性を発揮させる」ものとする。当地の若干の具体的問題については「地方政権のほう」が指導力が強く、経験が多く、現地の状況を理解している。「各級地方人民検察署は新設の機構で、幹部が弱く、経験が少ない」ので、当地の政府機関が指導と協力を行なわなければならない。

李六如はこのように、二重指導への方針転換の理由を説明したが、ここで確認しておく必要があるのは、当時は条件さえ整えば「垂直指導に戻る」ことが当然だと認識されていた事実である。[*11]

五三年から計画経済がはじまり、中央の統一的集中的指導を保証するために「検察機関の垂直指導体制」を回復する必要に迫られた。

このために、五四年九月に採択された中華人民共和国憲法と人民検察院組織法ではつぎのように、地方各級人民検察院は独立して職権を行使することが明記された。すなわち「地方国家機関の干渉を受けない」と独立性を強調したのである。さらに地方各級人民検察院は「一律に最高人民検察院の統一指導下で」工作を行なう、と垂直指導の方針も回復された（憲法第八三条、八四条、検察院組織法第六条[*12]）。

この規定により、地方各級人民検察院は、同級人民政府の指導も、同級のその他の国家機関の指導をも受けず、ただ「上級検察院の指導のみ」を受ける垂直指導体制が回復されたわけである。

文化大革命の空白を経て、七八年三月に開かれた第五期全人代第一次会議で憲法が改正され、民主化と法制化がはじまった。検察機関の指導体制は三たび改正されることになり、こう改められた。地方各級検察院は「同級の人民代表大会に対して責任」を負い、工作を報告する。ここで復活したのは、ヨコ集権の論理である。

そして「上級人民検察院は下級人民検察院の検察工作を監督する」とされ、上級検察院の任務は単なる「監督」に矮小化された。これは「指導」という名による事実上の支配をも含む観念と比べて、はるかに弱い権限を意味している。[*13] こうして「垂直指導でもなく、二重指導でもない」特殊な体制になった。すなわち同級の人民代表大会から「指導」を受け、上級の検察機関から「監督」を受ける体制である。これは実質的には二重指導の変形であったが、検察機関の一体性、集中性をはかるうえで不都合であるばかりでなく、検察機関が独立して検察権を行使するうえでも欠点があり、再度改められる。

そこで七九年七月、第五期全人代第二次会議で検察機関の上級下級の「監督」関係は「指導」関係に改められた。その理由を全人代法制委員会主任・彭真はこう説明した。地方各級人民検察院は同級人民代表大会（とその常務委員会）に責任を負い、工作を報告する。同時に、上級検察院の指導をも受けて、検察機関の統一的監督をも保証する。[*14]

この改正は八二年憲法（一九八二年一二月四日に採択）においても追認され、こう規定された。「最高人民検察院は地方各級人民検察院の工作を指導する。上級人民検察院は下級人民検察院の工作を指導する」。これはタテ集権（垂直指導）の原則である。

「地方各級人民検察院は同級の国家権力機関と上級人民検察院に対して責任を負う」。これはヨコ集権の原則である。こうして、一方では上級人民検察院（最高人民検察院を含む）の指導を受け（タテ集権）、他方で同級の国家権力機関の指導をも受ける（ヨコ集権）二重指導体制が復活した。しかし、二重指導の内実についてはさまざまな理解が存在していた。

垂直指導か、二重指導かをめぐって中国の検察機関の指導のあり方が動揺を繰り返してきたことは右の通りだが、なぜこのような反復が必要とされたのであろうか。見かけの議論では、検察機関の上下関係の指導か、それとも所在地の地方人民代表大会の指導かという問題が争われている。

ここで「検察機関の垂直指導」を主張する人々は、地方各級の「人民代表大会の指導を軽視する」ものとして批判されたが、実はこの文脈では、地方各級人民代表大会の指導とは、立法機関としての各級人民代表大会というよりは地方レベルの党委員会による「党の指導」と同義であった。そして「検察の一体性」論者（法治派）は、人治派から「党の指導」を無視するものと批判されたのであった。ここには国家権力の象徴としての検察権力とその上位にあるべきだと観念される「党の指導」との鋭い対立があった。

試行錯誤の末に、結局は、最高人民検察院、上級検察院の指導と、同級の人民代表大会の指導という「二重指導」に落ち着いたのが今日の姿である。

この妥協形態はいぜん「検察の独立、法による支配」という法治国家樹立の観点からすると大きな問題をはらんでおり、とうてい安定した制度とはいいにくい。

ある論者は中国において現実的な方法として「上級検察院の指導を主とし（タテ集権）、地方国家機関の指導を従とする（ヨコ集権）」体制を提起している。[*15]

このためには、地方各級検察長の任免手続きを改正するのがよいとする。すなわち上級検察院が下級検察長の候補を提起して（上級検察院の候補指名権）、下級人民代表大会で選ばせる。これを上級検察院に報告し、同級の人民代表大会常務委員会の批准を得てもらう（地方人民代表大会の批准権）。地方各級人民検察院の正副検察長は、上級検察院の同意を得なければ、免職あるいは配転できないようにする（検察長の身分保証）。

これは現行制度とどうちがうか。現行制度では、地方各級検察長は党の指導下の同級人民代表大会で選ばれ、上級の常務委員会で批准を得ることになっている。改正案は候補者指名および免職の権限を上級検察院（司法のプロ）に委ねたものである。こうして幹部制度の面から上級検察機関の指導を保証しようとするものである。

また検察の業務経費は、現在地方各級人民政府から支出されているが、これを最高人民検察院が統一的に支出するやり方に改めるために、中央財政部に独自の予算を計上するよう提起している。この指摘から、現在の「省レベル優位の検察行政」を支えているものは、検察幹部に対する「人事と予算」[*16]にほかならないという事実が浮かび上がる。[*17]国家権力の中枢に位置する検察機関を実質的に動かすものもまたヒトであり、カネであるというわけだ。

＊1　地級単位は三三三（うち地級市は二〇六）、県級単位は二一四八（うち県級市は四一三）である。『中国統計年鑑1995』（北京・中国統計出版社、一九九五年、三頁）による。郷鎮レベルは約五万程度である〈民生部の公式サイトによれば、二〇二〇年一二月現在、地区級単位は全国に三三三、県級単位は二八四四あり、市は省レベルのものが四、地区レベルのものが二九三、県レベルのものが三八八、計六八五ある〉。

＊2　毛里和子『現代中国政治』名古屋大学出版会、一九九三年、一二九頁。原資料は、坂野正高『近代中国政治外交史』東京大学出版会、一九七三年、および、村松祐次『中国経済の社会態制』東洋経済新報社、一九四九年。

＊3　ここでの「タテ集権」「ヨコ集権」の考え方は、趙宏偉「現代中国の政治体制に関する一考察」（『アジア研究』一九九二年八月号）に依拠している。

＊4　王桂五主編『中華人民共和国検察制度研究』北京・法律出版社、一九九一年、一八一頁。
＊5　同上、一八頁。
＊6　同上、一八頁。
＊7　同上、五九頁。
＊8　同上、六九一頁。
＊9　同上、六一頁、六九一頁。
＊10　同上、一七～一八頁。曾憲義主編『検察制度史略』北京・中国検察出版社、一九九二年、三六七頁以下。
＊11　前掲『中華人民共和国検察制度研究』六九一～九二頁。
＊12　同上、六九一頁。
＊13　シドウとカントクの日本語のニュアンスでは、カントクが強いと思われるが、ときにはギョウセイシドウのように、強いシドウもありうる。
＊14　彭真「七つの法律草案についての説明」『人民日報』一九七九年七月一日。
＊15　前掲『中華人民共和国検察制度研究』七〇六頁。
＊16　同上、七〇六頁。
＊17　日本の場合に「検察と政治」の関係はどうなっているのか。元最高裁長官・岡原昌男が興味深い証言をしている（『文芸春秋』一九九四年三月号）。「検察庁法第一四条ができる前の検察庁は裁判所の付属機関のような存在であった。検察庁の予算、会計はすべて裁判所に握られていた。捜査経費はいくらでも使える建前になってはいたが、実際上は備品類、消耗品の支出に至るまで裁判所に管理されて、窮屈なこと甚だしかった。そこで裁判所から独立させようという機運が盛り上がった。検察庁を会計検査院や人事院のような形で、独立官庁として国会に対して直接責任を負うこと

も検討したが、独自の官庁として権限を振るうと弊害やチェック・アンド・バランスに欠ける面が出てくる。検察のもつ準司法的な側面と行政官的な側面を考慮すれば、内閣の司法大臣の下に入るのが一番妥当であろうという結論になった。大臣の検察への指揮監督の権限、その介入はどこまで許されるのかも激しい議論の対象となった。大臣の権限は、検察庁の最高指揮官である検事総長のみを直接指揮しうることとし、検事総長の判断および責任において、検察庁の処理に任せるのが妥当であるとの結論に達した。要するに、一般の指示は大臣ができるが、個々の事件については、検事総長を通してのみ指揮ができるというように、大臣、検事総長それぞれの資格で捜査の指示ができる形にする、というのが検察庁法第一四条ができた由来であった」。

二　財政における中央と地方

1　財政をめぐる中央と地方

中国の財政収入と財政支出を中央政府と地方政府に分けて一覧すれば、**表1**のごとくである。中央政府による徴税分と地方政府による徴税分とに分けてみると、いわゆる「社会主義建設」の路線とのかかわりで、大きな試行錯誤を繰り返してきた。第一次五カ年計画期（一九五三〜五七）には中央徴税部分は四五％であったが、中央財政として支出した部分は七四％であった。第二次五カ年計画期（一九五八

表1　中央財政と地方財政（単位：億元）

年度	財政収入					財政支出					中央徴税と支出の差	地方徴税と支出の差
	A	中央徴税分		地方徴税分		D	中央財政としての支出		地方財政としての支出			
		B	%	C	%		E	%	F	%	G	H
1953〜1957	1355	615	45.4	740	54.6	1346	997	74.1	348	25.9	▲382	392
1958〜1962	2117	480	22.7	1636	77.3	2289	1102	48.1	1187	51.9	▲622	449
1963〜1965	1215	336	27.7	879	72.3	1205	719	59.7	486	40.3	▲383	393
1966〜1970	2529	790	31.2	1739	68.8	2519	1538	61.1	981	38.9	▲748	758
1971〜1975	3920	576	14.7	3343	85.3	3919	2125	54.2	1794	45.8	▲1549	1549
1976〜1980	4961	775	15.6	4186	84.4	5247	2590	49.4	2657	50.6	▲1815	1529
1981〜1985	6831	2088	30.6	4743	69.4	6952	3395	48.8	3557	51.2	▲1307	1186
1986〜1990	13518	5341	39.5	8176	60.5	13978	5533	39.6	8446	60.4	▲192	▲270
1991	3611	1400	38.8	2211	61.2	3814	1518	39.8	2296	60.2	▲118	▲85
1992	4153	1649	39.7	2504	60.3	4390	1818	41.4	2572	58.6	▲169	▲68
1993	5088	1697	33.4	3392	66.7	5287	1957	37.0	3330	63.0	▲260	62
1994	4760	2721	57.2	2039	42.8	5429	1863	34.3	3566	65.7	858	▲1527
1995	5692	3219	56.5	2473	43.5	6359	2045	32.2	4315	67.8	1174	▲1842

資料：『中国統計年鑑 1994』北京・中国統計出版社、1994 年、220 頁。中央収入と地方収入は、ともにそれぞれが徴税した金額で、地方から中央への上納や中央から地方への交付を行なう前の数字である。なお G = B − E、H = C − F である。1994 〜 95 年は予算数字。『人民日報』1994 年 3 月 25 日、1995 年 3 月 21 日。

〜六二）には中央集権体制への見直しが行なわれ、中央徴税分は約二三％に激減した。これは国有企業などを省級政府に下放した結果である。しかし中央財政として支出した部分は五割弱を占めていた。第三次五カ年計画期（一九六六〜七〇）には中央の徴税部分は三割であり、中央財政として支出したものは六割であった。第四次五カ年計画期（一九七一〜七五）には中ソ対立の激化が国共衝突にまで発展し、第三次世界大戦に備える国防三線建設と運動した地方政府への権限の下放のために、中央徴税の部分は実に一五％未満まで激減したが、中央財政として支出する部分は五割強であった。第五次五カ年計画期（一九七六〜八〇）は毛沢東時代から鄧小平時代への転換期にあたり、毛沢東晩年の体制を基本的に継承した。鄧小平時代初期の第六次五カ年計画期（一九八一〜八五）には三割台を回復し、支出ベースでは五割弱であった。第七次五カ年計画期（一九八六〜九〇）は徴税べースでは四割弱まで回復したが、支出ベースでも類似の比率となった。これは徴税と支出とを基本的に対応させるような制度改革が八五年に行なわれたからである。中央財政と地方財政との関係を調べてみよう。地方政府の徴税したものの一部は中央政府に上納され、逆に貧しい地方政府に対しては中央政府から財政補助が行なわれる。このような再配分関係を九四年予算に即して図解してみると、図1のごとくである。

図1からわかるように、九五年予算における中央政府徴税額は三三一九億元、地方政府徴税額は二四七三億元であり、計五六九二億元になる。全体に占める中央、地方の比率はそれぞれ五六・五％、四三・五％である。

つぎに中央財政から貧しい地方財政への補助や豊かな地方からの中央財政への上納による再配分を経た結果はどうか。中央財政の支出は財政赤字六六九億元を含めて四四九四億元であり、地方財政は財政赤字の計上を許されないので支出は収入と同額の四九二三億元、中央と地方の支出合計は六三五九億元である。全体に占める中央、地方の比率はそれぞれ三二・二％、六七・八％である。つまり徴税ベースでは中央がすでに五六％を掌握し、これに地方財政からの上納金を含めた財力で地方への補助金を交付する結果、支出ベースでは中央対地方の比率がおよそ一対二となっていることがわかる。九四〜九五年のわずか二カ年でこのように転換させたのであり、九四年に導入された「分税制」の効果は著しい。では、つぎに地方政府から中央政府への上納を行なう豊かな省はどこか、また中央政府から財政補助を受ける貧しい省はどこかをみておこう。毛沢東時代の五三年から七九年に至る二七年間の省ごとの財政収入と支出の累計表を作ると表2のごとくである。[*1] この間に収支がバランスしたのは二〇省で、累計剰余

図1　1995年予算の中央財政と地方財政の構造（単位：億元）

全国歳入	5692.4	100.0	全国歳出	6359.2	100.0
中央歳入	3219.0	56.5	中央歳出	2044.7	32.2
地方歳入	2473.4	43.5	地方歳出	4314.5	67.8

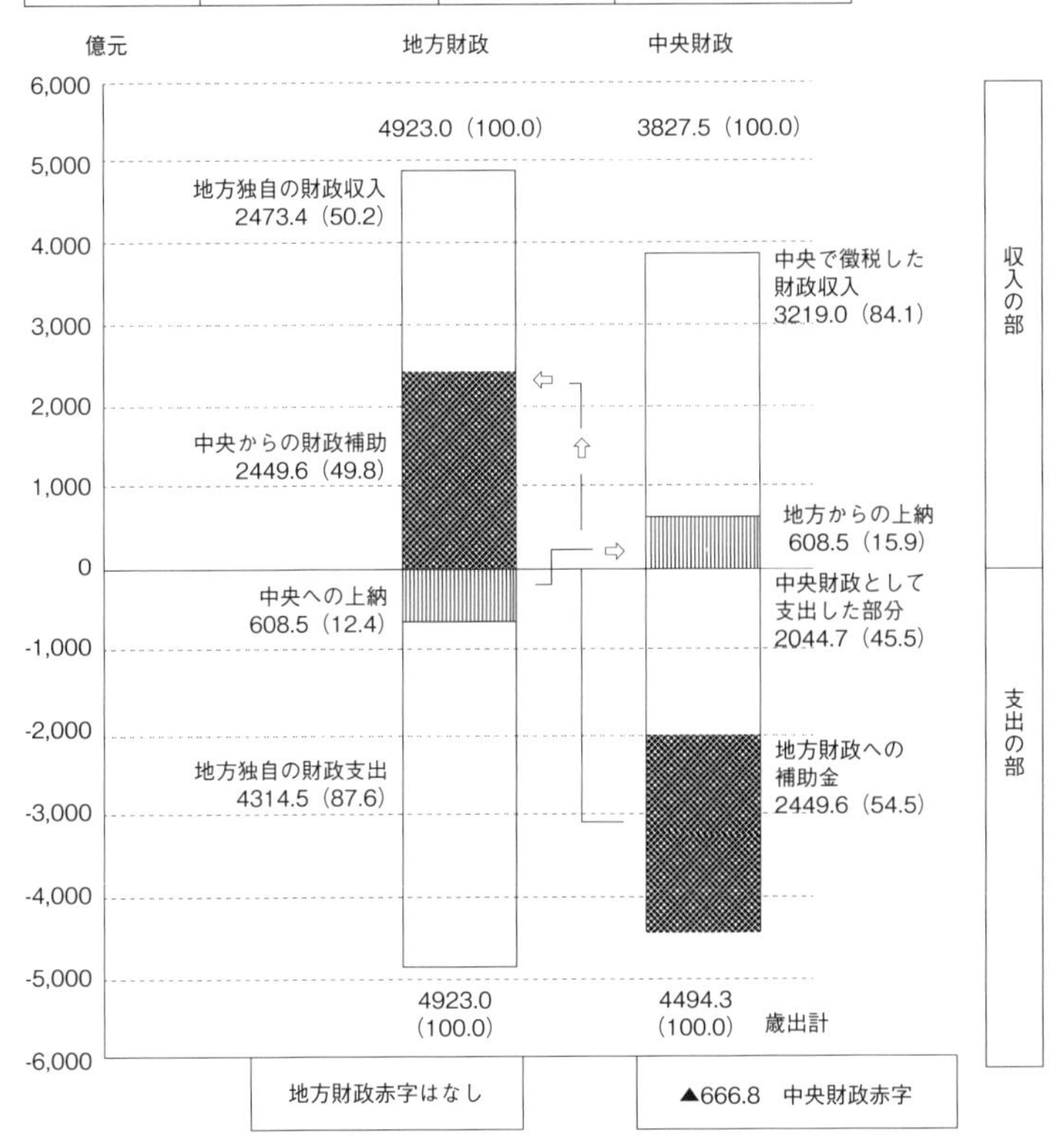

資料：劉仲藜財政部長報告、『人民日報』1995年3月21日。

は五三〇〇億元である。このうち上海、遼寧、天津、江蘇、山東、北京、黒竜江、広東の八省の各年の累計黒字の合計額が四六〇四億元であり、全国の黒字額の八七%を占めていた。赤字は、内蒙古、新疆ウイグル、貴州、広西チワン族、青海、雲南、チベット、寧夏回族の八省自治区だけで四六八億元に達し、赤字額の九七%を占めた（赤字地域の実際の支出には財政再分配による移転分が含まれている）。財政収入の累計額の最も多い上海の二一二三億元と最も少ない寧夏の二八億元との対比は、七五対一になる（チベット、海南は例外として除く）。これに対して財政支出の累計額の最も多い四川の四二一億元と寧夏の五六億元を比べると、七・六対一に縮小している。ここから、財政再分配が地域間の均衡化に貢献したことがわかる。つまり、中部、西部の少数民族地区に財政補助が行なわれ、沿海地区がこれを支出したのであった。表2の右側の数字は、八〇～八九年、すなわち鄧小平時代の初期から中期までの歳入と歳出の累計額である。毛沢東時代と比べて、順位が四番以上（あるいは以下）動いた省・市を調べてみよう。

まず黒竜江省は五位から一四位に転落したが、これは大慶油田の枯渇問題のためとみられる。天津市は七位から一二位に転落したが、これは国有企業の低迷や唐山大地震の影響であろう。甘粛省は一九位から二三位に転落したが、これは典型的な内陸地区であり、改革開放に乗り遅れたものとみられる。

では順位を上げたのはどこか。一〇位の四川省は六位に躍り出た。これは農業の生産責任制と国防三線建設の工場における民用品製作への転換のためであろう（いわゆる「軍転民」）。一三位の浙江省は七位に躍進したが、これは郷鎮企業の発展によるものである。二三位の雲南省が一七位に浮上した一因は利潤率の高い煙草製造業によるものか。

表2　省レベルの財政収支（単位：億元、歳入累計額の大きさの順）

順位	毛沢東時代　1953～79年			
	地域	歳入累計	歳出累計	収支バランス
	全国計	11764.7	7012.6	4819.6
1	上　海	2122.5	310.8	1811.7
2	遼　寧	1138.2	387.8	750.4
3	山　東	732.7	375.0	357.7
4	江　蘇	714.4	318.8	395.6
5	黒竜江	633.7	338.0	295.6
6	広　東	570.6	314.9	255.8
7	天　津	558.1	157.4	400.6
8	北　京	537.6	198.9	338.6
8	省市計	7007.8	2401.6	4606.0
9	河　北	497.4	377.8	119.6
10	四　川	487.9	420.9	67.0
11	河　南	425.1	350.0	75.2
12	湖　北	380.1	329.3	50.8
13	浙　江	359.4	195.8	163.6
14	湖　南	343.5	278.5	65.0
15	安　徽	270.1	253.1	17.0
7	省　計	2763.5	2205.4	558.2
16	吉　林	274.7	231.9	33.8
17	陝　西	242.0	217.1	24.9
18	山　西	233.8	237.9	▲4.2
19	甘　粛	213.3	161.9	51.4
20	福　建	179.1	187.1	▲8.0
21	江　西	178.0	203.0	25.0
6	省計	1293.9	1238.9	122.9
22	広　西	174.6	229.1	▲54.5
23	雲　南	165.0	212.0	▲47.0
24	内蒙古	104.7	215.0	▲110.3
25	新　疆	87.0	164.6	▲77.6
26	貴　州	80.9	140.3	▲59.4
27	青　海	35.0	84.6	▲49.7
28	寧　夏	28.2	55.7	▲27.6
29	海　南	23.5	22.7	0.7
30	チベット	0.6	42.7	▲42.1
9	省区計	669.5	1166.7	▲467.5

順位	鄧小平時代　1980～89年			
	地域	歳入累計	歳出累計	収支バランス
	全国計	11846.7	10596.9	1319.1
1	上　海	1698.3	409.8	1288.4
2	遼　寧	931.9	587.2	344.8
3	江　蘇	873.7	502.5	371.3
4	山　東	638.7	559.6	79.1
5	広　東	616.2	649.8	36.4
6	四　川	596.7	649.7	▲53.0
7	浙　江	577.6	381.6	196.0
8	北　京	548.7	332.7	216.0
8	省市計	6481.8	4072.9	2479.0
9	湖　北	509.5	446.9	62.6
10	河　南	494.3	497.1	▲2.8
11	河　北	471.2	435.4	35.9
12	天　津	448.6	256.7	191.9
13	湖　南	420.3	413.1	7.2
14	黒竜江	367.7	477.8	▲110.1
15	安　徽	307.5	317.9	▲10.4
7	省市計	3017.1	2844.9	174.3
16	山　西	286.9	324.2	▲38.1
17	雲　南	285.6	391.5	▲105.9
18	福　建	253.2	301.8	▲48.6
19	吉　林	247.9	359.5	▲111.6
20	陝　西	218.1	289.8	▲71.7
21	広　西	216.3	324.0	▲107.6
6	省区計	1508.0	1990.8	▲483.5
22	江　西	208.1	278.5	▲70.4
23	甘　粛	173.2	236.0	▲62.8
24	貴　州	153.7	248.1	▲94.4
25	内蒙古	130.6	341.2	▲210.7
26	新　疆	88.1	266.3	▲178.2
27	寧　夏	31.4	93.4	▲62.0
28	青　海	28.6	98.7	▲70.1
29	海　南	28.1	57.1	▲29.1
30	チベット	▲4.0	69.0	▲73.0
9	省区計	837.8	1688.3	▲850.7

資料：国家統計局総合司編『各省、自治区、直轄市歴史統計資料匯編 1949 ～ 1989』北京・中国統計出版社、1990 年。原資料は韋偉・王建・郭万清『中国地区比較優勢分析』北京・中国計画出版社、1992 年、279、282 頁。

2 財政請負制

鄧小平時代になって八〇年から財政請負制が導入された。この請負制は試行錯誤を重ねたのち、八〇年代半ばにいちおうの形を整えた。請負制の基準とされたのは、八三年時点における各省の財政収入の実績であった。[*2]表3のA欄は八三年実績であり、財政収入の多い順に並べてある。

この財政収入（省レベルで徴税したすべての税収のうち「中央税」部分を除いたもの。すなわち「地方税」と中央・地方で分ける「共有税」を合計したもの）を公表された上納率にもとづいて試算して八五年上納額を調べてみるとB欄のようになり、八三年の収支尻とほぼ一致することがわかる。それは一六省市小計においても（三一四億元対三一五億元）各省レベルでもほぼ対応していることが確認できよう。

このとき決定された財政請負はつぎの四タイプからなっていた。第一は、省政府が徴税した総額を中央と地方とで分けるもの〔原文＝総額分成〕である。これは河北、山西、遼寧、江蘇、浙江、安徽、山東、河南、湖北、湖南、四川、陝西、甘粛、吉林、黒竜江、江西など一六省の場合である。たとえば河南、安徽は八割を留保し、二割を中央へ上納する。江蘇は四割を留保し、六割を上納する。吉林、黒竜江、江西は赤字になった場合は「定額補助」を中央から受けるやり方であった。第二は、広東省と福建省に適用された「大請負制」である。第三は、中央からの定額補助を受けとる比較的貧しい地域〔原文＝定額補助〕であり、陝西、甘粛、吉林、江西の四省がこれに該当した。第四は、中央からの逓増補助を受けとる最も貧しい地域〔原文＝逓増補助〕である。民族地区すなわち内蒙古、広西チワン族、チベ

表３　1980年代半ばの地方財政とその上納額（単位：億元）

		A　1983年の実績			B　中央への上納または財政補助（1985年の場合）	
		収入	支出	収支		
1.　中央財政へ上納する16都市					上納率・上納金額	
16省市計		756.3	441.3	315.0		314.0
1	上海市	153.70	19.03	134.67	76.5%	117.6
2	江蘇省	74.61	32.29	42.32	60.0%	44.8
3	遼寧省	67.88	34.17	33.71	48.9%	33.2
4	山東省	51.30	32.41	18.89	41.0%	21.0
5	浙江省	41.79	21.94	19.85	45.0%	18.8
6	四川省	41.38	36.64	4.74	*	-
7	湖北省	10.44	28.32	12.12	†	-
8	北京市	39.84	19.61	20.23	50.5%	20.1
9	天津市	38.74	20.49	18.25	60.6%	23.5
10	河南省	36.49	30.06	6.43	19.0%	6.9
11	河北省	36.39	28.27	8.12	31.0%	11.3
12	広東省	36.33	37.65	▲1.32	定額上納	7.8
13	湖南省	29.27	25.31	3.96	12.0%	3.5
14	山西省	24.15	24.01	0.14	2.5%	0.6
15	安徽省	22.39	20.38	2.01	19.0%	4.3
16	黒竜江省	21.56	30.71	▲9.15	定額上納	0.7
2. 中央から財政補助を受けとる14省区					補助方式・金額	
14省区計		120.7	208.3	▲87.6		85.62
17	雲南省	17.17	24.03	▲6.86	逓増補助	6.37
18	陝西省	14.54	18.81	▲4.27	定額補助	2.7
19	吉林省	14.12	19.41	▲5.29	定額補助	3.97
20	広西区	13.89	18.48	▲4.59	逓増補助	7.16
21	江西省	13.53	17.27	▲3.74	定額補助	2.39
22	福建省	12.37	17.55	▲5.18	定額補助	2.35
23	甘粛省	10.90	15.53	▲4.63	定額補助	2.46
24	貴州省	8.72	15.55	▲6.83	逓増補助	7.34
25	内蒙古区	6.99	22.83	▲15.84	逓増補助	17.83
26	新疆区	5.63	18.61	▲12.98	逓増補助	14.50
27	寧夏区	1.78	6.95	▲5.17	逓増補助	4.94
28	青海省	1.54	7.39	▲5.85	逓増補助	6.11
29	海南省	-	--	-		
30	チベット区	▲0.48	5.88	▲6.36	逓増補助	7.5
全国計		877.0	649.6	227.4		

注１）財政収入には地方が徴税した「中央税」は含まず、「地方税および中央・地方の共有税」の合計である。

注２）計画単列都市の扱いは省略した。＊は重慶から上納、†は武漢から上納。なお、武漢、重慶市の財政規模は、86年時点でそれぞれ23.8億元、16.6億元程度である。

資料：（A）83年の財政収支は『全国財政統計 1950 ～ 1985)』（北京・中国財政経済出版社、1987年、54、92頁）。（B）上納率および補助額は『当代中国財政・上』（北京・中国社会科学出版社、1988年、376～77頁）。（C）91年の財政収支は『中国財政統計 1950 ～ 91』（北京・科学出版社、1992年、59、138頁）。

ット、新疆ウイグル、寧夏回族の五自治区およびこれに近い性格をもつ青海、雲南、貴州の三省への補助のやり方である。これら四つのタイプのうち、第一が最も一般的なやり方だが、地方レベルへの留保率、言い換えれば中央への上納率は、さまざまである。第二の大請負制は、広東と福建のみだが、広東は定額一二億元を上納するのに対して、福建は定額一・五億元を補助されるのであるから、中央に対する両者の関係は対照的である。第三は比較的貧しい財政力しかない四省への補助であり、第四は最も貧しい民族地区に対して補助を毎年逓増させるやり方である。[*3]

この表3から一〇億元以上を上納する主な担い手は、上海市、江蘇省、遼寧省、山東省、浙江省、北京市、天津市、河北省の八省市であることがわかる。財政補助を受ける主な地域は広西チワン族、新疆ウイグル、内蒙古、寧夏回族、チベットの五自治区、および自治区の形をとってはいないが少数民族の多く、事実上の「自治区待遇」の雲南省、貴州省、青海省の三省である。これらの五自治区・三省は「年一〇%ごとの逓増補助」対象地域とされている。少数民族地区ではないが、開発の遅れている内陸地区の甘粛省、陝西省、地理的には沿海地区に近いが山がちで貧しい江西省、福建省、そして東北地区の吉林省は、「定額補助」の対象地域とされた。財政補助を受けとる一四省区の受取総額は八五・六億元だが、同地域の赤字小計は八七・六億元であり、やはり対応している。つまり八三年時点の赤字を基準として、これを補填する規模の財政補助を構想したことが確認できるわけだ。

表2右側の数字から知られるように、鄧小平時代の八〇～八九年の財政を見ると、赤字省は二〇省自治区にふえた。黒字省では収入に占める支出の比率は高まり、請負制のもとで地方の自主権が強まったことが確認される。地方の財政力が強化されたことは、予算外資金の大幅な伸びにも現れている。七八

年の予算外資金は予算内資金の三一％にすぎなかったが、八八年は八九・七％、九一年は八九・八％と九割台に迫っている。[*4]

八五年からは国有企業の利潤上納のやり方を納税方式に改める「利改税」[*5]の第二段階に入り、請負制はさらに進んだ。このやり方にはいくどか調整が行なわれ、九一年の時点で六種のやり方が行なわれていた。[*6]この八五年税制を地方への留保分をよりふやす形で調整したものが八八年税制改革である。[*7]

一連の財政請負制を通じて、中央と地方の財政関係に大きな変化が生じた。地方財政当局は相対的に独立した財政資金の管理者になった。国家財政支出に占める地方財政の比率は八〇年代前半には五割台であったが、後半には六割台までふえた。この結果として、「中央財政の赤字」と一部の沿海地区の「地方財政の黒字」現象、すなわち「弱い中央財政」と「強い地方財政」の対照が浮かび上がった。この問題を解決するために、中央政府からの地方への財政支援要請がつづき、中央と地方の対立がクローズアップされることになった。[*8]赤字の中央財政を再建するために、中央と地方の配分を六割対四割にすることを目標としている。

請負制の結果を省レベルでみると以上のとおりだが、では各省の一人当り財政収支にはどのような変化が生じたのか。表4がそれを示している。[*9]

A欄の北京など五省市は「歳入が多く、かつ歳出も多い」タイプである。これに対してC欄の安徽など三省は「歳入が少なくかつ歳出も少ない」タイプである。B欄の河北などは「中間のタイプ」にあたる。D欄の江蘇と浙江は一人当り歳入は一四〇元以上であるから、全国平均の九五・五元よりもそれぞれ四六・七％、五〇・五％多い。これに対して一人当り歳出は全国平均八一・九元に対して九八・四％、

表4　省レベルの1人当たり財政収入と財政支出の分類（1980～1989年）

	1人当たり平均収入の高い省	1人当たり平均収入の中位の省	1人当たり平均収入の低い省
1人当たり平均支出の高い省	北京、天津、遼寧、上海、広東 ⇩ ⇩ A	山西、吉林、雲南、福建、黒竜江 ⇧ ⇧ F	内蒙古、チベット、寧夏、青海、新疆、 E ⇧
1人当たり平均支出の中位の省	⇩ ⇩ 江蘇、浙江 D	⇧ ⇧ 河北、山東、湖北、湖南、甘粛 B	貴州、広西、江西、陝西、海南 ⇧ G ⇧ ⇧ ⇧ ⇧
1人当たり平均支出の低い省			⇧ ⇧ 安徽、河南、四川 C

資料：韋偉・王健・郭万清『中国地区比較優勢分析』北京・中国計画出版社、1992年、287頁。
全国平均の＋－20％を境界として3区分したもの。原資料は国家統計局総合司編『全国各省、自治区、直轄市歴史統計資料匯編1949～1989』北京・中国統計出版社、1990年。

一一六・四％の水準にとどまっている。その理由は中央との配分比率を決めたときの省レベルへの留保比率が小さく、上納負担が重かったためとみられる。E欄の内蒙古、チベットなどの民族地区とこれに似た性格の雲南（F）、貴州、広西（G）などが、歳入水準は低いにもかかわらず、高い歳出水準にあるのは、中央からの補助のためである。福建（F）は大請負制のために高い歳出になり、吉林、黒竜江（F）、江西（G）などは定額補助のために高い歳出になっている。C欄の安徽、河南、四川は人口が多いために一人当たり歳入水準が、広西、貴州（G）、新疆（E）などの民族地区と似た水準になり、歳出はこれら民族地区よりも小さい。湖北（B）の歳入は吉林や黒竜江（F）と比べて差がないにもかかわらず、歳出は吉林、黒竜江よりも少ない。これらの数字は、財政の請負制が沿海地区を中心とする地方経済を発展させたという功績を示すとともに、請負制の限界をも示している。それは地域間の経済封鎖を促し、統一市場の形成や国家と企業の関係の合理化にとって阻害要因と化している。

3 分税制

この問題を解決するために、八五年に構想が生まれておりながら棚上げされていた「分税制」の導入が避けられなくなり、一九九三年一一月の第一四期三中全会（中国共産党第一四期中央委員会第三回全体会議）において、地方財政請負制を分税制に改める方針が採択された。[*10] 分税制とは、中央と地方がそれぞれの行政事務に応じて、中央税と地方税に分けて徴税することである。国家権益を維持しマクロ・コントロールに必要な税は「中央税」とし、地方の充実に用いる税は「地方税」とし、経済発展と直接的にかかわる税は（中央と地方の）「共有税」とする。GNPに占める財政収入の比重を高め、中央財政収入と地方財政収入の比例を合理的に確定し、中央財政から地方財政への交付税の制度を実行し、特に経済の未発達の地域と旧工業基地の改造に役立てる。最も重要な狙いは「分税制」の導入によって「弱い中央政府と強い地方政府」の構造を再編成することであろう。

鄧小平体制はいわば「諸侯経済[*11]」を事実上容認し、沿海地区の広東省や山東省、そして浙江省、江蘇省などが独自の財政政策を推進することによって、それぞれの経済発展を進める政策を奨励してきた。これは、中央政府からの「経済的独立」を密かに奨励してきたに等しい。改革開放をめぐる改革派と保守派の抗争という政治的文脈では、保守派の牙城たる計画経済体制を瓦解させるために、あえて「地方政府の割拠」を奨励とはいわないまでも容認してきたと解釈できよう。中央税と地方税を分けるこの「分税制」は、前述のように八〇年代の半ばに構想されたものである。中央財政と地方財政の比重は、分税制の導入以前はおよそ四対六の比率であった。これを中央六対地方四の比率に変えることが狙いであったが、この目的は図1の示すように半ば達成されつつある。むろんこの改革によって実質的に歳入の目減りする「豊かな地方」は、既得の財政権益を侵害されるわけであるから、陰に陽にさまざまな形で、「強い中央政府」の再構築の試みに抵抗するであろう。したがって制度の定着化までにはある程度の時間を要するものと考えられる。しかし歳入の取り分をめぐって、あるいは歳出の任務分担をめぐって、中央政府と地方政府が「綱引き」を行なうことは、あながちマイナスばかりではない。この過程において中央と地方の義務と権限が明確になっていけば、それは事実上、地方政府なり、地域的経済圏の義務と権限を明確ならしめることになり、連邦中国のための地ならしの役割を果たすことになるからである。

＊1　拙著『図説・中国の経済』増補改訂版、蒼蒼社、一九九四年、一〇九頁。原資料は、『当代中国財政』上巻、北京・中国社会科学出版社、一九八八年、三七六〜七七頁。
＊2　国務院一九八五年三月二一日通知。
＊3　前掲『図説・中国の経済』、一〇九頁。
＊4　『中国統計年鑑1993』北京・中国統計出版社、一九九三年、二二九頁。
＊5　「利改税」とは、国有企業の「利潤上納」方式を、「納税方式」に切り換えるという財政改革である。『現代中国経済大事典 第一冊』北京・中国財政経済出版社、一九九三年、六八二〜八三頁。
＊6　①収入逓増請負制（一〇省）、②総額分成（三省）、③総額分成プラス増長分成（三省）、④上納額逓増請負制（二省）、⑤定額上納（三省）、⑥定額補助（一六省）。韋偉等『中国地区比較優勢分析』北京・中国計画出版社、一九九二年、二八三頁。原資料は、『組織人事報』一九九一年一一月一

四日。

＊7　『人民日報』一九八八年八月一〇日。

＊8　前掲『中国統計年鑑1993』、二二九頁。

＊9　前掲『中国地区比較優勢分析』、二八七頁。

＊10　「社会主義市場経済体制の樹立の若干の問題についての中共中央の決定」（略称、五〇カ条）『人民日報』一九九三年一一月一七日。

＊11　沈立人・戴園晨「わが国諸侯経済の形成とその弊害」（『経済研究』一九九〇年第三期）は、中国で三〇の大諸侯（省・市・自治区レベル）、三〇〇の中諸侯（地区・市レベル）、二〇〇〇の小諸侯が割拠していると分析している。拙著『保守派ｖｓ改革派――中国の権力闘争』蒼蒼社、一九九一年、一二二頁。

三　市場経済体制の模索

1　計画経済万能論

中央集権的計画経済から市場経済への転換の過程で、中央政府の地方政府に対するコントロールが弱まり、地域的経済圏が形成されるに至るのは、当然の成り行きである。

毛沢東時代の末期には、計画経済万能論ともいえるような考え方が行なわれた。それは商品経済を「資本主義の尻尾」として攻撃し、すべての領域で全面的に計画経済を貫徹することを目指していた。この考え方は「ソ連政治経済学読書ノート」[*1]（一九五九〜六〇）や「理論問題についての指示」（『人民日報』一九七四年一二月二六日）などに最も鮮明に現れている。このような考え方にもとづいた計画経済の担い手が官僚たちである以上、計画経済体制とノーメンクラツーラ〈社会主義国における国家機関・社会機関の幹部人事制度。矢吹晋『巨大国家 中国のゆくえ』「第2章 ノーメンクラツーラ」で詳述〉が不可分であることはいうまでもあるまい。

この種の計画経済一辺倒を批判しつつ、鄧小平時代がはじまったが、八〇年代初頭の観点を示す代表的な考え方は、陳雲（一九〇五〜九五）の書いたテーゼ「計画と市場の問題」[*2]（一九七九年三月八日）である。経済政策における陳雲の指導的地位からして、これはおそらく中共中央の財政経済委員会のため、すなわち経済政策のトップ・レベルの意思決定に影響を与えるべく執筆されたメモと考えられる。要旨を抜き書きしてみよう（傍点は陳雲による。番号は筆者が便宜のために付した）。

(1)計画工作の法則。計画をもち、釣合いをとることである〈原文＝有計劃按比例〉。この論点はマルクスに由来する。

(2)『資本論』は資本主義的生産が無政府的であり、生産力の発展は必然的に生産関係と調和できない矛盾を生み出し、最後には資本主義の滅亡に至ることを発見した。

(3)社会主義革命が一つの国で勝利する前に、マルクスは社会主義経済は計画的な釣合いのとれた発展になろうと提起していたが、この理論はまったく正しい。

(4)一九一七年以後、ソ連で計画経済を実行し、一九四九年以後中国も計画経済を実行したが、いずれもマルクスのいう、計画のある、釣合いのとれた発展という理論にもとづいてやったものである。

(5)当時ソ連と中国でこのようにやったのはまったく正しかったが、すでに樹立された社会主義経済制度の経験と自国の生産力発展の実際状況にもとづかず、マルクスの原理（計画のある、釣合いのとれた）を発展させることをしなかった。このため、いま計画経済のなかに欠点が現れた。

(6)六〇年来、ソ連と中国の計画工作制度に現れた主要な欠点。「計画のある、釣合いのとれた」という一カ条しかなく、社会主義制度下で市場調節がなければならないという一カ条を忘れていた。市場調節とは、価値法則による調節であり、経済生活の一部の面で「無政府的」「盲目的」生産の方法を用いて調節するものである。

(7)現在の計画はあまりにもきつく、含まれているものが多すぎる。その結果、市場の自動調節の部分の不足が現れた。

(8)計画はしばしば現実から遊離し、計画機構は日常の調度に忙殺された。というのは、市場調節は制限され、計画も主要品しか計画に乗せないので、豊富多彩な生産ができず、人民の必要とする日用品はかなり単調であった。

(9)社会主義段階全体において、二種類の経済が必須である。一つは計画経済部分であり、計画のある、釣合いのとれた部分である。もう一つは市場調節部分、すなわち計画を立てず、市場の需給変化にもとづいて調節する部分である。

⑽第一の部分が基本的、主要なもの、第二の部分は従属的、副次的だが、必要なものである。政権を握り、第一の部分の経済があれば、社会主義を建設できる。第二の部分は、有益な補充であるにすぎない（基本的には無害である）。

⑾問題のカギは、二種類の経済の同時並存の必然性と必要性とをまだ意識的に認識するに至っていないことである。二種類の経済がそれぞれの部門で占めるべき比率のちがいをはっきりわかっていないことである。

⑿それゆえ、つぎの二つの現象がみられる。厳しくすべきものが厳しくない。たとえば設備投資の戦線が長すぎる。電力、運輸は先行しなければならないのに、逆に遅れている。原材料工業が少なく、加工工業とアンバランスである。

緩くすべきものが緩くなっていない。たとえば計画権力があまりにも集中している。農業の非計画部分は集団であれ、個人であれ、統制がきつすぎる。地方政府の資金は投資にばかり向けられ、真に機動的な財源になっていない——。

これが現代中国の保守派を代表する最も権威のある経済観である。若干のコメントを加えておきたい。⑴にいう「計画をもち、釣合いをとること」とは、マルクスというよりはむしろスターリンである。スターリン『ソ同盟における社会主義の経済的諸問題』[*3]を嚆矢とみてよい。⑵資本主義的生産は一見「無政府的」にみえるが、それはいつも「無政府的」なのではなく、固有の調整メカニズムをもっているために、発展してきた。資本主義的生産を「無政府的」と認識し、これを批判する論理はエンゲルス『空想から科学へ』にはじまり、スターリニズムにおいて特に強調されてきた。また近代的生産における「生産の社会性と所有の私的性格」に資本主義の基本矛盾を発見するのも、エンゲルス以来の特徴づけである。現代資本主義においては、「生産の社会性」も「生産手段の私有性」も、エンゲルスの時代とは大きな変貌を遂げている。それこそが資本主義が「滅亡」に向かうどころか、ますます繁栄している根拠であることはいうまでもない。(3)周知のように、マルクスは社会主義社会の具体的イメージを語らなかった。「社会主義経済は計画的な釣合いのとれた発展になろう」と推論したのは、エンゲルスであり、これを敷衍したのがレーニン、スターリンである。この理論が「まったく正しい」とは、いかなる意味でそうなのか。現実の社会主義経済の観察からは、おそらくまったく逆の結論が導かれるであろう。中国の共産党員たちがこのテーゼをどこまで真に信じているかどうかは別として、この種のドグマをいぜん公然と掲げている点で中国的社会主義市場経済はユニークだが、その認識も早晩訂正されることになるはずである。(5)にいう「計画経済のなかに欠点が現れた」は、外国の経験を参照し、自国の生産力発展の実際状況を考慮し、マルクスの原理を発展させることによって、解決できるほどの欠点なのであろうか。またその欠点は、(6)のように、「無政府的」「盲目的」生産の方法を用いて、補完できるほどのものなのか。(7)(8)はともに、具体的な計画工作の現象的欠点をあげつらうのみで、競争の欠如、技術革新の停滞のような計画経済に伴う本質的欠陥に及んでいない。(10)から「計画経済を主とし、市場経済を従とする」鳥籠経済論が浮かび上がる。市場調節は「有益な補充」だとし、「基本的には無害」としているのは、有害な状況も想定している。すなわちこれが「従属的、副次的」地位から「主要な」地位に飛躍したときであろう。(12)計画すべきところで無計画になり、非計画とすべきところで厳しい計画が行なわれる原因はなにか。「二種類の経済がそれぞれの部門で占めるべき比率のちがい」なるものは、いかにして認識しうるのか。

2　鳥籠経済論

陳雲は一九八二年一二月二日に、前掲のテーゼを敷衍して鳥籠経済論をつぎのように展開した。党の第一一期三中全会以来、経済の活性化政策を実行して、効果は顕著である。今後も継続し、市場調節の作用を発揮させるべきである。ただし、経済の活性化のなかで、国家計画を離脱する傾向を防止しなければならない。経済の活性化とは、計画指導下の活性化であり、計画の指導を離れた活性化ではない。これは小鳥と鳥籠の関係と同じだ。小鳥は手中に握っていると死んでしまう。それを鳥籠のなかで飛ばす。鳥籠がなければ逃げてしまう。小鳥を経済の活性化にたとえるならば、鳥籠は国家計画である。むろん「鳥籠」の大きさは適当なのがよい。経済活動は一省・一地区に限らないし、国家計画の指導下でなら省や地区を超え、いや国や州を超えてもよい。さらに「鳥籠」自体もつねに調整する。たとえば五カ年計画に対して修正する。ただし、どうしても「鳥籠」はなければならない。つまり経済の活性化・市場調節とは計画の許す範囲内で作用を発揮するものであり、計画の指導を離れてはならないのである。[*4]

この鳥籠経済論が「計画経済を主とし、市場経済を従とする」陳雲流の計画経済論の別名である。鳥籠経済論において特徴的なことは、計画経済を強調しながら、その計画経済の根拠ともいうべき全人民所有制あるいは国営企業体制についての直接的言及がみられないことである。同時に、市場調節についても、その根拠が非全人民所有制、非国営企業にあることは言外に想定されているにもかかわらず、所有制論は展開していない。この点はのちに述べる毛沢東の論理との大きなちがいである。

3 経済体制改革についての決定（一九八四年一〇月）

一九八四年一〇月、中国共産党は第一二期三中全会を開いて「経済体制改革についての中共中央の決定」（一〇月二〇日採択）を行なった。これによって、中国の経済改革は農村から都市・工業に重点が移され、全面的な経済改革がはじまった。この「決定」は、商品経済への移行を主張する改革派と計画経済の堅持を訴える保守派の妥協の産物である。つぎの一句は妥協性を間接的に証明している。「幹部と大衆を改革派とか、保守派とかに分けてはならない。一時は情勢に追いつけない同志も改革の実践のなかで認識を高めうることを信ずべきである。農村経済体制改革が五年を経て、多くの懐疑していた同志も事実による教育のもとで変化してきた[*5]」。

改革派はどう理解したか。計画体制の改革にあたっては、まず計画経済と商品経済を対立させる伝統的観念を突破しなければならない。「社会主義計画経済は、公有制を基礎とした計画のある商品経済である。商品経済の十分な発展は、社会経済発展の飛び越えることのできない段階である[*6]」。

ここで改革派は社会主義＝計画経済、資本主義＝商品経済と「対立させる伝統的観念」を突破し、社会主義＝商品経済と修正することに成功した。ただし、保守派への配慮から、あるいは改革派自身の不徹底さから「公有制を基礎とした」「計画のある」という二つの限定がついている。保守派は二つの形容句を強調して読み、改革派は条件づきながら、とにもかくにも社会主義＝商品経済と盛り込めた事実を喜んだ。

保守派はこの文書からどこを強調したか。一九〇五年生まれの陳雲は当時七九歳、三中全会には出席せず、「書面発言」を提出した。そのなかで、こう指摘している。「今回の全体会議が審議した経済体制改革についての決定のなかで、計画体制改革の基本点を四つ概括しているが、わが国のいまの実際状況に完全に合致している」[*7]。

保守派陳雲の満足した「四つの概括」とはなにか。「決定」にいう。

第一に、総体としていえば中国で実行するのは計画経済、すなわち計画のある商品経済である。完全に市場調節が行なわれる市場経済ではない。

第二に、完全に市場調節によって生産と交換が行なわれるのは、主として一部の農副産物、日用小商品、服務修理業のサービス活動である。これらは国民経済において補助的ではあるが、不可欠の役割を果たしている。

第三に、計画経済を実行するのは、指令性計画を主とするものではない。指導性計画もまた計画経済の具体的形式にほかならない。

第四に、指導性計画は主として経済テコの役割に依拠して実現される。指令性計画の執行においても価値法則を運用すべきである。

以上の要点にしたがって現行の計画体制を改革するには、段取りを追って適当に指令性計画の範囲を縮小し、指導性計画の範囲を拡大する。国民の生計にかかわる重要産品のうち国家が調達する部分は、指令性計画を実行する。他の大量の経済活動は状況に応じて指導性計画（あるいは市場調節）を実行する。

計画工作の重点は中期、長期計画におき、年度計画は適度に簡素化する。*8

保守派からすれば、「計画のある商品経済」とは「計画経済」の変種であり、「市場経済」ではない。市場調節は「一部の農副産物、日用小商品、服務修理業のサービス活動」に限られる。ここには計画経済中心の考え方が反映している。保守派からすると、計画経済の具体的なあり方への反省が行なわれたにすぎない。それは計画経済即指令性計画論を排して、計画経済は指令性計画プラス指導性計画であるとしたこと、指導性計画の執行において価値法則を運用すべきことはいうまでもないが、指令性計画においても価値法則を「運用」する。これによって現実から遊離しがちな「計画」を具体的な経済活動に合致させよという。ここからわかるようにこの「決定」は保守派にとっては、現行の計画経済体制の弥縫策にすぎず、計画体制をより強化するものにすぎなかった。

改革派が本質的な相違を区別しにくい市場経済と商品経済を対置させ、市場経済は不可だが、商品経済は可だとする言質をとって改革派の勝利を喜んだのと、まことに対照的であった。商品経済と市場経済を区別するのが理論問題ではなく、単なるスローガンあるいはキャッチフレーズにすぎないことを逆証明したのは、第一四回党大会における市場経済論の採用にほかならない。

八〇年代前半における鳥籠経済論から商品経済論、そして市場経済論に至る論理の発展は、毛沢東時代後期の議論とまるで逆の方向にある。全人民所有制の国営工業と集団所有制の農業(人民公社)の建設という所有制(=公有制)論について、毛沢東はこう指摘していた。「集団所有制が全人民所有制に移行するのは、避けられない客観的過程であり、〔中略〕若干年ののち、人民公社の公社所有制が全人民所有制に変わったのち、全国に単一の全人民所有制が現れるが、これは生産力の発展を大いに促すであろう」[*9]。

工業はすでに国営企業化された。つぎに農業（人民公社）が国営企業化され、工業も農業もともに「全人民所有制」に移行することが毛沢東の夢なのであった。毛沢東はこの夢をこう敷衍した。「集団所有制を全人民所有制に変えるというのは、農業の生産手段をすべて国有化し・農民をすべて労働者にし・国家が統一的に賃金を支給することである」[*10]。

毛沢東はスターリンの所説を継承して、全人民所有制の国営工業と集団所有制の人民公社農業とは、所有制が異なる。したがって異なる所有制間の交換は「商品」でなければならないと認識していた。そして、「全国単一の全人民所有制」のもとで、農民も労働者と同じく「労働者」になり、国家から賃金を支給されるようになれば、商品を廃絶できるとみなしていた。当時の中国にはまだ「個人所有制」が存在していたが、人民公社という集団所有制でさえも過渡的なものとして扱われていたのであるから、集団所有制以前の段階として位置づけられていた個人所有制が早晩消え去るもの、資本主義体制の尻尾として扱われていたことはいうまでもない。こうして、生産手段はすべて全人民の所有に帰属し、それゆえその生産手段によって生産された労働生産物はすべて全人民に帰属する。全人民にとって自らの所有物であるものを商品として売買することは論理矛盾である。したがって、商品形態は廃絶される——毛沢東はこう夢想していた。夢想しただけではなく、この「理想」に向かって果敢に進撃した。個人所有制をブルジョア的なものとして攻撃し、集団所有制内部で「一大二公」のスローガンのもとに、集団の規模をより大きくし、公有制部分をより多く拡大する人民公社が試みられた。結果はサービス産業を衰退させ、農民は生産への意欲を失い、経済から活力が奪われた。

このように、毛沢東時代の後期は、いわば全人民所有制願望に衝き動かされて、共産主義への躍進を夢見たところに基本的特徴がある。むろん、これは必ずしも現実的な根拠をもった展望ではなかったので、共産主義への移行を急げば急ぐほど現実によって復讐される結果になった。しかし挫折や失敗にもかかわらず、毛沢東時代においてはこの理想が放棄されることはなかった。

鄧小平時代になると、この夢想性、空想性が反省され、より具体的に現実を観察するようになった。七〇年代半ばの労働者の実質賃金は二〇年前の水準をまだ回復していなかった。同じ時期の一人当たり食糧保有量は三〇〇キロを超えたばかりであり、これも二〇年前の水準と同じであった。社会主義の迷夢から覚めて、人々はかつてブルジョア的なものとして批判されたものへの再評価へ向かった。農村では人民公社が解体され、戸別請負制が復活した。都市では個人企業、私営企業が容認された。これらを総括する論理が「商品経済の名誉回復」にほかならない。

かつて商品経済の廃絶が構想されたのと、まったく逆の論理から、今度は商品経済の蘇生が試みられ、商品経済による「計画経済体制の包囲討伐」がはじまった。その姿はかつて共同体と共同体をつなぐものとして発生した商品がやがて共同体そのものを解体していった歴史的経過を彷彿とさせるものがある。まず「一部の農副産物、日用小商品、服務修理業のサービス活動」において容認された商品および商品と商品の交換を律する価値法則は、八四年の中国において「指令性計画」においても「運用」を許されるところまで蘇生したのであった。毛沢東時代においては、共産主義への移行を主張する急進派と現実的条件を重んずる穏健派（実務派、実権派）の抗争として政治動向を把握できる。これに対して鄧小平時代においては、現行体制の堅持に利益を見出す保守派と商品経済化、市場経済化を急ぐ改革派の抗争が基軸になっている。ここで陳雲の立場は、ある意味で一貫している。かつては穏健派として毛沢東から疎外された。いまは保守派の重鎮として急進的改革に抵抗している。これは陳雲のスタンスが理論よりは現実の経済運営に傾斜していたからであろう。ただし、このような保革抗争の構図は、第一四回党大会で社会主義市場経済論が認められ、九三年一一月の第一四期三中全会で市場経済へのグランド・デザインが描かれるに及んで、大きな論点ではなくなった。

4　旧計画経済体制批判の視点

ここに面白いエッセイがある。「脳味噌の転換を論ず」と題されたこの短文は、中共上海市委員会機関紙『解放日報』（一九九二年七月六日）に掲載されたものだ。[*11]

脳味噌を転換しなければならない。主としてなにを転換するのか。根本的にいえば、伝統的計画経済意識を社会主義市場経済観念に転換することが求められている。これはわが改革の根本任務によって規定されている。わが改革の核心問題は、生産力の発展を束縛する旧経済体制を変革し、生気と活力に満ちた新経済体制を樹立することである。過去に長期にわたって実行してきた高度に集中的な計画経済体制は、かつて一定の役割を果たした。しかしこの経済体制には権力の過度の集中という弊害があり、商品経済や市場の役割を軽視し排斥する弊害があったために、現代的生産を発展させるうえでますます不向きになり、生産力の発展を束縛し経済全体から生気と活力を失わせた。

かつて市場経済は「生産力の発展を妨げる」という理由で計画経済に置き換えられたはずだが、いまや「生産力の発展を束縛する旧経済体制」すなわち計画経済体制の変革が「改革の核心問題」に据えられている。

「座して上からの配置を待つ」「手を伸ばして上から政策をもらう」「上からの指示がなければ座してそれを待つ」——これらは計画経済体制のもとで形成された陋習(ろうしゅう)であり、市場主体の独立自主の精神を欠くものだ。

ここで非難されているのは、単に計画経済の非効率ではなく、それが没主体的な無気力な「経済人」を作り上げたことである。

5 「職権経済」論

若手エコノミストは旧計画経済体制の欠陥を「職権経済」と名づけて、厳しく批判している。[*12]「職権経済」論とはなにか。彼らは、中国の現行システムの特徴を「経済的剰余を集中する職権経済」と規定している。この「職権経済」は、ヒエラルキー(「等級」)、国家の定めた規則、計画指令、の三者によって動かされているが、その病根はこう剔抉(てっけつ)される。

第一は、「拘束方式の非自治性」である。ここから「職権経済学の第一の公理」が導かれる。すなわち職権経済においては、人的資本の投入において「昇進機会の最大化」を求めつつ、一定の職位拘束のもとで「投入を最小化する」という公理である。これは要するに、可能なかぎり職務に怠慢になりつつ、最大の出世を遂げようとする者に都合のよい社会だという意味になろう。いささかパーキンソンの法則に似ている。

第二の公理は、職権経済において企業が追求するのは「剰余（利潤）の最大化」ではなく、規則による拘束のもとでの「コストの最大化」と「資源占用の最大化」である、というものである。コスト節約が評価されず、資源のムダ使いについてはおとがめなし、というわけだ。二つの公理は、いずれもワサビが効いており、若手エコノミストたちがきわめて覚めた眼で計画経済の欠陥を観察していることを示している。

職権経済の第二の欠点は「封鎖性」である。これは中国経済が「条」と「塊」に分割され（本稿一参照）、それぞれの「部門所有制」になっているとこれまでしばしば非難されてきたものと同じ内容である。

ついでこの体制に特有な「国権の肥大化」による「民権の制約」が分析される。「公民の権利」が特殊な構造に歪曲され、依存関係が形成される。「民権の制約」とは、逆にいえば公民が「特殊な権利」をもつことでもある。すなわち国家は就業の機会、退職後の保障、住宅の提供から果ては物価安定までの義務をもち、公民は国家にいわばぶら下がっていればよい。しかし、国家は公民を一視同仁に扱うわけではない。ここから「等級」ならぬ「等籍」区分が生まれる。

たとえば「幹部籍」と「労働者籍」、所有制における「全人民籍」（国有企業は全人民所有制といわれる）と「集団籍」（郷鎮企業などは集団所有制である）、集団はさらに「大集団籍」（都市の公営企業のように大きなもの）と「小集団籍」（数人の農民が出資したような小さな企業）に分かれる。そして有名な「都市籍」と「農村籍」の区別といった具合である。では籍の本質とはなにか。

籍は「人間の固定化された身分」であり、「一定の待遇水準」に等しい。しかし「貨幣で買うこと」

はできないし、所属籍の決定は「国家の特権」に属する。「全人民籍の身分特権」とは、財産権が個別的に確定できない状況のもとで、「財産に対する個人の権利の転化形態」である。こうした「権利形態の転化」は異なる籍の存在によって隠蔽されているとはいえ、実は高価な社会的コストを代価としている。かくて過剰雇用（「在職失業」）と過剰就業（「人浮於事」）が常態となる」。「失業、解雇、破産の恐怖」が除かれるとともに、大多数の公民にとって「機会とリスク」、「動機と圧力」が同時に消滅する。「稀少資源を扱うポストにいる者」（たとえば運転手や売り子）が最も羨望される立場になり、コネ学（「関係学」）が「大衆科学」となる——。ここで一言コメントすれば、このへんの分析は「職権経済」の矛盾を活写してあますところがない。第三世代の社会科学者のなかにようやく現実の矛盾をありのままに剔抉しうるプロフェッショナルが成長しつつあることがわかる。

さらにこうつづける。「民権」がこのように歪曲されるなかで、国家の行政権力は肥大化し、官権あるいは王権に変質していく。行政権が社会生活のあらゆる隅々にまで入り込んだあとに、行政権力の行使者の選択という脆弱なリンクが生まれる、と論理はさらに展開していく。そして最後に、統治の安定性に鑑みて「情報支配」が行なわれるが、「独占的な内部情報の供給」が「等級に応じた特殊な優遇措置」になる。前述のノーメンクラツーラがその端的な現れにほかならない。しかし「表の世論が宣伝的」であればあるほど「指導者は内部情報に依存」するようになる。だが内部情報はますます独占的に生産され、「常識による点検」を受けなくなる。しかも往々いっそう巧妙に「指導者の好み」によって味つけされるようになる。こうして「ニセ情報の系統的な生産」がこのモデルの逃れ難い副産物となる——。

ここにはもはや「社会主義の優位性」などという観念論はひとかけらもない。あくまでもクールに中国「職権経済」の矛盾、病弊が分析されていく。こうした認識が生まれたことは、改革一〇年の成果のうち、最も評価に値いするものといえよう。青年エコノミストがここまで深く現実を追求する契機を与えたものが文革期の下放であったとするならば、逆説的だが、文化大革命の悲劇はムダではなかった。このような試行錯誤を経て、九二年一〇月の第一四回党大会は「社会主義市場経済論」を打ち出した。

6　「社会主義市場経済論」（第一四回党大会）の到達点

市場経済論の解説論文は少なくないが、際立って光っているのが呉敬璉（国務院発展研究中心(センター)常務幹事）の論文（以下「甲論文」と略す）である。[*13] その後、『解放軍報』（一九九二年一〇月三〇日）にも関連論文（乙論文）を書いている。[*14] 呉敬璉は、市場経済論の最も強力な主張者であり「市場、市場」を繰り返すところから「呉市場」のニックネームをもつ。[*15]

同教授の甲論文にコメントしてみたい。まず計画経済（統制経済、命令経済）の根本的欠陥とはなにか。「甲論文」によれば、計画経済体制のもとで資源の最適配分を行なうためには、二つの前提が必要である。一つは中央の計画機関（たとえば国家計画委員会）が物的資源や人的資源、技術的可能性、需要構造などについてすべての情報をもつこと、すなわち「完全な情報」が得られるという仮定である。もう一つは、社会全体の利益が一体化しており、利益主体の分裂や価値判断の分裂が存在しないことである。すなわち「利益主体の単一性」という仮定である。これらの条件が満たされるならば、計画経済は成功するはずであった。しかし実際には、中国でも旧ソ連・東欧でもこれらの条件を欠いていた。特に現代の「情報爆発」とさえいわれるほどの情報化時代において、情報欠如の計画経済体制の欠陥が露呈された。

ところで、計画経済と代替すべき市場経済において、市場メカニズムが有効に機能するためには、二つの前提を必要とする。一つは、企業数が多く、新規参入が可能であり、独占が存在しない——すなわち「完全競争の条件」が必要である。もう一つは、価格が十分に弾力的であり、資源の需給状況、すなわち相対的稀少性を即刻反映すること、すなわち「価格敏感性の条件」である。現代経済のもとで、完全競争の市場は存在しえないとしても、「競争的市場」は可能である。競争的市場ならば各種資源の相対的稀少性を反映できる。「市場の失敗」と呼ばれる現象も生じたが、これらの欠陥は政府の行政指導によってカバーできる。呉敬璉は計画経済の条件と市場経済の条件をそれぞれ二つあげたうえで、こう結論する。

まず計画経済の不可能性について。計画経済に必須の二条件を備えることは「まったく不可能」である。とりわけ「科学技術の進歩が飛躍的」であり、「生産と需給の構造が複雑に変化する現代経済においては不可能」である。つぎに市場経済の困難性について。市場経済の二条件も完全に備えることはできないが、資源配置のうえで「計画経済方式よりは、相対的に有効」である。このように、計画経済と市場経済のシステムとしての優劣比較において、呉敬璉は「資源配置」の観点から、市場経済に軍配を上げ、計画経済から脱却して、市場経済を目指すのが正しいと強調している。

呉敬璉が計画経済について指摘した「利益主体の単一性」という条件は、なかなか面白い。一一億の中国人民の利益の単一性という仮定は、ほとんどユートピア的空想に近い。この種の空想が長期にわたって、一定の説得性をもちえたのは、おそらく「戦争の脅威」のためである。戦争に勝つ（あるいは負けない）ことを目標とするという意味で中国人民の利益はかつて一体であった。つまり現実の計画経済は戦争の脅威を背景としてナショナリズムを煽動することによって初めて存立しえたのであり、戦争の脅威が消えたポスト冷戦期に崩壊したのは当然の成り行きであったことになる。[*16]

市場経済導入の根拠をこのように説明したあと、呉敬璉は市場経済の「基礎構造の確立」が急務だという。ここで基礎構造とは、所有権が明確で組織の整った工商業企業が十分に存在すること、卸売市場と小売市場のネットワークが初歩的に形成されていること、国税・地方税を徴収するために、しっかりした徴税機構が存在すること、中央銀行と商業銀行が分業し、行政機能と企業機能が分離した銀行システムが存在すること、公共積立金、保険公司、社会救済組織など社会保障のためのシステムが形成されること、である。これらの基本的経済関係は、財産法、企業法、公司法などによってまず規制され、ついで市場を規制する法規として、公正競争法（反独占法）、商標法、特許法などが必要であり、このほか経済行為を律するものとして会計法、コスト法などが必要である。

ではこのような「市場経済の基礎構造」をどのような順序で構築するのか。呉敬璉の戦略はこうである。第一は、国有企業を経済的に独立した「経済実体」にすることである。最終的には法人持株を主とし、個人持株を従とする、株式の自由譲渡が可能な株式公司にする。このためには、まず各級の国有資産管理機構を樹立し、国有資産の現状を評価しなければならない。企業の所有権あるいは資産の実際的価値を評価する前に売買や譲渡を行なってはならないし、国際的基準に合致しない株式をあわてて上場するのもよくない。

第二に、競争的市場を作るにも客観的な発展の論理を遵守しなければならない。まず比較的健全な商品の市場を形成してこそ、不動産市場や埋蔵鉱物資源の市場、金融市場、労働市場などを含む「要素市場」を発展させられるのである。これらの工作において、なによりも重要なのは、価格改革である、と呉敬璉はいう。価格メカニズムこそ市場メカニズムの核心である。自由競争による価格形成が行なわれてこそ、資源の稀少性が明らかになり、資源配分が有効に行なわれる。いま行政機関が価格決定を行なっているのは、商品総価値の三割程度であるから、価格改革はもはや大きなカベではなくなっている。

中国の目指す市場経済のモデルについてはこう論ずる。いま国際的に話題になっているのは、①米英式の市場経済か、②アジア太平洋式の市場経済か、③ドイツ式の社会的市場経済か、である。米英式の市場経済に対する評価は低い。アジア太平洋式の市場経済は日本を初めとして、四匹のドラゴン（韓国、台湾、香港、シンガポール）、三匹のタイガー（タイ、マレーシア、インドネシア）があとにつづき、とりわけ勢いがよい。この型の市場経済は、企業組織、財政金融システム、政府のマクロ・コントロール、行政指導などの面で米英方式とは異なっている。中国は市場経済を樹立するに際して、よりよい基本構造を選択しなければならない。国有企業の経営メカニズムを根本的に転換しなければ、国民経済の持続的な成長は望めない。現状では、成長率を高めると容易に「過熱」とインフレを誘発する。万一過熱し、インフレが発生するならば、改革開放の気勢がくじかれる。それを避けるためには、トップ機構が責任をもって改革を組織するとともに協調をはかり、近い将来に実質的な発展をかち取れるように、市場経済の基礎を固めなければならない——これが「甲論文」の骨子である。脱計画経済化の道筋は半ばまで到達したとみてよい。九二年秋の党大会から一年後、第一四期三中全会（一九九三年一一月一一〜一四日）は「市場経済化への五〇カ条の決定」を採択した。中国は改革開放一五周年にしてようやく本格的なグランド・デザインを示し、金融改革、財政改革、国有企業の株式化などに取り組むことになった。[*17]

＊1 『毛沢東思想万歳』丁本、一九六九年。
＊2 『陳雲文選一九五六〜一九八五』北京・人民出版社、一九八六年、二二〇〜二三頁。
＊3 『ボリシェビキ』一九五二年第一八号に掲載される。邦訳、大月書店国民文庫。
＊4 前掲『陳雲文選一九五六〜一九八五』二八七頁。
＊5 「経済体制改革についての中共中央の決定」（一九八四年一〇月二〇日採択）『十二大以来・中』人民出版社、一九八六年、五八五頁。
＊6 同上五六八頁。
＊7 前掲『陳雲文選一九五六〜一九八五』二九八頁。
＊8 前掲「経済体制改革についての中共中央の決定」『十二大以来・中』五六九〜七〇頁。
＊9 拙訳『毛沢東　政治経済学を語る』現代評論社、一九七四年、六〇〜六一頁。
＊10 同上、一一八頁。
＊11 論文の筆者は吉方文（ジィファン）である。これは解放日報（ジエファン）編集部論文を意味する筆名と推定される。
＊12 華生・張学軍・羅小朋「中国の改革十年——回顧、反省、展望」『経済研究』一九八八年第九〜一二期。
＊13 呉敬璉「社会主義市場経済の歴史的沿革と現実的意義」（甲論文）上海『解放日報』一九九二年一〇月二五〜二七日連載。
＊14 呉敬璉「社会主義市場経済体制をなぜ選択しなければならないのか」（乙論文）『解放軍報』

一九九二年一〇月三〇日。

＊15　著者は二度にわたって直接ヒアリングする機会を得て（『日中経済協会会報』一九八九年三〜四月号および一九九一年一月号）教授の高見を評価してきた。一九九四年二月八日川崎市ＫＳＰで開かれた国際シンポジウム「東アジアの奇跡と中国経済」における議論も忘れがたい。

＊16　私はかねてこう指摘してきたが、呉敬璉も「乙論文」で指摘している。

＊17　拙著『鄧小平なき中国経済』蒼蒼社、一九九五年、二四五頁以下）を参照。

四　市場経済圏とパワーエリート

1　地域格差の拡大と所得格差の縮小

八〇年代後半以降、沿海地区の経済発展が急速に進んだ。深圳市や広州市、ついで上海市などにニョキニョキと林立したビル群はそのシンボルであろう。発展する沿海地区と低迷する内陸地区との対比は誰の目にも鮮やかであり、地域格差の拡大は鄧小平路線の影の側面として否定的なトーンで語られることが多かった。しかし、これらの印象は一面の真実でしかない。地域格差は拡大したが、一人当たりの所得格差は縮小していたのである。私がこの事実に最初に注目したのは、アメリカの議会報告『一九九〇年代における中国の経済的ディレンマ」に収められたディビッド・デニーの論文「改革の一〇年における地域的経済的格差[*1]」を読んだときのことであった。

この論文は省レベルの一人当たり国民収入を改革の始まる一九七七年と改革一〇年目の一九八八年について比較し、格差の縮小を論じていた。すなわち標準偏差を平均値で除してえられる「変異係数」が一九七七年の一・〇三から、八三年の〇・八〇、八八年の〇・七四としだいに縮小している事実を指摘したものであった。

この計算方法をまねて、一九七七年と一九九一年の一人当たり国民収入の格差を計算したところ、七七年には最も貧しい貴州省を一として最も豊かな上海市は一五であった。ところが九一年には最も貧しい貴州省を一として最も豊かな上海市は七であり、格差は一五倍から七倍に縮小していた。おそらくは内陸地区農民の「出稼ぎ」による所得移転の結果である。一つの傍証にすぎないが、あるテレビ番組が出稼ぎに出る内陸農村の若者の姿を生々しく報道したことをご記憶の読者もあろう[*2]。

ある中国のエコノミストが地域間所得格差をつぎのように分析して話題を呼んだことがある[*3]。この論文は一九七八年と一九八九年の一人当たりGNPを素材として、東部地区（北京、天津、河北、遼寧、上海、江蘇、浙江、福建、山東、広東の一〇地区）、中部地区（山西、内蒙古、吉林、黒竜江、安徽、江西、河南、湖南、湖北の九地区）、そして西部地区（陝西、寧夏、甘粛、青海、四川、新疆、雲南、貴州、広西の九地区、ただしチベット、海南をのぞく）に分けて、地域内および地域間の変異係数を計算したものであった。その結果はつぎの**表1**のごとくである。

表からわかるように、七八年当時と比べると、八九年にはいずれも縮小している。八九年の時点で格

表1　地域内および地域間でみた1人当たりGNPの変異係数（%）

	全国	東部内部	中部内部	西部内部	東部中部の間	東部西部の間	中部西部の間
1978	96.9	87.8	42.3	27.9	93.8	101.6	38.8
1982	81.9	77.0	30.3	22.6	79.5	88.1	33.8
1986	72.6	64.5	24.5	24.4	69.7	77.3	26.3
1989	65.7	54.6	19.7	23.8	62.8	68.7	22.4
年平均減少率	▲3.47	▲4.23	▲6.83	▲1.43	▲3.59	▲3.51	▲4.87

原注（1）変異係数＝標準偏差／平均値× 100%
原注（2）資料は国家統計局総合司編『我国各省、自治区、直轄市歴史統計資料匯編 1949 〜 1989』北京・中国統計出版社、1990 年。
資料：楊偉民「地域間所得格差の変動の実証分析」『経済研究』1992 年第 1 期。

差の大きい順に並べると、①東部と西部の間の六八・七%、②東部と中部の間の六二・八%、③東部内部五四・六%、④西部内部二三・八%、⑤中部と西部の間の二二・四%、⑥中部内部一九・七%であった。所得格差の変化率をみると、全国、地域内、地域間、いずれをみても変異係数は縮小傾向にあるが、減少の幅は異なっている。縮小度の最も大きいのは、中部内の各地区であり、変異係数は毎年六・八三ポイント減少している。西部地区は変動が小さく、変異係数は毎年一ポイント程度の減少にとどまっている。

表2からわかるように、沿海東部地区、中部地区、内陸西部地区のGDPシェアはそれぞれ五五・九%、二六・九%、一七・二%である。GDPベースでベスト5は、広東省、江蘇省、山東省、遼寧省、浙江省である。九〇〜九三年の四年間の成長率をみると、国有企業をかかえる遼寧省の成長率が三五・六%と小さく、シェアはまだ小さいが福建省の八六・四%などが目立つ。内陸西部は四川省が一億の人口を擁して六・一%のシェアをもつのを除けば、一〜二%台のシェアであり、一%未満の地域も三つある。四年間の成長率でみると、東部の六割台に対して、中部、西部はともに約四割であり、それなりに成長率の高いことがわかる。一人当たりGDPはどうか。九三年の全国平均は二七〇六元である。

東部平均は約五〇〇〇元、中部は二〇〇〇元強、西部は二〇〇〇元弱である。全国平均を一〇〇とした指数でみると、東部は全国平均の二倍弱、中部は八割、西部は七割である。最も豊かな上海は全国の四倍であり、最も貧しい貴州省は全国の四割である。貴州省を一として上海は九倍強である。

表3は一人当たりGDPを見たものである。豊かな上海市と貧しい貴州省の格差は九三年の九・三まで縮小してきたが、九三年になって八五年段階まで逆転したようである。これが一時的な傾向なのか、格差拡大への転換点なのかはもう少し事態の推移を見守る必要があろう。

このようなGDP構造は、各地域の産業構造と深くかかわっているとみてよい。一次、二次、三次産業の構成を各省ごとに見ると、二次産業のシェアが五割を超えているのは、上海、黒竜江、遼寧、江蘇、天津、山西、浙江、山東である。三割未満なのは広西、海南、チベットである。一般的にいえば、工業化の程度とGDPに代表される経済力は深くかかわっているが、中国の場合、毛沢東時代に国防戦略への配慮からムリな工業化を強行した後遺症がまだ残っている。重工業の国有企業の不振にそれが現れており、このような地域は、伸び悩んでいる。

それとは対照的に、外資を積極的に導入し、輸出依存度を高めた地域の経済発展はまことに勢いがよい。外資利用額（外国借款と直接投資）を分子とし、固定資産投資額で除したものをかりに外資依存度と呼ぶとすれば、そのランキングは表4のとおりである。福建、広東、上海、海南、広西が九三年のベスト5である。輸出を分母とし、GDPで除したものをかりに輸出依存度と呼ぶとすれば、そのベスト5は広東、福建、上海、海南、天津である。このランキングは外資依存度のそれときわめて類似していることがわかる。要するに、重工業関係の国有企業をもつ地域は伸び悩み、外資を導入し、輸出に力を

表2　省レベルのGDPシェアと成長率（1993年）

	GDP		成長率	一人当たり	
全国	億元 32070	% 100	90～93年 %	元 2706	% 100
19　広　東	3225.3	10.1	94.8	4882	180
10　江　蘇	2754.5	8.6	69.2	3954	146
15　山　東	2702.5	8.4	75.3	3127	116
06　遼　寧	1808.2	5.6	35.6	4474	165
11　浙　江	1698.0	5.3	79.4	3980	147
03　河　北	1566.6	4.9	51.3	2473	91
09　上　海	1511.6	4.7	46.2	11205	414
13　福　建	1028.1	3.2	86.4	3264	121
01　北　京	863.5	2.7	41.7	7765	287
02　天　津	536.1	1.7	34.0	5777	213
21　海　南	225.2	0.7	88.9	3213	119
東部計	17919.6	55.9	63.9	4919	182
16　河　南	1583.1	4.9	47.1	1769	65
17　湖　北	1298.4	4.0	35.6	2297	85
18　湖　南	1192.4	3.7	42.1	1889	70
08　黒竜江	1076.9	3.4	22.3	2959	109
12　安　徽	979.6	3.1	42.7	1661	61
14　江　西	701.9	2.2	48.2	1770	65
07　吉　林	672.0	2.1	40.0	2630	97
04　山　西	645.8	2.0	38.1	2144	79
05　内蒙古	486.6	1.5	42.9	2180	81
中部計	8636.7	26.9	39.9	2144	79
22　四　川	1958.7	6.1	42.9	1764	65
20　広　西	788.1	2.5	72.9	1776	66
24　雲　南	662.2	2.1	42.1	1705	63
26　陝　西	614.5	1.5	42.5	1785	66
30　新　疆	481.9	1.9	54.0	3002	111
23　貴　州	408.5	1.3	37.3	1198	44
27　甘　粛	358.3	1.3	37.6	1528	56
28　青　海	105.7	0.3	27.8	2263	84
29　寧　夏	98.4	0.3	28.2	1988	73
25　チベット	37.3	0.1	28.2	1608	59
西部計	5513.6	17.2	41.4	1862	69

資料：『中国統計年鑑 1994』北京・中国統計出版社、1994年、35頁。成長率は1990～93年の4年間の実績。

表3　1人当たりGDPランキング（1978, 1985, 1993年）

	1人当たりGDP			全国平均＝100		
地域	1978	1985	1993	1978	1985	1993
09上　海	2498	3855	11205	666.1	473.6	414.1
01北　京	1290	2704	7765	344.0	332.2	287.0
02天　津	1160	2198	5777	309.3	270.0	213.5
19広　東	369	987	4882	98.4	121.3	180.4
06遼　寧	677	1333	4474	180.5	163.8	165.3
11浙　江	329	1027	3980	87.7	126.2	147.1
10江　蘇	430	1052	3954	114.7	129.2	146.1
13福　建	273	708	3264	72.8	87.0	120.6
21海　南	n.a.	712	3213	n.a.	87.5	118.7
15山　東	321	823	3127	85.6	101.1	115.6
30新　疆	309	809	3002	82.4	99.4	110.9
08黒竜江	559	1008	2959	149.1	123.8	109.3
07吉　林	391	838	2630	104.3	102.9	97.2
03河　北	364	719	2473	97.1	88.3	91.4
17湖　北	332	808	2297	88.5	99.3	84.9
28青　海	431	808	2263	114.9	99.3	83.6
05内蒙古	307	717	2180	81.9	88.1	80.6
04山　西	365	809	2144	97.3	99.4	79.2
29寧　夏	354	702	1988	94.4	86.2	73.5
18湖　南	286	626	1889	76.3	76.9	69.8
26陝　西	292	605	1785	77.9	74.3	66.0
20広　西	226	527	1776	60.3	64.7	65.6
14江　西	276	602	1770	73.6	74.0	65.4
16河　南	232	586	1769	61.9	72.0	65.4
22四　川	238	576	1764	63.5	70.8	65.2
24雲　南	226	486	1705	60.3	59.7	63.0
12安　徽	242	612	1661	64.5	75.2	61.4
25チベット	n.a.	894	1608	n.a.	109.8	59.4
27甘　粛	348	608	1528	92.8	74.7	56.5
23貴　州	175	420	1198	46.7	51.6	44.3
全　国	375	814	2706	100	100	100
上海／貴州	14.3	9.2	9.3	14.3	9.2	9.3

資料：1993年は『中国統計年鑑1994』（北京・中国統計出版社、1994年、35頁）から計算。1978、85年は国家統計局総合司編『全国各省、自治区、直轄市歴史統計資料匯編1949～1989』（北京・中国統計出版社、1990年）の各頁。

いれた地域の経済発展が著しいことがわかる。

2 経済力とパワーエリート

以上の分析から、省レベルでみた経済力の概要が把握できたわけだが、このデータと政治との関係を考えてみよう。政治を動かすのは「人」であるから、ここでは中国共産党の中央委員の出身地の分布を調べてみよう。

まず経済力の地理的分布だが、ここで強調したいのは、あまりにも常識的なことだが、国土の六割近くを占める内陸地区（西北地区と西南地区）は、人口が二割強にすぎず、GDPが二割弱である点である。しかもこの地域は基本的に少数民族の居住地である。国土面積の四割強の地域、すなわち華北、東

表4　省レベルの外貨依存度と輸出依存度

（1993年）

	外貨依存度 %	輸出依存度 %
全国	17.8	15.5
01 北京	11.1	11.3
02 天津	15.8	20.8
03 河北	5.0	7.3
04 山西	2.1	5.7
05 内蒙古	2.3	7.6
06 遼寧	11.2	19.7
07 吉林	6.3	13.8
08 黒竜江	4.0	10.0
09 上海	28.2	27.8
10 江蘇	14.5	12.4
11 浙江	7.5	15.0
12 安徽	5.0	5.6
13 福建	44.8	32.5
14 江西	6.6	7.2
15 山東	12.0	12.7
16 河南	3.7	4.9
17 湖北	8.1	7.5
18 湖南	10.9	7.8
19 広東	34.3	48.1
20 広西	18.8	9.6
21 海南	25.7	23.0
22 四川	5.6	4.8
23 貴州	2.4	3.4
24 雲南	2.1	6.7
25チベット	0.0	2.3
26 陝西	6.2	9.3
27 甘粛	0.6	4.5
28 青海	3.9	5.5
29 寧夏	15.5	6.5
30 新疆	5.2	5.9

資料：外貨利用額は『中国統計年鑑1994』（北京・中国統計出版社、1994年）530頁、対米ドル交換レートは同上506頁に基づき、1993年の100米ドル＝574.75元を用いて換算。国有資産投資は同上142頁、GDPは同上35頁。輸出は『中国対外貿易年鑑1994』香港・広告有限公司、1994年。

北、華東、中南の四地区に八割弱の人口が居住し、そのGDPは八割強を占めている。

華北、東北、華東、中南の四地区は、現在は北京軍区、瀋陽軍区、南京軍区、済南軍区、広州軍区の五軍区に分かれている。六大行政区との対応関係をみると、第一に、山東省は華東地区に、河南省は中南地区に属していた（朝鮮半島の軍事情勢に対応するため、山東省と河南省を済南軍区として独立させたものである）。第二に、江西省は六大行政区当時は中南地区に属していたが、現行の七大軍区制のもとでは南京軍区すなわち華東地区に属している。これは縦深戦略の必要にもとづいている。

これら二つのちがいを除けば、旧六大行政区と現行の七大軍区制〈二〇一六年二月、七大軍区制は廃止され、東部・南部・西部・北部・中部の五戦区に再編された〉は、基本的に同一である。しかもこの区画およびその基礎となっている省レベルの境界線は過去一〇〇〇年以上も堅持されてきたものである。これは河川の作った集水域が人びとの生活圏となり、山脈の分水界が地域の境界をなしてきたからである。[*4]

省境が長期にわたって安定したものであったため、一四〜二〇世紀の中国のエリートたちの出身地域を調べることができる。アメリカ在住の華人歴史学者・何炳棣 **Ho Pingti** によると、[*5]明代および清代の進士合格者の出身地を現在の行政区画との対応をわかりやすくするために、一九九二年に選ばれた中国共産党第一四期中央委員の出身地と比較すると、興味深い。西北、西南地区が一割前後のエリート供給地区であった点では昔も今も変わらない。東北地区が中国の版図に加わったのは清朝以来のことである。華北地区についてみると、清朝と現代のシェアがほとんど同じである。華東地区においては江蘇、浙江が揚子江流域の豊かな地味を利用して経済力を蓄え、その影響力をいまに伝えている。江西省と福建省は明代と清代においては多くの進士を輩出したが、現代においては出身中央委員の数が激減している。これに対して山東省はそのシェアをふやしている。中南地域は明代、清代に約二割のシェアを保持していた。中原の河南省が貧困化し、湖北、湖南の健闘にもかかわらず、全体としてシェアが減少している。現代の広東省の人材は、明代や清代よりも劣っている。

＊1 David Denny, "Regional Economic Differences During the Decade of Reform", *China's Economic Dilemmas in the 1990s: The Problems of Reforms, Modernization, and Interdependence*, Edited by the Joint Economic Committee, CONGRESS OF THE UNITED STATES, New York: M.E.Sharpe, 1991.

＊2 一九九四年一二月一一日、NHKスペシャルは「出稼ぎ少女たちの旅路」を放映し、所得均等化の担い手たちの一面を鮮やかに映像化してみせた。

＊3 中国社会科学院経済研究所の機関誌『経済研究』（一九九二年第一期）が、楊偉民（国家計画委員会長期規画与産業政策司）の論文「地域間所得格差の変動の実証分析」を掲げた。

＊4 斯波義信「文化の生態環境」『漢民族と中国社会』山川出版社、一九八三年、二四七頁。

＊5 Pingti Ho, *The Ladder of Success in Imperial China*, New York: Columbia University, 1962, pp.227, 228.

（初出：『巨大国家 中国のゆくえ』東方書店、第3章、一九九六年六月）

政治改革のカベ、経済改革の加速

二度目の復活を経て脱毛沢東化を進める鄧小平は、七八年末の二つの会議を通じて党中央の主流派となり、八一年六月の歴史決議では文革を批判的に総括し、毛沢東の歴史的評価を行い、華国鋒を引退に追い込む――「改革の総設計師」の誕生である。ところが、元来、経済と政治の双方を含む「体制改革」であった鄧小平の改革は、六四天安門事件によって、経済面でのブルジョア自由化は推進するが、政治面でのブルジョア自由化は許さないという二元論が露呈してしまう。その後、事件の後遺症は、経済の分野ではほとんど消えるが、人々は政治については口を閉ざし、ひたすら経済発展による生活の向上へ向けて走り出す。

改革の総設計師――猫にネズミをとらせよ

毛沢東の死と後緩者華国鋒

鄧小平を革命家として鍛えあげ、かつ二度にわたって失脚させた毛沢東は、一九七六年九月九日に死去したが、毛沢東亡きあとに毛沢東路線を残した。復活した鄧小平が再度権力を握るためには、毛沢東路線をかかげることによってみずからの正統性を主張する者たちとの厳しい権力闘争が不可欠であった。

華国峰（かこくほう）は二一年山西省生まれであり、湖南解放と同時に、毛沢東の故郷湖南省に乗り込んだ。以後二十余年間にわたって、県委員会書記から地区委員会書記を経て省委員会書記となる昇進コースを歩み、林彪事件の直前に国務院入りした。七三年の第一〇回党大会で政治局委員、七五年一月の全人代で副総理になった。

そして七六年四月、第一次天安門事件の直後に「あなたがやってくれれば、私は安心だ」（你弁事、我放心）とする毛沢東のメモをもとに毛沢東の後継者となった。華国鋒は文革期に昇進したが、文革を推進した〝四人組〟とは立場を異にしていた。毛沢東死後の主導権争いのなかで、〝四人組〟と対立したとき、彼は故周恩来に近かった葉剣英や李先念の示唆を受けいれて、〝四人組〟逮捕にふみきった。

華国鋒はみずからの正統性を印象づけるため毛沢東によって選ばれたことを強調するとともに、毛沢東思想、毛沢東路線の担い手であることを大いに宣伝した。「プロレタリア独裁のもとでの継続革命」をかかげ、「二つのすべて」(毛主席の決定したことはすべて守らなければならず、毛主席の下した指示はすべて守らなければならない、という考え方)を提唱した(『人民日報』七七年二月七日社説)。

もし「二つのすべて」が正しいとすれば、鄧小平の復活はありえなかった。七七年三月一四日〜二三日に党中央工作会議が開かれた。鄧小平復活をつよく主張したのは陳雲、王震であった。彼らもまた復活したばかりで政治局メンバーにすらなっていなかったが、そのキャリアからして発言には重みがあった。「二つのすべて」の提唱者華国鋒は、鄧小平が即座に復活することに難色をしめした。葉剣英と李先念らは条件つき復活論であった(宇野重昭・小林弘二・矢吹晋『現代中国の歴史』有斐閣選書)。

「二つのすべて」批判と「実事求是」の実践

鄧小平の四月一〇日付書簡が党中央と党主席(華国鋒)あてに送られた。党中央がこれを了承して下部に配付したのは五月三日、そして五月六日に鄧小平が工作に復帰した。ただし党中央副主席、国務院副総理、人民解放軍総参謀長に復帰することが正式に決まったのは一九七七年七月の第一〇期三中全会においてである。

七七年八月一二日〜一八日に第一一回党大会が開かれた。大会直後の第一一期一中全会(中国共産党第一一期中央委員会第一回全体会議)で党主席に華国鋒、副主席に葉剣英、鄧小平、李先念、汪東興(おうとうこう)が選ばれ、この五人による政治局常務委員会が最高指導部を形成することになった。

大会における政治報告で華国鋒は、プロレタリア文化大革命の終焉を宣言したが、「プロレタリア独裁のもとでの継続革命」のおわりを意味するものではないと強調した。脱文革はまだ始まったばかりであった。党大会につづく全国人民代表大会（七八年二月二六日〜三月五日）で国務院総理に選ばれた華国鋒は、第一一回党大会の路線の継承をうたうとともに、「四つの現代化」の実現を新時期の任務としてあげた。

鄧小平は再復活の直後から「二つのすべて」を批判していた。彼は「個々の語録」から毛沢東思想を理解するのではなく、「毛沢東思想の全体系」から正しく理解せよ、と主張した。毛沢東から学ぶべきものは、その「実事求是」の態度であり、毛沢東の個々の発言や指示ではない、というのが鄧小平の考え方であり、語録の呪縛（じゅばく）から「思想を解放」するよう主張した。「毛沢東思想の旗印を高くかかげるには、さまざまな方針、政策の問題を処理するにあたって、つねに実際から出発するという原則を堅持せよ」と彼は主張した。こうした鄧小平流の実事求是の哲学を先取りし、「実践は真理を検証する唯一の基準である」と読みかえることによってイデオロギー戦線の潮流を変えるうえで大きな役割を果たしたのが、中央党校副校長をつとめていた胡耀邦であった。

イデオロギー界における「思想の解放」と相互に促進しあいつつ、文革期に失脚した旧幹部が続々復活してきた。これらの復活した高級幹部たちが鄧小平にとって大きな援軍となった。旧幹部の復活工作においても、いまや中央党校から党中央の組織部長に転じた胡耀邦が大きな役割を果たした。七七年以降の三年間に、文革期の汚名をそそぎ、名誉回復された者の数は二九〇万人にのぼった。

七七年から七八年にかけて、鄧小平は解放軍の整頓に力をいれ、また科学技術の発展と教育の重視を訴えた。復活したとはいえ、その影響力はまだ限られていた。彼が指導部内における地位を本格的に固めたのは一九七八年末のことであった。すなわち七八年一一月から一二月にかけて中央工作会議が開かれ、つづいて第一一期三中全会が開かれた。この二つの会議を通じて鄧小平は中共中央の多数派、主流派になり、毛沢東路線とは異なる独自の社会主義建設路線を提起できるようになった。

鄧小平は中央工作会議の閉会式で講話して、思想硬化の一連の現象を批判したあと、こう指摘した。「思想解放は当面の重大な政治問題である」「もしも党や国家、民族がすべて書物から出発し思想が硬直化して、迷信がはびこるようになれば、もはや前進できなくなる。生命力が枯渇し、党も国家も亡びてしまう」。この鄧小平発言が三中全会の基調となった。

路線大転換

三中全会では、思想、政治、経済、組織などすべての面で大転換が決定されたが、それは以下の三点に整理できる。

第一に思想路線をみると、「二つのすべて」が批判され、「毛沢東思想の科学的体系を完全に正確に把握する」(『光明日報』一九七八年五月一一日、胡福明論文)方針が提起され、真理の基準についての討論が高く評価された。

第二に、政治路線では「階級闘争をカナメとする」方針が否定され、「プロレタリア独裁のもとでの継続革命」理論も否定され、工作の重点を「社会主義現代化建設」におく戦略が決定された。そこで提起されたのは経済建設を中心におく戦略であり、特に農業の発展を加速させる方針であった。

第三に、天安門事件についての文献を破棄し、文革期におこなわれた彭徳懐（元国防部長）、陶鋳（元中央宣伝部長）、薄一波（元国務院副総理）、楊尚昆（元中央書記処書記）らに対する処分をとりけした。

最後に、これらの路線を推進する担い手として、陳雲が中央副主席に、鄧穎超（周恩来未亡人）、胡耀邦、王震（一九〇八〜九三）が政治局委員に選ばれた。また、党中央に紀律検査委員会が設けられ、陳雲が第一書記として、党員の紀律に目を光らせることになった。他方、それまで権力の座にあった汪東興（一九一六〜　）が中央弁公庁主任、中央警衛局長、八三四一部隊責任者（後二者は、ともに要人警護の任に当たる）の要職を解任された。

四つの基本原則

このような路線の大転換は、党内に大きな混乱、動揺をひきおこさないわけにはいかなかった。ここで「党の指導」に反対し、ひいては社会主義そのものを否定しようとする傾向があらわれた。これに対して鄧小平は七九年三月、北京で開かれた中央理論工作会議で講話をおこない、四つの基本原則を提起した。その四つとは、(1)社会主義の道を堅持すること、(2)プロレタリア独裁を堅持すること、(3)共産党の指導を堅持すること、(4)マルクス・レーニン主義、毛沢東思想を堅持すること、である（七九年三月三〇日『鄧小平文選1975〜1982』北京・人民出版社）。

三中全会で確立した路線は、四つの基本原則の枠内で制定されたものであり、「二つのすべて」（旧毛沢東派）からであろうと、「ブルジョア自由化」（急進的民主化派）の立場からであろうと反対することはゆるされない、と強調した。

鄧小平が四つの基本原則を提起したのは、七九年初頭のいわゆる「中国の春」とかかわっている。「飢餓反対」「人権擁護」などのスローガンのもとに、文革期の冤罪事件の再審査と名誉回復を求める庶民レベルの動き、失業青年の就業要求などで物情騒然としてきたからである。ソ連の雪解けを模倣した「解凍社」などが生まれ、いわゆる民間刊行物のなかには、プロレタリア独裁に公然と反対する見解もしめされていた。こうした風潮に鄧小平は憂慮の念を表明した。

皮肉なことに、七六年の第一次天安門事件の名誉回復が鬼子を生んだことになる。天安門事件で逮捕された多くの若者は、三中全会前後、北京西単の「民主の壁」に大字報を貼り、さらに謄写印刷の『探索』『四五論壇』『北京之春』などを発行して、民主化と法制化を訴えていたが、三中全会においてその主張の一部が認められたことが彼らを勇気づけ、より過激な民主化要求へと運動をつき動かした。

「行きすぎ」にブレーキをかけるため、一連の規制措置がとられた。七九年三月二九日、『探索』の編集長魏京生が逮捕され、同年秋、懲役一五年の判決を受けた。魏京生の裁判記録を印刷し配付した『四五論壇』編集部の劉青も同年秋に逮捕された。

こうして三中全会は鄧小平路線の出発点として決定的に重要である。一方では、華国鋒に代表される「二つのすべて」勢力との対決において基本的に勝利した点で重要であるばかりでなく、他方、路線転換を契機として生じた党内外の動揺に対して「四つの基本原則」の形で民主化への傾斜にもブレーキを設定した点で重要である。「左に反対するが、右への行きすぎも認めない」という鄧小平路線の枠組みはここに初歩的に形成された。

人民公社の解体と農業責任制

一九七八年の三中全会前後に農業の改革がつよく主張された背後には、深刻な食糧不足が横たわっていた。食糧生産の低迷と人口の急増のために、七七年の一人当たり食糧占有量（総生産量を人口で除した数字）は、二〇年前の一九五七年水準より少ない、という驚くべき現実が存在していた。三中全会では「農業の発展を速めることについての若干の決定（草案）」および「農村人民公社工作条例（試行草案）」が採択されたが、その考え方は、農村工作における長期にわたる「左の誤り」を是正し、農民の積極性を引き出さなければならない。そのためにはなによりもまず農民の民主的権利を保障しなければならない、というものであった。

こうした認識にたって、人民公社、生産大隊、生産隊の所有権と自主権を法律によって保護すること、生産隊の労働力、資金、産品、物資の無償徴発を禁止すること、分配面では労働に応じた分配を実行し、労働の量と質に応じた分配をおこない、悪平等主義〔原文＝平均主義〕を克服すること（その方法として生産請負制）、食糧生産一辺倒をやめ、経済作物との結合を考えること、自留地、家庭副業、自由市場に干渉しないこと、生産隊を基礎とする所有制を安定させること、などの新政策が導入された。鄧小平の直接的指示のもとにこれらの方針を現場で実行する指揮をとったのが、安徽省第一書記としての万里であり、四川省第一書記としての趙紫陽（ちょうしよう）であった。

農業の戸別生産請負制はめざましい効果をあげて全国にひろまり、まもなく人民公社そのものを解体する推進力になった。さらに従来の食糧生産一辺倒路線から多角経営への転換もおこなわれた。

農村における失業、就業問題の解決のために、従来の「社隊企業」（人民公社や生産隊所属の農村企業）を郷鎮企業に改称し、その経営に対して大幅な自由を認める措置がとられた。ここで奨励されたのは、飼料工業、食品加工業、小型炭鉱、建築業などだが、この郷鎮企業（旧社隊企業の後身と一部の私営企業）が急速に成長し、今日では全国工業生産の三分の一をしめるに至った。

農村における流通体制の改革もおこなわれた。当初は国家への農産物売渡し任務を達成したものにかぎり、個人的に売買する自由を認めたが、まもなく生産量の拡大にともない、食糧の国家統制そのものを廃止していく方向で市場経済化が大幅に進んだ。こうして生産責任制を中心とする新農業政策は、農民の生産意欲を刺激し、食糧を初めとする農産物の大増産をもたらした。まさに「白猫黒猫」論の勝利であった。六〇年代初頭に提起し、毛沢東によってつぶされたアイディアを鄧小平はその二〇年後にみごとに復活させ、中国農業の危機をすくった。

経済体制改革にも着手

経済改革は農業だけにとどまらない。三中全会において鄧小平は、経済体制改革の必要性をこう指摘していた。「わが経済管理工作は、機構が肥大化し、重複している。手つづきが煩雑で、効率がきわめて悪い」「もしいま改革を断行しないならば、われわれの現代化事業と社会主義の事業は死をまぬがれまい」（一九七八年一二月一三日『鄧小平文選１９７５～１９８２』）。鄧小平は改革か、死か、という厳しい言葉で問題の深刻さを訴えた。

当時の経済改革構想はつぎのようなものだ。

第一に、国民経済に対しては「計画経済を主とし、市場調節の補助作用」を重視する。重要産品については国家の統一計画、統一価格決定、統一分配をおこなうが、その他の産品は企業が市場の需給をみて生産量を決定し、自己販売してよい。価格も一定の範囲で値上げ、値引きしてよい。

第二に、企業自主権を拡大し、企業の経営のよしあしと労働者の物質的利益を連動させ、企業には厳格な経済採算と労働に応じた分配を実行させる。

第三に、中央と地方の管理権限を明確にし、重大な建設プロジェクトや全国的重点企業は中央部門を主とする管理をおこなうが、その他は地方に管理をゆだねる。

第四に、行政機構を簡素化し、行政的手段による管理ではなく、経済的手段による管理をおこなう。

この構想を具体化するために、七九年六月、国務院財政委員会に経済体制改革研究小組が設けられた。小組は八〇年五月に国務院経済体制改革弁公室に改組され、本格的な経済体制改革にとりくみ始めた。そして八二年五月、国務院の各部、委員会の一つとして国家経済体制改革委員会が成立した。総理趙紫陽がこの委員会の主任をかねて、経済体制改革が本格的にスタートした。

農村の人民公社改革、都市での企業改革とならんで、もう一つ大きな転換は自力更生という名の「鎖国」政策の廃止、すなわち対外開放政策への転換であった。それを象徴するものが経済特区の設立や合弁企業法の採択であった。

七九年七月、党中央、国務院は対外経済活動において特殊な政策と弾力的措置を実行することについての広東省と福建省の二つの報告を承認した。さらに八〇年五月、「広東省、福建省両省会議紀要」を承認し、広東省の深圳、珠海、汕頭、福建省の厦門(アモイ)に経済特区を設けることを決定した。開放政策のもう一つの特徴をしめす合弁企業法が成立したのは七九年七月のことであった。

所得四倍増計画

鄧小平がこのような大転換をはかったのは、なぜか。一九八〇年一月、鄧小平は「目前の情勢と任務について」と題して講演をおこない、こう指摘している。

今世紀末に、国民総生産（GNP）で一人当たり平均一〇〇〇ドルをかちとることができれば、小康を得た水準といえる。〔中略〕いまわれわれは二百数十ドルにすぎないので、一〇〇〇ドルにするには四倍にしなければならない。シンガポール、香港はいずれも三〇〇〇ドル以上である。われわれがこの一〇〇〇ドル水準に到達するのは容易なことではない。（八〇年一月一六日『鄧小平文選1975〜1982』）

ここで「小康」とは、中流の生活水準の意味である。この鄧小平発言が中国流の所得四倍増計画の原点だが、このアイディアは実は日本の大平正芳首相が七九年一二月に訪中したときに懇談して得られた発想だと、鄧小平自身がのちに語っている（八四年六月三〇日『特色』）。

鄧小平はここで戦後日本の所得倍増計画とASIA　NIES（シンガポール、香港、台湾、韓国）の経済発展に注目し、輸出加工区（経済特区のモデル）を含めて、その模倣策を考慮していた。

こうして中国の「改革の総設計師」としての鄧小平構想は八〇年代初頭には、基本的にでそろった。

これはのちに「一つの中心、二つの基本点」と総括される。一つの中心とは、(階級闘争ではなく)経済建設を中心とすること。二つの基本点のうち一つは改革開放であり、他の基本点は、四つの基本原則である。当時はまだ鄧小平路線の輪郭が曖昧な部分が少なくなかったが、その後少しずつ明確になってきた。

政治改革構想——庚申改革プラン

ここで特に指摘しておきたいのは、鄧小平の政治改革構想である。鄧小平の経済改革構想はときに曲折はあれ、順調に進んだ。しかし政治改革の面では、混乱をくりかえした。まず彼の「初心」をみてみよう。一九八〇年八月一八日、鄧小平は政治局拡大会議で講話をおこない、「党と国家の指導制度の改革」(『鄧小平文選1975~1982』所収)についてこう指摘した。

(1) 権力の過度の集中を排して、社会主義的民主主義と民主集中制を実行しやすくすること。
(2) 兼職・副職を整理して、官僚主義と形式主義を克服し、効率化をはかること。
(3) 党と行政の分離をおこない、一方では党が路線、方針、政策に集中でき、他方では各級政府の工作系統を強化し、その職権範囲内の工作をうまく管理できるようにすること。
(4) 長期的観点から後継問題を解決すること。老同志の第一の任務は、比較的若い同志に第一線を歩かせ、みずからはその参謀となること。

イデオロギー問題についてはこう強調した。資本主義、ブルジョア思想に対しては科学的態度をとらなければならない。一部の同志はいま進めている「生産の発展、社会主義事業の発展に有利な改革」を

「資本主義」とみなして批判しているが、これは正しくない。

この鄧小平講話の精神を具体化するために、中央書記処政策研究室研究員廖蓋隆が八〇年一〇月二五日、「全国党校系統中共党史学術討論会」で「内部報告」をおこなった。「歴史の経験とわれわれの発展の道」(未公表。台北『中共研究』一九八一年第九期)がそれであり、八〇年は旧暦の庚申であるため「庚申の改革」案ともよばれている。この報告にはつぎのような内容が含まれていた。

(1) 全国人民代表大会の代表数を現行の三〇〇〇名余りから一〇〇〇名に減らし、代表が実質的な討議をおこなえるように改革する。現在はただ挙手するだけであり、全人代代表(日本の国会議員に相当)の役割はゴム印みたいなものだ。

(2) 全人代は名地域を代表する「地域院」(あるいは第一院。代表数は三〇〇〇名とする)、および各階層と各企業の利益を代表する「社会院」(すなわち第二院。代表教は七〇〇〇名)の二院制とし、これによってチェック・アンド・バランスをはかる。

(3) 法律の前で「人々は平等」であり、「司法の独立」が保障されなければならない。党委員会は司法の独立に干渉してはならない。

(4) 党と行政を分離する。行政問題に対しては中央や地方の党委員会側から指示を出してはならない。

(5) 労働組合の幹部は党側から派遣するのではなく、労働者のなかから選ぶべきである。労働組合は党から独立して労働者の利益を代表して活動すべきであり、党は大衆団体に干渉してはならない——ポーランド「連帯の教訓」を汲みとろうとしている。

(6) 広範な「新聞の自由」(報道の自由)を確立すべきであり、国防・外交の機密を除いてすべてを人民に知らせなければならない——「知情権」すなわち知る権利が提起されている。

(7) 現行の「党委員会の指導下の工場長責任制」を改め、「工場管理委員会の指導下の工場長責任制」を確立する。

(8) 企業、事業、基層政権において指導部の直接選挙を実行する。

(9) 党中央には三つの委員会、すなわち中央執行委員会、中央紀律委員会、中央顧問委員会を設け、チェック・アンド・バランスをはかる。これら三委員会にそれぞれ常務委員会を設ける。現在の党中央政治局は廃止する——「党内民主主義」の確立をねらっている。

(10) 各級党委員会では一人一票の票決制とし、少数は多数に従う制度を確立する——「党内民主主義」の確立をねらっている。

この一〇カ条を読み直すと、当時の積極的政治改革論の雰囲気が彷彿とする。この廖蓋隆報告こそ文化大革命の悲劇を総括するなかから、党中央の改革派が模索した中国社会主義の起死回生策にほかならない。これらの政治改革構想は、一方では保守派との権力闘争のゆえに、他方では改革派陣営の足並の乱れからほとんど前進しておらず、九三年春の全人代では「党政分離」の考え方とはまるで正反対に権限の過度の集中がはかられた。ポスト鄧小平期を控えた緊急の危機回避策にほかならない。

保守派との抗争

鄧小平が路線転換をはかった当時の鄧小平の主要な敵は、華国鋒に代表される毛沢東路線の継承を主張するグループであった。イデオロギーを重視する共産党において、大義名分は華国鋒の側にあるかにみえた。しかし、鄧小平は「思想の解放」を武器としてイデオロギー戦線の風潮を変え、また旧実権派幹部の復活によって形成された部隊を援軍とし、ついに八一年六月の歴史決議において、文化大革命を批判的に総括し、華国鋒を引退に追い込むことに成功した。

しかし、華国峰に代表される旧勢力が退場したのち、鄧小平を待ちうけていたのは、いわば仲間の分裂である。かつて華国鋒ら「二つのすべて」派との戦いにおいては共同戦線を組んだ「実践派」連合は、ひきつづき改革を進めようとする改革派と改革にブレーキをかけようとする保守派に分裂し、抗争をくりかえした。ここで鄧小平はときには、改革派の旗手として奮闘し、ときには保守派と妥協して、改革派の一角を斬るというジグザグ作戦をしいられることになる。

華国鋒側の敗北を確認し、鄧小平体制の成立を内外に宣言したのは、一九八二年九月に開かれた第一二回党大会であった。「党主席」というポストは総書記に変えられ、胡耀邦がその地位についた。趙紫陽も政治局常務委員に抜擢され、これら若手二人を葉剣英、鄧小平、李先念、陳雲の四人の長老が補佐する形になった。この長老たちが新設の中央顧問委員会を代表して後進を指導する形で若返りがはかられた。

党務の胡耀邦、政務の趙紫陽を中心とする若手執行部のもとで改革開放にふみだしたころ、路線転換にともなう動揺がひろくみられた。社会主義の未来やマルクス・レーニン主義に対する信頼感を喪失するという「信念の危機」現象が深まった。これまで階級闘争と矛盾するためにタブーとされてきた「ヒューマニズム」(=人道主義)や「社会主義のもとでの疎外」についての議論も一部でおこなわれるようになった。

八三年三月七日、北京でマルクス逝去百周年の学術報告会が開かれ、周揚（元中央宣伝部長）が述べたヒューマニズムと疎外についての報告は、かつて「文芸界の帝王」として君臨してきた者の真摯な自己批判であったために、聴衆に大きな感銘をあたえた。しかし、八カ月後に彼は自己批判をせまられ、同じく社会主義的疎外を論じた王若水も『人民日報』副編集長の地位を解任された（八三年一一月）。

彼らに自己批判をせまり、解任への大きな圧力をかけたのは、当時の中央宣伝部長鄧力群やイデオロギー担当の政治局委員胡喬木である。これらの「イデオロギー保守派」は、文革期に失脚している点で「すべて派」とは一線を画し改革派陣営に身をおいていたものの、思想的には毛沢東路線に近かった。このイデオロギー保守派は、農村の万元戸を批判し、それを生み出した農業における生産責任制そのものにも攻撃の刃をむけた。経済特区に対しては、旧中国の租界と同じだと批判した。

反「精神汚染」キャンペーン

鄧小平自身の立場は明らかに胡喬木や鄧力群とは異なっていたが、党内のいわゆる「ブルジョア自由化」の風潮にブレーキをかけるさいには、彼らの力をあえて利用した。イデオロギー保守派がこのとき用いたのは「精神汚染」という観念である。彼らは鄧小平の第一二期二中全会講話にその典拠を求めて、積極改革派、民主派知識人たちをたたいた。

この反「精神汚染」キャンペーンは、生まれたばかりの経済特区にきわめて大きなショックをあたえた。「精神汚染」や「ブルジョア自由化」の汚染源が資本主義にあるとすれば、もっともひどく汚染されているのは、経済特区のはずであった。開放政策に深刻な動揺が生じたのを察知した鄧小平は一九八四年二月、経済特区を激励する視察の旅に出た。「今回私は深圳をみたが、勢いよく発展しているという印象を受けた」「経済特区は窓口である。それは技術の窓口であり、管理の窓口であり、知識の窓口であり、対外政策の窓口である」(『鄧小平文選1975~1982』)。

鄧小平の激励が大きな力をあたえ、開放政策を推進するうえで大きなインパクトを生んだのは、九二年春の視察と酷似している。鄧小平視察をふまえて、八四年四月に一四の沿海地都市(大連、秦皇島、天津、烟台、青島、連雲港、南通、上海、寧波、温州、福州、広州、湛江、北海)の対外開放が決定された(『人民日報』八四年四月七日)。

八二年の第一二回党大会につづいて、八五年秋に共産党全国代表会議が開かれた。政治局から葉剣英、鄧穎超などの長老が引退し、政治局常務委員会は胡耀邦、鄧小平、趙紫陽、李先念、陳雲の五名によって構成された。このうち前三者を改革派、後二者を保守派とみてよい。政治局委員として新たに李鵬、姚依林、田紀雲、喬石、呉学謙、胡啓立の六名が昇格したが、前二者を保守派、後二者を改革派とみてよい。

経済特区を批判した胡喬木が政治局委員にとどまり、保守的言動のゆえに中央宣伝部長を解任されながらも鄧力群が中央書記処書記のポストに留任した事実などから鄧小平流のバランス人事がわかる。

鄧小平路線に批判的な指導者を留任させ批判をゆるしながら、改革路線を推進した事実については二つの解釈が可能である。一つは、「二つの基本点」という鄧小平自身の枠ぐみから解釈するもの、もう一つは保守派との勢力バランスからして、これらの指導者を排除する力が鄧小平にはなかった、という解釈である。あるいは両者がからみあっていたとみることもできよう。

「二つの顔」

ここで特に指摘しておきたいのは、鄧小平の党内操縦術である。厳しい路線闘争のなかで幾度も失脚と復活をくりかえし、生き延びてきた鄧小平の権力闘争術はかなりのものである。毛沢東の評語のように、まさに「綿中に針あり」だ。人は針のように鋭い鄧小平の辛辣さを感じることが多いが、彼はまた針を綿のなかに隠す賢明な政治的知恵にも恵まれているのだ。

ここで共産党のトップ人事を整理しておこう。建国以後九二年までに、政治局常務委員会のメンバーになった者は、四十数年間に二九名を数えるのみである。このうち、じつに一三名すなわち四五パーセントが権力闘争にやぶれて失脚している。こうした伏魔殿にも似た世界で生き延びてきた鄧小平の政治的知恵あるいは権謀術策はかなりのものである。

一九八二年の第一二回党大会は、鄧小平が初めてみずからのデザイン通りに作りあげた体制であった。そこで成立した鄧小平―胡耀邦枢軸は、五〇年代に総書記鄧小平のもとでの共産主義青年団第一書記胡耀邦という人脈であり、さらに毛沢東時代から鄧小平時代への転換期においては、一足先に完全復活した胡耀邦が持前の率直な態度で大活躍し、鄧小平の完全復活のために、思想の解放と旧幹部の復活の分野で大きな役割を果たした。しかし、胡耀邦の政治生命はそれほど長くなかった。

八五年元旦の『人民日報』は鄧小平の顧問委員会での講話を一面トップにかかげたが、彼はこう語っている。

「最近、外国の賓客と会うたびに、現行の改革開放政策の継続性を保障すると話しているが、彼らはまだあまり信用していない」「そこで私はできるだけ仕事を減らすことにした。そうすれば、第一に何歳か長く生きられるし、第二に、私が仕事を減らした分だけ、彼ら（胡耀邦、趙紫陽を指す）にその仕事がまわる」。

「八三年に私は一つだけ仕事をした。刑事犯を処刑させたことだ。今年（八四年）は二つの仕事をした。一つは一四都市を開放したこと。もう一つは〝一国両制〟の方式を用いて香港問題を解決したことだ」。

中国の政治を改革派・保守派の対立の構図で分析する西側の見解に対して、鄧小平はこうコメントした。「外国の一部の者は私を改革派だとみなし、他の人々を保守派だとしてきた。私を改革派とするのはまちがっていない。もし四つの基本原則を堅持する者を保守派だというのなら、私は保守派になる。実は改革派でも保守派でもない。比較的正確にいえば、私は実事求是派だ」（八七年三月三日、アメリカのシュルツ国務長官に対して、冷溶・高屹主編『学習鄧小平同志南巡重要談話』北京・人民出版社、党内発行、一九九二年、所収）。

鄧小平はみずから「実事求是主義者」を名のり、「改革派であり、かつ保守派でもある」というのが自己認識である。毛沢東時代の社会主義に未練を残して急激な改革に反対する保守派と、旧式社会主義に固執していては世界の潮流から取り残されると危機感をいだき改革に突き進む改革派との対立抗争は、鄧小平時代の過渡期としての性格を端的にしめしている。ここで鄧小平は経済改革派・政治保守派の「二つの顔」を使いわけて陣頭指揮をしていることになる。

貧困は社会主義にあらず

こうして鄧小平は、毛沢東の晩年に累卵の危機に直面していた中国に改革開放の新風を送りこみ、現代中国を再生する大手術に取りくんだ。その主な政策を整理しておこう。

第一は（自力更生という名の鎖国をやめて）開放政策に転換したことである。開放政策の具体的内容は、四つの経済特区の樹立、一四沿海地都市の開放から始まった。これらの地域で外資を導入し、技術を導入し、経済を活性化させようとする目論見（もくろみ）だ。これは外圧を巧（たく）みに利用して改革をせまるものであり、老練な政治家の手法がみえている。自力更生とは元来「アメリカ帝国主義」、のちには「ソ連社会帝国主義」による封じこめに対する中国のやむをえざる対応であったが、まもなく「社会主義の優越性」、イデオロギーおよび伝統的中華思想と結合して、夜郎自大の排外主義に転落した。鄧小平は窓口を開放し、世界の潮流を知らせることによって中国の立ち遅れを認識させせようとした。

第二は農業の立ち遅れの決定的要因が人民公社という集団農業のあり方にあるとして、人民公社を解体し、戸別農家への生産請負制を推進したことである。これはスターリン、毛沢東とつづく農業集団化路線に対する根本的挑戦である。かつてブハーリンは、農民を収奪するのでなく、農民を豊かにしてから社会主義へ導く道筋を構想したことがある。『共産主義ＡＢＣ』（ブハーリンほか）によって目を開かれた鄧小平の脳裏に若き日の読書体験が刻みこまれていたのではないかという推測は興味津々である。

第三は企業自主権の拡大である。従来の集権的計画経済体制のもとにおける企業は、官僚機構に従属する一つの歯車にすぎず、生産発展への自主権をほとんどうばわれていた。そこで企業管理においては従来の「党委員会指導下の工場長責任制」から「党委員会の指導」を排除し、テクノクラートたる工場長に全権をゆだねる「工場長責任制」を提起した。さらに企業管理は、行政的方法によるのではなく、経済の論理に基づいて経済的手段によって管理することが必要だとした。これは企業の活力に着目したもので、企業本位論的発想である。

第四は計画経済から商品経済へ、行政命令による経済の運営から経済の論理による経済の運営への転換である。これらすべては、かつての極度に権限の集中した「中央集権的計画経済体制」を「商品経済、市場経済」に改めようとするものであり、その基本的な考え方は、第一三回党大会の趙紫陽報告では「国家が市場を調節し、市場が企業を誘導する」ものとされ、のちの第一四回党大会の江沢民報告では「社会主義市場経済」と総括された。

第五に所有制の面では、公有制を一面的に強制するのではなく、「私営経済」の補完的な意義を認め、それゆえ賃労働と非労働所得を容認した。これは「搾取」の廃絶こそが社会主義の課題であるとし、労働によらざる分配の廃絶を企図してきた中国共産党にとって大転換である。

こうした改革案を貫く考え方は、「貧困は社会主義ではない」「生産力の発展をはかることが社会主義にとって最大の課題である」――この一語に尽きよう。

鄧小平の改革体制がいちおう整った八四年三月二五日、訪中した中曽根康弘首相に対して、彼はこう語った。「万一、天が落ちてきても、胡耀邦と趙紫陽が支えてくれるので、安心だ」と。党務の胡耀邦と政務の趙紫陽を車の両輪として、鄧小平体制は磐石にみえた。八〇年代前半の努力によって、中国の改革開放路線はゆるぎのないものに固まった印象をあたえた。

アメリカの『タイム』誌は八五年秋のインタビューをふまえて、八六年新年号で鄧小平を「年男」にした。奇蹟的復活を果たした七九年についで再度カバーに選んだ。鄧小平の改革開放に大きな期待をよせてのことである。しかし、天に不測の風雲あり。鄧小平はまもなく泣いて馬謖（ばしょく）を斬る立場に追い込まれる。

泣いて馬謖を斬る――政治改革のカベ

経済改革から政治改革へ

一九八〇年代前半を通じて経済改革の動きが定着するなかで、八六年春ごろ「経済改革から政治改革へ」という新しい潮流が生まれてきた。二つの背景がある。

一つは、鄧小平の改革は元来、経済改革と政治改革の双方を含む「体制改革」であったが、保守派長老たちとの権力闘争のなかで、政治改革はそれまで棚上げされていた。

もう一つは、経済改革をいっそう確かなものとするには、政治改革に取りくまなければならないという問題意識である。鄧小平自身の言葉を聞いてみよう。

党と政の分離は、第一一期三中全会（七八年一二月）で初めて提起された。党は指導に巧みでなければならない。過度な党の干渉をやめるお手本は、党中央から始めよ。これによって党の指導を弱めることにはならない。党が指導に巧みであるかどうかこそが問題だ。〔中略〕干渉が多すぎると、かえって党の指導を弱める。この前政治体制改革に留意せよ、と述べたのは、その意味だ。〔中略〕われわれが権限の下放を提唱しているのに、彼らは権限を回収している。とりわけ中央書記処の同志は政治体制の改革問題を考慮されたい。〔中略〕〔改革が〕最終的に成功するか否かは、政治体制改革によってきまる」「政治体制改革は経済体制改革と依存しあい、呼応しあうべきだ。経済体制改革だけをやり、政治体制改革をやらないならば、経済体制改革もうまくいかない。人という障害にぶつかるからだ。（香港『大公報』八六年八月八日）

鄧小平が呼びかけたのは何か。経済改革を進める過程で「政治の壁」、より具体的には既得利益にしがみつく「人の壁」にぶつかった。鄧小平がここで「人の壁」として問題にしているものの具体的内容は必ずしも明確ではない。しかし国有企業の経済改革が前進しない理由が企業レベルの官僚主義とその企業をみずからの領地として確保しようとする官僚機構の保守主義にあることは明らかであった。

八六年七月一〇日〜一二日、鄧小平の指示に基づいて中央党校は「政治体制理論研討会（シンポジウム）」を開いた。七月一四日鄧小平は、今後五年内に「一部の政治体制改革を含めて、経済体制を全面的に改革する」と言明している（いずれも香港『大公報』八六年七月一六日）。

鄧小平がみずから抜擢した中央書記処書記王兆国（おうちょうこく）は、七月一六日中央党校で政治体制改革を五つの面から論じ、胡耀邦の腹心朱厚沢（中央宣伝部長）が政治体制改革を積極的かつ慎重に「一歩深める」と語るに至った。

陸定一の証言

党中央の指導者たちの発言をうけて、政治学者たちも政治体制改革を論じ始めた。この新潮流のなかで、知識人に大きな影響をあたえたのは、元中央宣伝部長陸定一の病床からの証言（「〝百花斉放・百家争鳴〟の歴史の回顧」『光明日報』一九八六年五月七日）であった。

五六年当時、ソ連のミチューリン遺伝学は社会主義的かつ唯物論的であり、モルガン学派はブルジョア的かつ観念論的である、ソ連のパブロフ学説は社会主義的、ドイツのルドルフ・ヒルチョーの細胞病理学はブルジョア的、といった二分法がおこなわれていた。

毛沢東は、学術と政治は区別すべきである、いたずらに政治的レッテルや哲学的レッテルを貼るのは、秦の始皇帝の「焚書坑儒」に類した愚挙であるとする認識に基づいて、一九五七年二月の最高国務会議で「百花斉放・百家争鳴」（百花とは、さまざまな文学芸術をさし、百家とは、さまざまな学問上の流派をさす。以下「双百」と略する）を提起した。陸定一自身は宣伝部長として五七年三月の中共全国宣伝工作会議でこの方針が長期的なものだと説明した。

ところが五七年四月、右派分子がこの「双百」を「大鳴大放」にすり替えて共産党と新生の社会主義制度を攻撃し、共産党の指導にとって代わろうとしたため、毛沢東がこのスローガンを換骨奪胎して反右派闘争のスローガンとしたのだというのが陸定一の証言である。つまり、毛沢東のスローガンを右派が拡大解釈してみずからの武器とし、こんどは毛沢東が右派のスローガンを奪ってみずからの武器とした、というわけだ。

玉虫色の「精神文明」決議（一九八六年九月）

八六年夏、鄧小平ら中国首脳は北戴河（ほくたいが）という避暑地で秋の中共第一二期六中全会の構想を練った。北京に帰る途中の八月二一日、鄧小平は李瑞環市長・副書記の案内で天津を視察し、対外開放について、「〝放〟しなければ〝活〟できない。〝収〟の問題は存在しない」といいきって改革派を元気づけた（『人民日報』八六年八月二三日）。「放」とは一般には自由化のこと、「収」とは引き締めである。

ここで鄧小平は対外政策についての「放」を語っているのだが、中国ではこれまで政治とりわけイデオロギーの面で「放」と「収」がくりかえされてきた。そして中国共産党は弁証法の名においてこれを正当化してきたために、民衆は開放のかけ声の裏に引き締めの声を聞く、すなわち権力者の発言の裏を読むことに精をだしてきた。この状況を打破するために、対外開放においては「引き締めの問題は存在しない」といいきった『人民日報』一面トップ掲載の発言を知識人や学生たちは「双百」とかさねてイデオロギーや政治改革の文脈で受けとめた。

八六年九月の第一二期六中全会は玉虫色の「精神文明決議」を採択した。すなわち一方では「思想の解放」をうたいながら、他方で保守派の主張をいれて、開放政策のもとでの「精神汚染」に言及し、生産力（すなわち物質文明）とともに精神文明の意義を強調した。

鄧小平・胡耀邦ラインにひび

保守派はここで社会主義の守護者を自任しているが、いまや計画経済体制を前提とする社会主義理論は崩壊し始め、著しく説得力を欠くものになった。保守派は表むきは、タテマエとしてのイデオロギーを声高に主張するが、実は改革開放の進展によってみずからの既得利益が損なわれることを危惧し、これに抵抗するようになった。かつてのイデオロギー保守派は無力になり、いまや保守派のホンネは既得利益の擁護に矮小化された。ここで若返り構想は既得利益への重大な侵害と受けとられた。

鄧小平の意をうけて実務を進めていた総書記胡耀邦らの若返り構想に対する長老たちの反発はことのほかつよかった。保守派が巻きかえしに転じた結果、中央委員会の大幅な人事若返り構想ははばまれた。人員整理が反発を買うのはいずこも同じだ。保守派は鄧小平留任を主張することによってみずからの地位を保持しようとし、急進改革派は対抗上、鄧小平を含めた若返りを主張する構図になった。たとえば銭超英(せんちょうえい)のエッセイ「私は小平同志の引退に賛成する」(『深圳青年報』八六年一〇月二一日)には急進改革派の主張がよくあらわれている。

この会議の背後で進行していた問題としてとりわけ重要なのは、鄧小平・胡耀邦の「隙間風」が大きくなったことだ。引退をせまられる「老人」側から経済改革にともなう混乱への苦情が殺到した。対照的に胡耀邦の側へは「若人」側からの熱い期待が集中した。問題は改革の結果生じたのではなく、改革が不徹底なために生じているのだ、解決策はさらなる改革以外にはない、と。

こうして胡耀邦側には改革の功の側面が報告され、鄧小平の側には改革の罪の側面が集中する。かくて前者は「四つの現代化」(工業、農業、国防、科学技術の近代化)への歩みを速めようとし、後者は

「四つの堅持」でブレーキをかけようとする。こうした「動」と「反」への分裂を辛うじて取りつくろったのが「玉虫色」決議なのであった。

学生の民主化デモ（一九八六年一二月）

第一二期六中全会の結果は、政治改革の呼びかけがなんら具体化されなかった点で学生たちを失望させた。鄧小平時代が始まってすでに数年、「思想の解放」の呼びかけにもかかわらず、大学における教育内容は旧態依然であり、また大学における管理もまた党組織ががっちり握っており、そこにはいささかの民主化も生まれていなかった。そうしたなかで、農業生産責任制のモデル地区安徽省で民主化の火花が燃えあがった。そこでは「中国のサハロフ」といわれた方励之や著名な若手化学者温元凱など、急進改革派が大学改革に取りくんでいた。

八六年一二月五日、安徽省合肥の中国科学技術大学で、五〇〇〇人の学生が校内集会を開き、安徽省人民代表の選挙に対する共産党の介入に抗議の声をあげた。四日後の一二月九日、合肥の数千の大学生たちが約一キロの街頭デモをおこなった。これは文革以後初めての自然発生的街頭デモであった。

合肥および武漢の学生デモのニュースは、すばやく全国に伝わり、北京大学構内に大字報があらわれ、ついで深圳大学、広州市中山大学、昆明市、南京市、天津市と学生デモが波及した。とりわけ上海では一二月一九日以来の大規模な街頭デモが数日つづき、ピーク時には傍観者も含めて約七万人に達した。学生運動は壁新聞や学内集会を加えると全国一五〇大学に波及した。

胡耀邦の辞任決定（一九八七年一月一六日）

八七年一月一六日の政治局拡大会議でデモへの対応にあまい胡耀邦を辞任させる決定がおこなわれた。会議には政治局の正式メンバーのほかに「顧問委員会責任者一七名、中央紀律検査委員会責任者二名およびその他の関係者」が出席した。中央顧問委員会（主任鄧小平、副主任は王震、薄一波、宋仁窮の三名）は党歴四〇年以上の長老たちによって構成されているいわば元老院だが、口さがない庶民は「養老院」と皮肉る。紀律検査委員会（第一書記は陳雲）は「お目付け役」である。この両委員会が現役執行部に圧力をかけて胡耀邦を辞任させた。

胡耀邦の罪状として公報は、「集団指導原則」に対する違反、「政治原則問題」での誤り、の二カ条をあげている。前者は胡耀邦が他の政治局メンバーの意見に耳を傾けず、独走したというほどの意味であろうが、そのメンバーとは陳雲らの保守派なのか、それとも鄧小平自身なのか。

「政治原則問題」とは「ブルジョア自由化」問題を指す。元旦の『人民日報』社説は、八六年九月の第一二期六中全会決議を引用して「ブルジョア自由化をやるとは、すなわち社会主義制度を否定し、資本主義制度を主張することである」「この立場をくりかえし強調することは今日とりわけ重要な意義をもっている」と説明した。胡耀邦は「資本主義制度を主張する」「ブルジョア自由化」を容認した責任をとらされた、というのが公報の説明である。

ここで必要なのは、鄧小平、胡耀邦、薄一波（に代表される保守派長老）——それぞれの関係であろう。保守派薄一波の立場からすると、基本的に胡耀邦＝鄧小平である。彼は胡耀邦批判を借りて、鄧小平の改革路線にゆさぶりをかけている。では鄧小平と胡耀邦は結局のところ、どこでどう対立したのか。

皇帝鄧小平の逆鱗

「民主化・自由化」を求める学生デモの燃え上がるなかで、鄧小平は一九八六年一二月三〇日胡耀邦、趙紫陽、胡啓立らに対して、方励之、劉賓雁（ルポ作家。『人と妖の間』『第二の忠誠』などが著名）、王若望（上海の作家）の除名方針を指示し、あわせて胡耀邦を批判した。彼らは特権党官僚の腐敗、堕落を批判して、民主化を求めた。劉賓雁らのルポルタージュに保守派が激怒したのは、劉賓雁の暴露が保守派の既得利益を脅かしたからにほかならない。

鄧小平は八七年一月初め胡耀邦と「数時間にわたって個人的に会談し」、はげしく胡耀邦を批判した（『読売新聞』八七年一月一六日）。学生デモのシュプレヒコールが「耳の遠い」（毛沢東の言葉）鄧小平にまで届き、その逆鱗に触れたとき、鄧小平の癇癪はまずデモを煽る人々にむけられ、ついでデモに対して断固とした態度をとらない胡耀邦にむけられた。

トラブルの発端は鄧小平の呼びかけた政治改革である。彼は経済改革を確かなものとするために「権限の下放」を考えていた。しかし、この呼びかけを学生たちは「政治的民主化」一般の課題として受けとめた。街頭デモにかかげられたスローガンのなかには共産党の下野を要求するものさえあった。

これは「ブルジョア自由化」を拒否する鄧小平路線に対する挑戦を意味していた。胡耀邦は学生の民主化要求そのものを支持したわけではないが、柔軟な対応を模索した。鄧小平からすると、「ブルジョア自由化」の容認にほかならず、総書記として許されざる怠慢であった。

「殺鶏嚇猴」

鄧小平から名指しで批判された方励之、劉賓雁、王若望の三名は、共産党から除名された。「殺鶏嚇猴」（鶏を殺すことによって、猿を脅えさせる）という諺がある。三人を除名することによって脅えさせようとしたのは、「ブルジョア自由化」の潮流であった。

鄧小平は一月政変の直前に日本国際貿易促進協会の訪中団（桜内義雄団長）に対してこう語っている。「改革に公然と反対する者は多くないが、現実に一部の人々の利益と抵触する場合、改革賛成者も改革の障害となる。改革はどうしても困難にあうので、われわれは慎重でなければならない。急ぎすぎてはならない。急ぎすぎると欠陥があらわれる」「関羽雲長は五つの関門をこえるのに、六人の大将を斬った。現在の改革は五つの関門にとどまらない」（一九八六年一二月一三日）。

『三国志』から劉備元徳の部下関羽雲長の故事をひいたのである。皮肉なことに鄧小平はこの関門で味方の側に刃をむけてしまった。胡輝邦はいわば「馬謖」のごとく斬られた。「天が落ちてきても、胡耀邦、趙紫陽が支えてくれる」と信頼感を強調したときから三年たらずであった。

ここで一月政変の構図を整理してみよう。経済改革にともなう矛盾の噴出、そして経済改革のさらなる展開のために構想されていた政治改革の方向をめぐって、鄧小平―胡耀邦枢軸が左右に分解したと私は分析している。鄧小平は保守長老連合からなる改革慎重派にひきずられて左旋回する。胡耀邦は急進的知識人や学生などからなる改革積極派にひきずられて右旋回した。この政治劇とよく似たドラマが、二年後に再演される。

中共第一三回党大会前後

第一三回党大会（一九八七年一〇月二五日～一一月一日）を通じて、鄧小平、陳雲ら革命第一世代の長老たちは、引退あるいは半引退し、政治局は大幅に若返った（二一六頁の表5「鄧小平の若返り作戦」参照）。もちろん、この党大会で妥協が成るまでには、激しい暗闘がおこなわれていた。その一端を垣間みせてくれるのが、中央書記処編の「秘密文件」（拙著『ポスト鄧小平』蒼蒼社、一九八八年、所収）にほかならない。

総書記胡耀邦の電撃的辞任強要で意気あがる保守派は、胡耀邦につづく新たな標的をねらった。その標的とは鄧小平が胡耀邦の代わりにすえた総書記代行の趙紫陽であった。ここで鄧小平は保守派との妥協でもう一つの犠牲を払っている。空席となった総理のポストに保守派の推す李鵬をすえたことである。鄧小平は保守派との妥協をつづけながら、改革開放路線を堅持することに腐心していた。

保守派は「ブルジョア自由化」の責任の一端を趙紫陽にむけるために、周到な準備を進めた。一～三月に中央書記処書記鄧力群が中心となり、「ブルジョア自由化」を進める知識人たちの言行を記録したブラック・リストを作成し、新華印刷廠の「特殊車間」（極秘文書印刷部門）で印刷した。各省長や国務院部長でさえも読めないほどに秘密裡に配付した。

これは二つの文書から成っている。一つは『若干の理論問題についての資料』、もう一つは『若干の言論対照』である。テーマはいずれも中国共産党の直面するイデオロギー的危機の核心にかかわるものだが、保守派からみた「不逞（ふてい）の輩（やから）」の許しがたい発言を必死にかき集めている。

八七年三月一三日、趙紫陽は鄧小平の支持をとりつけたうえで全国宣伝部長会議で講話をおこない、保守派の悪のりをきっぱりと批判した。「資本主義について語る者は批判されたが（胡耀邦辞任を指す）、資本主義を実際におこなっている者はまだ批判されていない（趙紫陽らを指す）」という保守派の論調を重大な誤りだと厳しくしりぞけた。

三月二五日、全国人民代表大会で「政府工作報告」をおこなった際にも、趙紫陽は、鄧小平講話を踏まえてまとめた四号文件（『十一期三中全会以来重要文献選読 下』北京・人民出版社）の趣旨をくりかえして「ブルジョア自由化」反対闘争の行きすぎをおさえよと強調した。このころ、保守派は「四つの基本原則」が主要な「綱」であり、「改革・開放政策」は副次的な「目」である、とする「綱目」論を展開していた。

鄧小平の考え方は、経済建設を「一つの中心」として突出させ、「改革開放」と「四つの基本原則」を「二つの基本点」として並列するものである。趙紫陽は鄧小平の枠ぐみに依拠して、保守派の「綱目」論（すなわち主従論）を謬論としてしりぞけた。

鄧小平の強力な支持のもとに反撃に転じた趙紫陽ら改革派に対して、保守派は追いうちをかけた。三月に発出された中共中央八号文件は保守派による胡耀邦批判の再論である。胡耀邦の「創作の自由」論、香港『百姓』社長陸鏗（りくこう）のインタビューを受けて、「国家機密」を洩らしたこと、中曾根康弘首相を私邸に招いたこと、などが罪状としてあげられていた。

改革派対保守派の確執（かくしつ）は党大会へむけて激化した。八七年七〜八月、北戴河の避暑地で、人事の詰めと政治報告の最終稿の決定がおこなわれることになったが、国内情勢を点検するなかで、保守派からは

「五月一三日の趙紫陽報告以後、学生や自由化分子がまたもや蠢動し始めた」と警鐘が乱打される。

おそらくは保守派をなだめるためと考えられるが、鄧小平は知識人除名第二弾を決意する。実は中央紀律検査委員会は春ごろ、一三人（一説に二〇人）の改革派党員にバツをつけたブラック・リストを作成していた。その中には、于光遠、厳家其、孫長江、蘇紹智、劉再復、王若水、張顕揚、于浩成、李洪林、呉祖光らの名のほかに、鮑彤の名があったことに問題の深刻さが露呈されている。

鮑彤は長らく趙紫陽の秘書をつとめてきた改革派の理論家で、国家体制改革委員会副主任をかねていた。「初級段階論」を骨子とする一三回党大会の趙紫陽報告の執筆者でもある。保守派はこのキーパーソンをねらった。秘書が党から除名されたとなれば、趙紫陽の責任問題となることは必至である。趙紫陽はただちに鮑彤の名をリストから削除した（『鏡報』八七年第九期）。政敵の秘書を陥れるやり方は中国政治においては常套手段であり、従来しばしばくりかえされてきた。

第一三回党大会の新潮流

一九八七年一〇月二五日から一一月一日にかけて第一三回党大会が開かれた。大会の開放性を象徴していたのは、趙紫陽報告草案が大会での採択にさきだって公表されたことである。一九八七年一月の胡耀邦事件が完全に密室できめられ、その後の改革派と保守派の暗闘も密室でおこなわれてきたことと対照的である。

おそらく「宮廷クーデタ的」胡耀邦下ろしの衝撃があまりにも大きかったからこそ、その衝撃を吸収し大会の基調を改革と開放によって貫くためには、さまざまな根回しが必要とされたのである。舞台上でこの役を演じたのはすべて趙紫陽だが、その筋書きを書き、演出まで指示していたのは、鄧小平その人にほかならない。保守派の攻勢のもとで趙紫陽が政治的潮流を一変させることができたのは、鄧小平の強力なバックアップなしにはありえないことであった。

差額選挙の実施

公開性がつよまったことは、党の民主化の進展とも深くかかわっている。この意味で特筆する必要のあるのは、中央委員選挙において初めて「差額選挙」がおこなわれ、しかもみごとな効果を発揮したことである。「差額選挙」とは「等額選挙」に対する言葉であり、中央委員の定員一七〇名に対して、その予備選挙において定数よりも一〇人すなわち約六パーセント多い候補者が立てられた。

すなわち投票の結果、趙紫陽、胡耀邦らは高い得票で当選したが、保守派のイデオローグ鄧力群は総得票の三分の一しか獲得できず、わずか一〇人しかいない落選組に加わることになった。このハプニングは誰にとっても予想外のことであったようだが、「民意に従う」観点からこの投票結果のとおりに決定した。鄧力群落選の報に政治局入りをつよく支持していた保守派の長老陳雲は激しい衝撃を受け、半日茫然としていたと香港誌が伝えたほどである（中央委員でなければ政治局メンバーにはなれない）。

初めておこなわれた「差額選挙」は、二重の意味で党内民主化をうながすことになった。第一に、「差額選挙」がおこなわれたこと自体が一つの進歩であり、第二にその選挙において胡耀邦おろしや、「ブルジョア自由化」反対でハッスルし、改革の推進を妨げていた保守派のイデオローグを中央委員会から追放することによって、党内世論は保守派の暗躍を明確に批判したのであった。

事態の意外な展開に驚いた大会運営常執行部は急遽中央顧問委員会の定員を拡大して、中央委員会、紀律検査委員会の落選組を吸収しなければならなかった。顧問委員会は「等額選挙」であるから、全員当選して面目をほどこすかにみえた。

鄧力群の不運はそれだけではなかった。得票数は公表されていないが、鄧力群はどうやら最下位であった。常務委員リストにあげられていたにもかかわらず、一一月二日におこなわれた顧問委員会の役員選挙において常務委員リストにあげられていたにもかかわらず、得票は半数にすぎず再び落選の憂き目をみた。大会の世論が胡耀邦事件につよく反発しただけではない。保守派長老の牛耳る顧問委員会においてさえも、総会レベルでは保守派の劣勢が明らかになった。

改革・保守のバランスは辛うじて保たれた

党大会で選ばれた新指導部の陣容をみると、トップ指導部のレベルでは保革のバランスが辛うじて保たれた経緯がすけてみえる。つまり党大会の世論は、圧倒的に改革派優位の雰囲気であったが、最高指導部の選出はいわば密室での協議を経て構成されるため、微妙なバランスとなった。鄧小平はむしろ、安定団結のために大いに保守派と妥協したようである。

表5のように、政治局常務委員のうち鄧小平、陳雲、李先念は政治局常務委員は引退したが、鄧小平は軍事委員会主席、陳雲は顧問委員会主任、李先念は国家主席留任（あるいは中国人民政治協商会議主席への横すべり）の形の「半引退」となった。

顧問委員会の幹部は政治局会議に出席して発言する権利をもつ。投票権はないが、この場合「発言権」が重要である。儒教的敬老思想が重んじられている中国においては、長老の発言は現役の執行部を

表５　鄧小平の若返り作戦

	第12回党大会				第13回党大会				第14回党大会	
	1.中全会（82.9）		党代表会議（85.9）		1.中全会（87.10）		4.中全会（89.6）		1.中全会（92.10）	
政治局常務委員		歳		歳		歳		歳		歳
	胡耀邦	67	胡耀邦＊	70	趙紫陽†	68	江沢民	63	江沢民	66
	葉剣英	84	鄧小平	81	李鵬	59	李鵬	61	李鵬	64
	鄧小平	78	趙紫陽	66	喬石	63	喬石	65	喬石	68
	趙紫陽	63	李先念	76	胡啓立†	58	姚依林	72	李瑞環	58
	李先念	73	陳雲	80	姚依林	70	宋平	72	朱鎔基	64
	陳雲	77					李瑞環	55	劉華清	76
									胡錦濤	50
政治局委員	万里	66	万里	69	万里	71	万里	73	丁関根	63
	習仲勲	69	習仲勲	72	田紀雲	58	田紀雲	60	田紀雲	63
	王震	74	方毅	69	江沢民	61	李鉄映	53	李嵐清	60
	韋国清	76	田紀雲	56	李鉄映	51	李錫銘	63	李鉄映	55
	ウランフ	76	喬石	61	李瑞環	53	楊汝岱	63	楊白冰	72
	方毅	66	李鵬	57	李錫銘	61	楊尚昆	82	呉邦国	51
	鄧穎超	78	楊尚昆	78	楊汝岱	61	呉学謙	68	鄒家華	66
	李徳生	66	楊得志	75	楊尚昆	80	秦基偉	75	陳希同	62
	楊尚昆	75	呉学謙	64	呉学謙	66			姜春雲	62
	楊得志	72	余秋里	71	宋平	70			銭基琛	64
	余秋里	68	胡喬木	73	胡耀邦	72			尉健行	61
	宋仁窮	76	胡啓立	56	秦基偉	73			謝非	60
	張廷発	65	姚依林	68					譚紹文	63
	胡喬木	70	倪志福	52						
	聶栄臻	83	彭真	83						
	倪志福	49								
	徐向前	80								
	彭真	80								
候補	姚依林	65	秦基偉	71	丁関根	58	丁関根	60	温家宝	50
	秦基偉	68	陳慕華	64					王漢斌	67
	陳慕華	61								
委員数計	6		5		5		6		7	
	18		15		12		8		13	
	3		2		1		1		2	
	27人		22人		18人		15人		22人	
平均年齢	71.3		68.7		63.8		65.5		62.2	

注：政治局常務委員の序列は党内地位の序列である。政治局委員と候補のそれは簡体字の画数順である。年齢は会議開催時のもの。
＊胡耀邦は 1987 年 1 月辞任。†趙紫陽、胡啓立は天安門事件で解任。

上回る権威をもっている。会議において投票することは稀であり、多くは「年長者の意思」で決定されてしまうのである。

敬老思想に加えてもっと具合の悪いことに「革命家に引退はない。死してのち已む」という考え方がある。「革命家に引退なし」とは革命精神にあふれた一見素晴らしい見識にみえる。だが現実には、既得利益にしがみつき革命を私物化する隠れ蓑になっている。しかしこの蓑も老害、老醜を隠すことはできまい。

これらの三長老とヒラ委員に格下げとなった胡耀邦に代わって政治局常務委員となったのは、趙紫陽総書記のほか、李鵬、喬石、胡啓立、姚依林である。その派閥力学は、改革派二対保守派二対中間派一、あるいは改革派二・五対保守派二・五のきわどい均衡となった。

党大会を無事に乗り切った趙紫陽は八七年一一月下旬に上海、浙江、江蘇、福建などの沿海省市を視察して、「沿海地区経済発展戦略」を提起した（『人民日報』八八年一月二三日）。このなかで趙紫陽は「投資環境の良し悪しのうち、最も主要なのは投資者が儲かるか否かである」と喝破した。

「そのカギは外国資本が直接企業を管理することを認めることだ。彼らの管理権を尊重することだ」と明言した。彼はまた「外資に企業管理を許すことは、主権の喪失だ」とみる考え方を「正しくない観念だ」としりぞけている。鄧小平の「垂簾聴政」のもと、趙紫陽体制がいよいよ始動した。

趙紫陽への風圧

一九八七年一〇月の第一三回党大会で趙紫陽は総書記代行から「代行」がとれて正規の総書記になり、

趙紫陽体制がスタートした。趙紫陽を胡耀邦辞任直後に総書記代行にすえて、「見習い」をおこなわせるとともに、改革開放路線の担い手としての役割を演じるべく、舞台裏でさまざまの配置を準備してきた鄧小平の作戦通りにことは運んだようであった。趙紫陽は就任直後から、改革開放路線の発展を強調した。特に社会主義初級段階論や沿海地区経済発展戦略の提起によって、胡耀邦辞任騒動で混乱した中国の政治経済の潮流は、八七年秋には混乱から完全に立ち直ったようにみえた。

立直りとともに八八年年初から景気過熱の兆候があらわれてきた。このため、中共中央は景気過熱対策に取りくみ、八八年秋の中央工作会議(九月一五日〜二一日)と、これにつづいた第一三期三中全会(九月二六日〜三〇日)で経済調整への転換が決定された。過熱の原因をどうみるか、いかなる対策をとるべきかをめぐって、改革派と保守派は再度激突した。保守派は経済改革によってもたらされたインフレ、所得格差の拡大が中国社会主義の成果を食いつぶすと危機感をつよめた。特に八八年夏の売り惜しみ、買い溜めがついに一部銀行でのとりつけ騒ぎに発展するに至って、保守派の危機感は頂点に達した。

他方、改革派の危機感も小さなものではなかった。一例をあげれば、厳家其(中国社会科学院政治学研究所研究員、前所長)は温元凱(中国科学技術大学教授)との対談において、率直に危機感を表明した。彼らは毛沢東時代をソ連のスターリン時代に、鄧小平改革をフルシチョフ改革になぞらえ、ソ連ではフルシチョフ以後にブレジネフの長期停滞が二〇年つづいた例をひいて、「(もし中国で)ブレジネフ流の二〇年の停滞があらわれるならば、中国の現代化は五〇年、あるいはもっと遅れてしまうだろう」と語りあった。彼らによれば「停滞は失敗よりも重大なマイナス」であった。

保守派によるインフレの責任追及によって総書記趙紫陽の地位が危うくなった。たとえば中央工作会議に先だって、保守派の長老薄一波（中共中央顧問委員会副主任）が趙紫陽をあてこすり個人攻撃に近い攻撃をおこなった。

一一月には、陳雲（中央顧問委員会主任）が趙紫陽を呼びつけて「八カ条の意見」を説いた。陳雲が中共中央党校で調査させたところ「社会主義経済とは何か」の問に誰も答えられなかったことにかかわる。陳雲の想定した解答は、「計画をもったつりあいのとれた発展」というスターリンの定義なのだが、こんな定義はとうの昔に忘れられていた。驚いた陳雲は「わが国でいま社会主義の要素（計画経済の部分を指す）がどれだけ残っているか」と慨嘆した。イデオロギー問題に及ぶと、陳雲の危機意識はもっと高まる。「プロレタリア階級の思想的陣地はほとんどすべて喪失してしまい、あれやこれやのブルジョア流派が占領している。いまや反撃の時だ」（『鏡報』八九年一月号）。

李鵬、姚依林らは趙紫陽にどのような攻勢をかけていたのか。八九年三月におこなわれた李鵬の「政府工作報告」にその一端がみえている。報告はまずインフレや経済過熱などが趙紫陽時代の失政によってもたらされたとする認識に基づいて「経済環境と経済秩序の整頓」を強調した。これには一両年（八九～九〇年）が必要だと李鵬は述べ、姚依林に至っては「三年あるいは五年が必要だ」として、そのあとになってようやく「改革の深化」がおこなえるとした。

李鵬にせよ、姚依林にせよ、「経済秩序の整頓」の名において「経済改革の深化」にストップをかけたことは明らかであろう。保守派からみれば、改革にともなう経済の混乱こそが克服すべき課題であり、彼らは景気引き締めを口実として、経済改革のスローダウンをせまったのである。

綱引き状態

問題は経済改革だけではない。趙紫陽は四月二日「経済体制改革は政治体制改革と結合して進める必要がある」との認識をしめしていたが、李鵬報告においては政治体制改革はむしろ安定団結を妨げる要素であるととらえられた。かくて経済改革の一時停止、政治改革の無期限棚上げ――これが李鵬、姚依林ら保守派の戦略であった。インフレ問題や官倒（官僚ブローカー）の横行など腐敗問題は、保守派の危機意識に妥当性があるような印象をあたえていた。

改革派は政治改革によって経済改革の壁を突破する作戦を構想し、他方保守派は経済改革にブレーキをかけることによって政治改革を先送りしようとしていた。趙紫陽らの改革派勢力と李鵬・姚依林ら保守派との対立は、八九年春の時点で一種の「綱引き状態」にあった。両派の膠着状態を破り、政局を流動化させる引金になったのは、外国要人の訪問と胡耀邦の急死（一九八九年四月一五日）であった。

訪中したブッシュ（父）米大統領は二月二七日夜、長城飯店で答礼パーティを開き、方励之・李淑嫻夫妻も招かれた。彼らのパーティ参加は中国当局によって拒まれ、方夫妻はペリー・リンク（米中学術交流委員会）らに付き添われて、シャングリラ飯店で即席の記者会見をおこなった。このニュースは全世界に流れ、中国の改革派知識人、あるいは反体制知識人の存在がテレビ画面に浮かんだが、ここでの要求は七九年から投獄されている魏京生の「大赦」を求めるものにすぎず、穏やかな請願に止まっていた。

鄧小平の態度は厳しかった。「魏京生らに対して大赦をおこなってはならない。ただし（服役）態度の好い者は寛大に扱ってよろしい」「勝手にデモ行進をやらせてはならない」「要するに、コントロールを強化しなければならない」「一九七九年にアメリカを訪問したとき、カーター大統領は人権問題を語ろうとしたが、私は拒否した。君たちはこの問題に多くの時間をとられてはならぬ」。

胡耀邦の急死と追悼行動

一九八七年一月に総書記を事実上解任された胡耀邦は、八九年四月八日の政治局会議に出席し、心臓発作をおこして倒れた。胡耀邦の身辺で長らく働いた旁旁（ぼうぼう）によると、この日彼は「発言はせず、発言の準備もしていなかった」。旁旁はさらに失脚以後二年間の胡耀邦についてこう記している。「胡耀邦は職務なき政治局委員になって以後、いかなる会議であれ、一言も発しなかった。彼の現在の立場からすれば、国家のためにやれる最大の貢献が沈黙なのであった。これまで演説好き、頭脳明敏で知られてきた胡耀邦は一夜にして無口になったのであった」（旁旁『胡耀邦之死』台北・大地出版社、一九八九年）。

公的発言を自粛してきた胡耀邦が最後に家族に残した遺言は「中央の決定したこと（胡耀邦解任）に対して結論を出してほしい」である。彼は八九年四月一五日朝七時五八分に死去した。四月一五日夜九時に北京大学に出現した対聯にいわく。「鄧小平は八四歳で健在、胡耀邦は七三歳で先に死ぬ。政界の浮沈を問うも、なんぞ命を保つことなきや。民主は七〇にして未だ完全ならず（一九一九年の五四運動以来七〇年）、中華は四〇にして興らず（一九四九年の建国以来四〇年）。天下の盛衰をみるに、北大（北京大学）また哀し」（国家教委思想政治工作司編『驚心動魄的五十六天――一九八九年四月十五日至六月九日毎日紀実』台北・大地出版社、一九八九年）。

この対聯は、胡耀邦追悼がそのまま胡耀邦総書記の解任を断行した鄧小平批判に連なるという政治力学を端的にしめしていた。鄧小平が党務の胡耀邦と政務の趙紫陽をしたがえて、改革開放路線を推進していたとき、人々はその路線の行方に大きな期待を寄せていたが、改革派の旗手胡耀邦が保守派に攻撃され、鄧小平が保守派の主張を容れて胡耀邦を処分したとき、人々は鄧小平の変身を怒った。

しかしその後、鄧小平は一方で保守派と妥協しつつも、他方で趙紫陽をもり立て、改革開放路線の復活に尽力していた。鄧小平は一方では、行きすぎた政治改革が共産党の支配秩序を崩壊させる恐れを危惧して、政治改革の行きすぎをおさえつつ（この点で鄧小平と保守派は同じ立場であった）、他方で経済改革の加速により、中国経済を高度成長させようとしていた（この点で鄧小平と保守派の立場は異なる）。鄧小平はバランスの維持に腐心していたが、経済改革と政治改革の同時展開という簡明な戦略を構想する学生たちからみると、鄧小平は改革派から保守派に転向したと受けとられた。

自主的な広場集会で気勢を上げた学生側は、追悼大会の翌日すなわち四月二三日、円明園で開いた会議で「北京市高校〔大学〕臨時学生聯合会」（臨時学聯）を成立させた。臨時学聯は全国に五月四日までの授業ボイコットを呼びかけた。北京市内では四月二四日に四〇大学六万人が授業ボイコットをおこなった。

この「六万人授業ボイコット」は当局に大きな衝撃をあたえた。鄧小平は、翌二五日午前に、「授業ボイコットをやっているのは六万人である。授業ボイコットをやらない一〇万人を保護しなければならない」と語っている。

『人民日報』動乱社説の形成

四月二四日四時、中共北京市委は常務委員会議を開いて、情勢を分析し、「今回の学生運動の矛先は直接的に党中央にむけられたものであり、共産党の指導を転覆させようと企図したもの」と断定した。四月二五日午前、李鵬、楊尚昆は、李錫銘報告を携えて、地安門の鄧小平宅を訪れ、状況を報告した。ここで李錫銘、陳希同(北京市レベル)—李鵬、楊尚昆(政治局レベル)—鄧小平(最高レベル)という「動乱阻止ライン」が成立したことになる。

李鵬、楊尚昆の報告を受けて、鄧小平は「重要講話」をおこなった。いわく——

これは通常の学生運動ではなく動乱である。断固として制止すべきであり、彼らに目的を達成させてはならない。〔中略〕彼らはポーランド、ユーゴスラビア、ハンガリーやソ連の自由化政治思想の影響を受けて、動乱をおこした。その目的は共産党の指導を転覆し、国家、民族の前途を喪失させることだ。〔中略〕〔弾圧して〕罵倒されることを恐れてはならない。国際的反応が悪くなるのを恐れてはならない。〔中略〕ブルジョア自由化反対で胡耀邦は軟弱であった。もし当時〔思想工作に〕力を入れていたならば、今日のようなありさまに発展するはずはなく、このような動乱がおこるはずはなかった。〔中略〕対話はしてもよいが、誤った行動に寛容であってはならない。〔中略〕できるかぎり流血事件を避けるべきだが、完全に避けることは不可能である。〔中略〕われわれには数百万の軍隊があるではないか。何を恐れることがあろう！

四月二六日付『人民日報』社説は学生の民主化運動を「動乱」と断定することによって、学生運動を却って刺激し、火に油をそそぐ結果となった。この最初の対応の誤りが、ボタンのかけ違いとなって、流血事件を招いたのである。

趙紫陽対話路線の登場

趙紫陽のピョンヤンからの帰国を待って、五月一日、政治局常務委員会が開かれた。趙紫陽は燃え上がる学生運動が広範な市民の圧倒的な支持を得ている事実を感じとって、軌道修正を模索し始めた。胡耀邦の失脚は政治体制の面で彼が「ブルジョア自由化」を容認した点である。胡輝邦のあとを襲った趙紫陽にとって、前任者がなぜ鄧小平の怒りを買ったかは熟知していた。にもかかわらず、その趙紫陽もまた胡耀邦と同じ方向へ動き始めた。趙紫陽の変身が始まった。五月三日の政治局常務委員会で趙紫陽の提起した動乱社説見直し提案は支持されなかったものの、学生との緊張関係の緩和の点では政治局は意見が一致した。

ハンストとゴルバチョフ訪中

中ソの歴史的和解を象徴すべく設定されていた五月一五日のゴルバチョフ歓迎式は、学生たちのハンストのために人民中国の象徴たる天安門広場でおこなうことができず、空港での簡単なものに切り替えられた。翌一六日は無名戦士の墓、すなわち人民英雄記念碑へのゴルバチョフ献花が予定されていたが、これも取りやめとなった。

ゴルバチョフ・鄧小平会談は人民大会堂でおこなわれたものの、つづくゴルバチョフ・李鵬会談、ゴルバチョフ・趙紫陽会談は学生たちのシュプレヒコールの聞こえる人民大会堂ではなく、釣魚台（ちょうぎょだい）国賓館に切りかえられた。鄧小平は大いにメンツをつぶされた。

三首脳の対ゴルバチョフ会談が終わった五月一六日の夜、政治局常務委員会は緊急会議を開き、学生運動対策を協議した。趙紫陽は席上、譲歩案を提起した。「学生に対して、社説（四月二六日付動乱社説）が誤りであったと認めよう。社説は私が決裁したものであるから、私が責任を負う」。

常務委員会の他の四人はいずれも、この提案をしりぞけた。学生運動に敵意を抱く李鵬、姚依林、公安を担当する書記として秩序回復に責任をもつが強硬派とは一線を画したい喬石、趙紫陽の立場に理解をしめしつつもそこまで踏み切れない宣伝・イデオロギー担当の胡啓立――こういった構図であろう。

李鵬とその後見役たる姚依林の強硬な立場は、最も明確であった。「もし『人民日報』社説に誤りがあると認め、学生運動が愛国民主の運動であると認めるならば、彼らは必ずや党と政府にかれらの提起した反動的政治綱領を認めるようせまり、非合法な学生組織を認めよとせまる。さらにはその他の非合法組織を成立させ、中国で反対党を作り、複数政党制を実行する。最後には共産党に下野をせまり、社会主義の人民共和国を転覆させるであろう」。一歩譲ればすべてを失う。保守派は背水の陣の心境であった。

趙紫陽はゴルバチョフとの会談の冒頭である秘密を暴露していた。「最も重要な問題では、依然として鄧小平同志が舵取りをおこなっている。第一三回党大会以来、われわれは最も重大な問題の処理においてはいつも彼の指示を仰いできた」と。

この趙紫陽発言はむろん鄧小平の指導的役割を説明したものというのが、表むきの解釈である。しかし、当時の雰囲気のもとでは、誰もがそれ以上の政治的含意を読み取った。おそらく趙紫陽は学生に対してというよりは、むしろ党・政・軍の改革派幹部たちに対してメッセージを発したのではないか。総書記趙紫陽は柔軟路線を採用して学生運動に対処したいが、皇帝・鄧小平の決裁が得られない、という訴えである。

分裂した鄧小平・趙紫陽枢軸

五月初めから学生運動にいかに対処すべきかをめぐって、趙紫陽は鄧小平の意向に忠実ではなくなっていた。学生運動を動乱と認定した鄧小平講話を棚上げしなければ、解決は一歩も進まない。趙紫陽は鄧小平に対して社説撤回をくりかえし進言してきたが、鄧小平の意思はかたい。李鵬以下の保守派が追随しているため、容易に翻意しない。そこで趙紫陽の採った最後の手段は、問題を世論に投げかけて、世論の圧力で鄧小平の翻意を促すというからめ手であった。それ以外に道はもうなかった。

天安門事件の悲劇の核心は、ここに隠されている。鄧小平は経済改革すなわち経済面でのブルジョア自由化は大いに推進するが、政治面でのブルジョア自由化は許さないという二元論だ。学生の民主化要求に直面して、鄧小平は一つは、みずからの政治哲学の枠組みから、もう一つは保守派との権力闘争というパワーポリティクスからして、運動を鎮圧するほかなかった。

このとき、鄧小平と趙紫陽の間には、かつての鄧小平と胡耀邦の関係に酷似した「隙間風」が吹いていた。燃え上がる学生運動との対話による収拾を考える趙紫陽は、ますます学生運動の利用可能性を認めるようになる。学生運動を動乱と断定する保守派イデオローグたちの報告に基づいて対策を指示する鄧小平は、ますます保守派にとりこまれるという構図である。胡耀邦事件を再現するかのように、鄧小平ー趙紫陽枢軸が分解した。

趙紫陽による鄧小平への「翻意」要請、形を変えた鄧小平批判のメッセージをとらえて、これを鄧小平に対する「退位」要求にエスカレートさせたのは、彼をとりまく秘書や体制内知識人たちであり、これを支えたのが改革派知識人グループや中央機関に働く改革派官僚たちであった。

厳家其らの「五・一七声明」は、鄧小平を「老いて愚昧(ぐまい)な独裁者」と罵倒し、「老人政治を終わらせよ」「独裁者は辞職せよ」と要求した。これは明らかに虎の尾を踏むようなアピールであったが、ここで趙紫陽と厳家其とは同床異夢の関係にあるものと判断される。趙紫陽のメッセージはこうして、さまざまな内容に再解釈されて、党・政・軍の機構、知識人、労働組合、婦人団体その他の諸団体を通じて、北京市民に伝わり、五月一七〜一八日の連日の一〇〇万人デモにつながった。北京でこのような巨大なデモがおこなわれたのは、おそらく文化大革命期の紅衛兵集会以来のことである。

強硬路線か対話路線かという党中央の分裂は、いまや鄧小平の翻意がありうるかどうかという一点にしぼられ、ひいては鄧小平の退位問題にまでエスカレートしてきた。むろんこうした分裂は解放軍内部にも反映せざるをえない。趙紫陽はたとえ名目であれ党中央軍事委員会第一副主席であり、また解放軍は党の指導を前提として動く建前になっているからである。

趙紫陽 vs. 鄧小平

五月一七～一八日の一〇〇万デモは、八九年民主化運動の一つのピークであった。この一〇〇万デモの衝撃のなかで、一七日夜、鄧小平宅で再度政治局常務委員会が開かれた。そこでも趙紫陽は前日の主張をくりかえした。

鄧小平は趙紫陽の提起した妥協路線を拒否し、逆に戒厳令を提起した。その会議の模様をのちの楊尚昆講話（五月二二日）はこう説明している。

趙紫陽：四月二六日付『人民日報』の動乱社説を取消してほしい。

鄧小平：趙紫陽同志、あなたの五月四日のアジア開発銀行総会代表への講話は転換点であった。あれ以後、学生たちの騒ぎはいっそうひどくなった（趙紫陽は対話への許可を求めたのであるが、これに対して鄧小平は逆襲した）。

鄧小平：退却というが、君たちはどこまで退却するのか？

楊尚昆：これはダムの最後の堤防である。一度退却すれば、ダムが決壊する。

鄧小平：君たちの間に論争があることは承知しているが、いまは論争の是非を判断しているときではない。今日はこの問題は討論せず、結局退却するかどうかだけを討論しよう。退却してはならない。問題は党内から出ているから、戒厳令を布告する。

趙紫陽：この方針を執行できない。私には難しい。

鄧小平は「問題は党内から出ているから、戒厳令を布告する」と断言したが、これはいかなる意味か。

党中央が政治局レベルで分裂し、国務院各部が分裂し、その分裂はいまや解放軍首脳にまで及んでいる。さらには党機構の中堅幹部、行政機構の幹部、末端兵士にまで分裂が及びかねない。これはまさに国家権力の解体の危機にほかならない。これに対して戒厳令により国家権力を再構築すること、これこそが鄧小平のプログラムであった。

問題は単に一〇〇万のデモにあるのではない。鄧小平を頂点とする権力が解体され、一〇〇万のデモを組織しうる民主化運動の側に、趙紫陽はいまや馬を乗りかえようとしていた。

総書記 vs. 党長老

鄧小平宅を辞した常務委員および楊尚昆は夜八時、おそらくは中南海に戻ったあと、再度政治局常務委員会を開き協議をつづけた。この会議にヒラの政治局委員にすぎない楊尚昆も「列席」していた。これは党規約上は採決権をもたない、オブザーバー参加であるが、実際にはこの「列席」者・楊尚昆が会議の主役であったものと推察される。

なぜか。楊尚昆は鄧小平の代理として、そして革命の長老である「八老」(鄧小平、楊尚昆、陳雲、王震、李先念、薄一波、宋仁窮、彭真)代表として、この会議に出席し、いわば現役の政治局常務委員会を叱責する形だ。まさに長老支配の構図である。

戒厳令決定の政治局常務委員会(場所は中南海、日時は五月一七日夜八時)で、趙紫陽は「私の任務は今日限りで終わる。もうやっていけない。というのはあなた方の大多数と意見が異なるからだ。私はふっきれない。総書記としてどうして〔戒厳令を〕執行できようか。私が執行できないと〔政治局〕常務委員会に面倒をかけることになるから、辞職したい」と述べた。

趙紫陽の変身あるいは「裏切り」が鄧小平、楊尚昆らに対してつよい衝撃をあたえたことはいうまでもない。政治局常務委員会会議を招集する権限をもつ趙紫陽に拒否権を発動されるならば、党規約上は戒厳令布告の会議を開くことさえ不可能になる。この異常事態に直面して、鄧小平、楊尚昆らの用いた方法は、長老会議の開催によって、強硬路線を確認することであった。

この間の事情を、楊尚昆はこう説明している。「数人の八〇歳以上の老人が一緒に坐り、中央の事柄を討論することは長年来初めてのことである。鄧小平、陳雲、鄧穎超、王震、みなが退路なしと感じている。陳雲同志は非常に重要な一言を語ったが、それは数十年の戦争で得た人民共和国、一〇〇〇万の革命烈士の鮮血と交換に得られた成果をすべて一挙に失うこと、中国共産党を否定するに等しいというものであった」（楊尚昆五月二四日講話）。楊尚昆はまたこう説明している。「陳雲、李先念、彭真、王震同志らは、この問題は鄧小平同志の面前で解決しなければならないと語った。その日、鄧小平同志は、陳雲、李先念、彭真、王震、私（楊尚昆）、さらに幾人かの常務委員（李鵬、姚依林、喬石か）、軍隊の幾人かと話をした」（楊尚昆五月二二日講話）。

八〇代の老人たちが鄧小平宅にかけつけて鳩首協議する、まさに「八老治国」の構図である。趙紫陽は一九日午前四時四五分に天安門広場に出むいて学生たちとの対話を試みた。そこで彼は「来るのが遅すぎた。問題は複雑である。ハンストを中止してほしい」と涙ながらに訴えた。

趙紫陽の涙は何を物語っているのか。戒厳令布告という強行手段に対して、総書記辞任という形での最後の抵抗がやぶれたこと、今後は武力鎮圧のみが唯一の路線となったことについて、趙紫陽が非力を嘆き、みずからの運命と学生の運命を嘆いたものであろう。

しかも、現実の事態がこのように動いていることを、趙紫陽は明確な言語で語ることは許されない。確かに「問題は複雑」なのであった。厳家其らの「五・一七宣言」や「三研究所一学会」の「六カ条緊急声明」などは、趙紫陽の意図を体しておこなわれたものというよりは、ブレーン集団の独自の対応であろう。保守派はそこまで趙紫陽の責任を拡大して断罪しようとしたが、鄧小平はそうした拡大解釈にはくみしなかった。

戒厳令布告大会（一九八九年五月一九日）

戒厳令を正式布告する会議（中央と北京市の党・政府・軍幹部大会）は五月一九日午後一〇時すぎに開かれた。会議の場所は天安門広場の西方九キロの万寿路にある解放軍総後勤部礼堂であった。テレビ画面に映し出された壇上の主席団席には総書記趙紫陽の顔がなかった。対話路線を主張する趙紫陽は戒厳令布告という強硬路線に反対の意を表明するために、この大会にあえて欠席した。

李鵬はこう述べた。「ごく少数、ごくごく少数の者が動乱を通じて彼らの政治的目的を達しようとしている。彼らが〝ブルジョア自由化反対〟のスローガンを公然と否定しようとする目的は、四つの基本原則にほしいままに反対する絶対的自由をかちとるためだ」「改革開放の事業に対して巨大な貢献をした鄧小平同志に矛先を集中している」。

鄧小平自身は戒厳令布告大会に欠席した。五月一六日のゴルバチョフ会談以来、鄧小平は表舞台から姿を消したが、舞台裏では活発に行動していた。まず一七日の政治局常務委員会では李鵬、姚依林ら強硬派の方針を支持して、戒厳令発動による体制の立て直しを指示した。しかし、趙紫陽がこの強硬路線に抵抗したために、強硬路線は重大な壁に直面した。そこで一七日深夜あるいは一八日に王震、李先念、陳雲らの長老を集めて、支持をとりつけ、戒厳令断行の線を固めた。五月二〇日午前一〇時に北京市に布告された戒厳令には少なからぬ抵抗があったことがわかる。

総書記趙紫陽の断罪（一九八九年五月二一日）

趙紫陽が五月一九日夜の戒厳令布告大会に欠席したことは党中央の分裂を公然化させたものであり、鄧小平、楊尚昆、李鵬らは、早速趙紫陽処分の方針を固めた。戒厳令の正しさを説得するためには、これに反対した趙紫陽の誤りを指摘しなければならないことは、火をみるよりも明らかであった。「問題は党内にある」（鄧小平、五月一七日発言）。

権力の解体状況に対して、いまや巻きかえしが始まった。第一弾が全人代、政治協商会議、第二弾が党中央機関、国務院各部、第三弾が軍内部の意思統一であった。

李鵬は趙紫陽の罪状をこう弾劾した。「趙紫陽同志は五月四日にアジア開発銀行総会代表への講話を発表した。この講話は、彼が一人で準備したもの（鮑彤が起草した）で、基調は四月二六日社説とまったく異なっている」「これ以後、皆は党内に二つの異なる見解があるという問題に気づいた」「彼はゴルバチョフとの会談において、真先に鄧小平同志がわが党の最高指導者であり、これは第一三期一中全会で決定したものである、すべての重要問題は彼を通じて決定していると述べた。どういうつもりか。鄧小平同志を放り出すものにほかならない」。

軍事委員会緊急拡大会議（一九八九年五月二四日）

五月二二日会議によって全人代常務委員の活動を封じ込めた二日後、すなわち五月二四日に軍事委員会緊急拡大会議が開かれている。これは戒厳任務を直接的に執行する軍隊への締付けであった。「各大単位の主な責任者」（大単位とは七大軍区のほか、第二砲兵、国防科学工業委、軍事科学院、国防大学などを指す）の出席したこの会議で、楊尚昆は戒厳令に対する異論を意識しつつ、その必要性を説くとともに、それに反対した趙紫陽を断罪し、鄧小平の次の語録を紹介した。

「私の一生で多くの誤りを犯したが、最大の誤りは、胡耀邦、趙紫陽の二人を用いたことである」「三〇〇万の軍隊と四〇〇〇万の党員に頼らなければならない。しかし四〇〇〇万党員のうち、多くの者が頼りにならない」。

楊尚昆が紹介した鄧小平発言はおそらくその前日すなわち二三日の政治局拡大会議でおこなわれたものであろう。八四年三月に「天が落ちてきても、胡耀邦と趙紫陽が支えてくれる」と保証したはずだが、いまやこれを後悔する（したかにみせる）語録が必要な事態なのであった。鄧小平がここで直面した最大の問題とは、党機構そのものがトップの指導者たる自分から離れて一人歩きを始め、統制不能に陥り始めたことである。中南海の中枢に働く党員でさえも当てにはならないという慨嘆は、文化大革命を発動した際の毛沢東の党員観に酷似している。

鎮圧態勢作りのプロセス

戒厳令体制を固める課題と趙紫陽処分問題とは、表裏一体のものであった。そして趙紫陽処分問題は総書記の後継問題と同義であった。鄧小平は舞台の陰でこの工作に全力を挙げていた。

胡耀邦、趙紫陽と鄧小平の提起した後継者が二人ともに失脚することによって、鄧小平の権威が大きく揺らいだことは否めない。それだけではなく、鄧小平にはもはや総書記候補の持駒はなかった。そこで李先念、陳雲ら長老に受けのよい江沢民を抜擢した。鄧小平はいまや江沢民昇格によって、保守派李鵬の総書記昇格を防ぐのが精一杯であったごとくである。

総書記に江沢民を内定

かくて戒厳体制が着々と固まり、学生運動が自壊の道を歩んでいた五月末、舞台裏では趙紫陽の後任が事実上内定していた。五月三一日、鄧小平は李鵬、姚依林を呼びよせて、引導を渡している。「〔総書記の〕人選問題においては、社会上の公論に注意すべきであり、感情的であってはならない。皆が江沢民同志を核心として、りっぱに団結するよう希望する」「新たなグループの威信を樹立できたならば、私はきっぱりと引退し、君たちの仕事を妨げないことにする。君たち二人に話したことを、新指導部で工作する一人ひとりに伝えてもらいたかった。これは私の政治的引き継ぎである」。

趙紫陽総書記の後任として江沢民を当てることは、事実上ここで決定している。すなわち鄧小平は戒厳令発動前後の強硬派指導者たる李鵬、そしてその後見役たる姚依林に対して、「社会上の公論」のゆえに、すなわち戒厳令の責任者たる李鵬は「公論が許さない」として論功行賞を預かり、上海から党委員会書記江沢民を「二階級特進」させて総書記に抜擢したのであった。

さらに江沢民総書記を核心とする「第三代の指導グループ」の威信を樹立したならば、「きっぱりと引退する」と明言していることが注目される。彼は六月一六日にみずからの引退問題をこう語っている。「私の役割が大きすぎることは、国家と党に不利だ。アメリカの対中国政策でいま注目しているのは、私が病気で倒れ、あるいは死去することである。国際上多くの国が対中国政策上、私の生命に注目している。私は長年来、この問題を意識してきた。ある国家の命運が一、二の個人の声望の上に置かれるのは、たいへん不健康であり、危険である。事件がおこらなければ問題はないが、事件がおこった場合に収拾できなくなる」。

六四武力鎮圧

一九八九年六月三日から四日早朝にかけて天安門広場周辺で武力鎮圧の惨劇がくりひろげられた。解放軍の正規部隊が学生や市民の抵抗を排除して、天安門広場を「整頓」した。その流血の過程は、鄧小平・ゴルバチョフ会談を取材するために北京を訪れていた各国報道陣のテレビ・カメラに映し出され、世界中に衝撃をあたえた。これはまさにテレビ・カメラの前の惨劇であったことによって、実像が増幅して伝えられた。そして北京の惨劇こそが、ベルリンの壁がくずれ、東欧諸国の政治的変革が相次ぎ、ついには旧ソ連解体に至る八九〜九一年の歴史的変化の最初の一撃になったのであった。

この事件の真相について、私は『天安門事件の真相』（本著作選集第二巻に収録）で分析したので、くりかえさない。ただ、この悲劇がおこった三つの誤解についてだけは触れておく。第一は、学生運動を動乱とした中国政府当局の誤解である。政府は動乱ならざる請願運動を動乱と誤解し、ついには動乱に仕立てあげてしまった。第二は、学生や市民側の政府の対応に対する誤解である。一〇〇万人デモ以後になると、運動の側は指導方針を見失い、運動は内部から自壊した。最後には解放軍は人民に対して発砲するはずはないと座視するばかりであった。第三は、事件に対する西側の誤解である。たとえばフランスのミッテラン大統領は「中国に明日はない」と論難したが、その後の中国の動向はこの論難に合致しているであろうか。

北京における死者は三一九名と中国政府が公表している。この数字がかりに過少報告だとしても、北京だけでなく全国範囲での死者が三〇〇台の半ばを超えることはないというのが私の分析結果である。これを大躍進期の餓死者や文革期の犠牲者と比べると、相対的にきわめて小さなことは明らかである。にもかかわらず（大躍進期や文革期にはみられなかった）中国制裁の大合唱が世界的におこったのであった。

悲劇の情報がセンセーショナルに伝えられた理由の一つがテレビ画像の威力であることはすでに記したが、もう一つの理由は、ゴルバチョフの平和革命と天安門広場武力鎮圧とがあまりにも鮮やかな対照をしめしていたからであった。しかし、われわれは実像からかけ離れた虚像のイメージを修正しなければ、その後の中国の姿を的確に認識することができなくなるおそれがある。

六月九日午後、鄧小平は中南海懐仁堂で市レベル以上の幹部を接見し、鎮圧の苦労をねぎらった。この模様は同日夜のテレビで全国放映されたが、鄧小平が大衆の前に姿をあらわしたのは、五月一六日のゴルバチョフ会談以来のことであった。

鄧小平いわく、「今回の嵐は遅かれ早かれ来るものであった。それは国際情勢と中国自身の情勢によって決定されており、必ずやってくるものだ。今回の事件が発生したからといって、われわれの戦略目標が誤っていたということはできない。誤りは四つの基本原則自体にあるのではなく、一貫して堅持しなかったこと、教育と思想政治工作がまずかったことである。今後われわれはどうすべきか。われわれが制定していた基本路線、方針、政策はもとのままとし、断固としてやりつづける。個別の表現を変えることはありうるが、基本路線、基本方針、政策はすべて変えない」。

四中全会（六月二三〜二四日）と趙紫陽処分

天安門広場から北京市高校〔大学〕自治聯合会司令部を排除することによって、民主化運動は制圧したものの、武力鎮圧のあとには、早急に解決しなければならない難問が待っていた。抽象的にいえば鎮圧行動を中央委員会によって承認することだが、より具体的には趙紫陽処分が中央委員会で支持されるかどうか、新総書記を順調に選ぶことができるかどうかであった。

鄧小平は政治局拡大会議（六月一九〜二一日）および四中全会（六月二三〜二四日）を前にして、六月一六日に、ふたたびトップ・グループの指導者たちを呼びよせた。それは楊尚昆（政治局委員、国家主席、軍事委員会常務副主席）、万里（政治局委員、全人代常務委員会委員長）、江沢民（政治局委員）、李鵬（政治局常務委員、国務院総理）、喬石（政治局常務委員）、姚依林（政治局常務委員、国務院副総理）、宋平（政治局委員、党中央組織部長）、李瑞環（政治局委員、天津市党委員会書記）であった。この顔触れは、その一週間後の第一三期四中全会（六月二三〜二四日）で新常務委員に選ばれた六人および国家主席、全人代委員長である。江沢民を中核とする新指導部はすでに事実上決定しており、中央委員会では単に追認しただけであることがここからわかる。

趙紫陽処分をどの程度のものとするかについては、いくつかの選択肢がありえたはずである。胡耀邦は八七年一月に総書記を解任されたが、政治局常務委員、政治局委員のポストはそのままだった。四中全会において、厳しい趙紫陽弾劾演説をおこなったのは李鵬であった。李鵬は趙紫陽に対して、①動乱を支持した、②党中央を分裂させた、という二つの罪状で告発し、趙紫陽の党内の職務はすべて解任された。ただし、鄧小平の指示で党籍は留保された。

保守派は党からの除名、反革命暴乱罪としての起訴も示唆したが、これに対して鄧小平は第一三回党大会の路線は動かさない、改革・開放の路線を堅持することを指示し、保守派の攻勢にブレーキをかけた。趙紫陽の処分の赴くところ、改革開放路線の名存実亡である。ひいては鄧小平自身の後継者養成の失敗、改革開放路線の破産を認めることにつながりかねない危険性をはらんでいた。

趙紫陽は強硬派と穏健派との綱引きの中で党籍だけは辛うじて保ったものの、処分問題は継続審議とされた。趙紫陽処分に対しても、江沢民昇格に対しても少なからぬ異論があり、中央委員会の採決結果は過半数を辛うじて上回る程度であったと報道されている。

政治局からは、胡耀邦、趙紫陽、胡啓立の三人の改革派委員が消えたのであるから、その穴埋めが必要であったが、欠員を補充するには至らなかった。三つの空席の争奪をめぐって保守派 vs. 改革派が激突するおそれがあったために、人事は棚上げされた。

鄧小平、引退

武力鎮圧から三カ月後の九月四日、鄧小平は政治局常務委員六人に楊尚昆、万里を加えた八人に対して、再度みずからの引退問題を提起した。「もし一九八五年に引退しておれば、はるかによかったが、いま引退しても遅くはない」（香港『鏡報』一九八九年第一二期）。

八九年一二月二六日チャウシェスク処刑のニュースが北京の中央電視台から放映された。鄧小平はルーマニアのその後の事態の急展開を知って、人民大会堂に喬石、銭其琛（外交部部長）を呼びつけ、彼らの報告の状況誤認を叱責したといわれる。ホーネッカー失脚、チャウシェスク処刑と相次いだショックにつづいて、九〇年二月、モスクワから複数政党制、共産党独裁相対化の激震がやってきた。さらに九一年八月、ソ連保守派のクーデタは三日天下に終わり、一二月にはソ連国家そのものが解体し、「旧ソ連」（former Soviet Union）とよばれる事態になった。

鄧小平はゴルバチョフ改革をどうみていたであろうか。ゴルバチョフの登場は一九八五年であり、鄧小平のほうが改革家としては先達である。革命家のキャリアとしても先輩である。ゴルバチョフがペレストロイカを始めたことは、中国で保守派との抗争のなかで改革路線を導入することに苦慮していた鄧小平にとって大きな援軍となった。

たとえば趙紫陽は、胡耀邦のあとを襲って総書記代行に抜擢されて四カ月後（八七年五月一三日）にこう述べているが、これは鄧小平自身の感想でもあろう。「現在はソ連でさえも改革をおこなっている。改革はすでに社会主義国家の潮流となっており、改革しなければ活路はない」（『人民日報』八七年七月一〇日)。

当時、趙紫陽は鄧小平と一体であり、「社会主義国家の潮流」を援軍として、中国の保守派の抵抗をしりぞけようとしていた。それから二年後、ゴルバチョフ訪中が実現し、中ソの歴史的会談は「改革競争」の場になる可能性があった。

しかし事態は思わぬ方向へむかって動きだした。中国の学生たちは、ゴルバチョフ歓迎のスローガンをかかげて、「政治改革から経済改革へ」というゴルバチョフ戦略を持ち上げ、鄧小平流の「経済は改革派、政治は保守派」、あるいは政治経済分離の路線を批判した。

天安門事件から二年後、ゴルバチョフは失脚し、旧ソ連は混迷のさなかにあるのに対して、鄧小平の「社会主義」体制は健在であり、経済は繁栄している。鄧小平は旧ソ連解体の経験を「反面教師」として、ますます自信を深めているはずである。彼のせりふはこうであろう——改革しなければ活路はない。しかし、改革を成功させるためには、なによりも政治的安定、秩序の安定が必要だ。

開発独裁論者としての鄧小平

鄧小平は西側の三権分立や議会主義を拒否する理由をこう説明している。「西洋の国々が議会選挙をやることに反対しないが、わが中国大陸ではやらない。三権分立や両院制はやらない。われわれが実行するのは全国人民代表大会という一院制であり、これが中国の現実に適している」「もし政策が正しく、方向が正しいならば(毛沢東晩年のような誤りを避けるならば)、この体制のほうが長所が大きく、国家の繁栄に有利であり、多くのトラブルを避けることができる」「大陸では次の世紀に、半世紀経てば普通選挙が実行できるであろう」「いま県レベル以上では間接選挙をおこなっているが、県レベルおよび県レベル以下では直接選挙をおこなっている」(一九八七年四月一六日、香港特別行政区基本法起草委員会委員に対して。前掲『学習鄧小平同志南巡重要談話』)。

現行制度のほうが中国の現実に適している理由を彼はこう説明している。「中国には一〇億の人口があり、人民の文化水準も不十分であるから、直接選挙を普遍的に実行するためには条件が未成熟である」「われわれは実際に適合しなければならず、自己の特徴に基づいて自己の制度や管理方式を決定しなければならない」(同上)。つまりは「民度」が低いから普通選挙ができないというのである。なるほど非識字人口が四分の一もしめているという事実は重い。だが、共産党政権ができて四〇年以上を経た今日、非識字人口がかくも多いのは、共産党の執政の欠陥を意味することも確かであろう。

いかなる政治システムが中国の現実により適しているかの問題をも含めて、人民が指導者の選択を通じて(あるいは直接的に)政策を選択することこそが民主主義の根幹であるはずだ。鄧小平が非識字率などを根拠として「党の指導」を合理化するのは、彼の民主主義観が「訓政的民主主義」(あるいは「指導された民主主義」)の域を出ていないことをしめすのではないか。「訓政的民主主義」観こそ鄧小平の歴史的限界をよくしめすものであろう。

最後の闘争――改革の加速

旧ソ連クーデタの衝撃

天安門事件からおよそ二年後の九一年春節、鄧小平は上海の指導者たちに改革開放の加速を指示した。それは『解放日報』の皇甫平（こうほへい）論文として登場したが、鄧小平の指示であることは伏せられていた。一つは江沢民ら新指導部の権威を高めるため、もう一つは彼自身がすでに引退の身であるためとされた。

同じころ朱鎔基（しゅようき）上海市長（中央委員候補）が二階級特進し国務院副総理に抜擢されたが、この異例の抜擢人事は、鄧小平の直接的指示による、総理李鵬の後継人事構想の発動であった。天安門事件武力鎮圧の戒厳令は総理李鵬の名で布告されたものであり、内外で李鵬の不評が高まっており、李鵬更迭（こうてつ）の声が流れていた。朱鎔基の抜擢とならんで、旧趙紫陽体制を支えていた胡啓立（前政治局常務委員）、芮（ぜい）杏文（きょうぶん）（前中央書記処書記）、閻明復（えんめいふく）（前中共中央統一戦線部長）の三羽ガラスが副部長級ポストに復活した。

鄧小平の軌道修正の試みは着々と成功するかにみえ、一九九一年前半の中国政治は改革開放の復活へむけて動いていた。そこを直撃したのが旧ソ連の保守派クーデタ失敗事件であり、旧ソ連の解体である。

改革路線の復活をねらう鄧小平構想は重大なカベにぶつかった。九月二三〜二七日、中共中央工作会議が開かれた。天安門事件以後の経済調整のなかで国営企業の三分の一、いや半分が赤字に転落していた。ただ、この会議には中央顧問委員会の長老や少なからぬ解放軍関係者が出席しているところからみて、工作会議の陰の議題が旧ソ連八月クーデタへの対応策の協議にあったことは確実である。

中央工作会議につづいて、第一三期八中全会が開かれるはずであったが、結局八中全会は一一月にずれこみ、二五〜二九日の五日間開かれた。弱体指導部強化のために予想されていた朱鎔基らの政治局昇格人事はおこなわれなかった。九一年春節に提起された鄧小平構想の挫折を象徴する出来事であった。

守勢の鄧小平

一九九一年秋に保革抗争が激化したことを示唆するいくつかの論文がある。たとえば陳野萍(ちんやへい)論文(『人民日報』九一年九月一日)には、次の一句がある。わが党は趙紫陽同志の一連の誤りを清算したが、そのなかには「生産力を基準として」幹部選抜をおこなったこと、「才を重んじ徳を軽んじた」誤りも含まれる。

ここで名ざしで批判されているのは、趙紫陽の誤りであり、これは八八年六月の全国組織工作会議で趙紫陽が幹部評価においては「生産力基準と徳才兼備の原則を統一せよ」と強調した経緯を踏まえている。ここで趙紫陽が「生産力基準」という言葉を用いたのは、いうまでもなく鄧小平の白猫黒猫論を踏まえている。この論文は表むきは趙紫陽を批判しつつ、言外に起用した鄧小平の責任を示唆したことになる。

もう一つ胡喬木論文（『人民日報』九一年九月七日）にはこう書かれていた。「文化大革命の一〇年は悲惨な一〇年であったが、この時期もただまったくの暗黒というのではなかった」。ここでまず毛沢東晩年の文化大革命に対して限定的な名誉回復あるいは再評価を示唆する。ついで「改革開放が偉大な成果を挙げた一〇年のうちに、二代の総書記の重大な誤りが生じた」と鄧小平時代の欠陥を指摘する。胡喬木のいう「二代の総書記」とは、むろん胡耀邦、趙紫陽を指す。

この文脈で両者の誤りを批判することは、鄧小平への責任追及と紙一重である。胡喬木は一方で毛沢東時代の名誉回復をはかりつつ、返す刀で事実上の鄧小平批判をたくらんでいる。これは公開の紙上の論文であり、保守派による鄧小平批判、改革開放路線批判の氷山の一角にすぎまい。水面下にははるかに多くの、もっと手厳しい批判が潜行していたはずだ。鄧小平存命のうちからすでに「間接批判」が噴出し始めた。鄧小平の指導力の減退は明らかである。

九一年一二月に全国組織部長会議が開かれたが、ここでも保守的傾向が顕著であった。呂楓（中央組織部長）や宋平（元中央組織部長、当時政治局常務委員）のあいさつがそれをしめす。呂楓は幹部の条件として「徳才兼備、徳が第一」だと述べた。

幹部の条件をめぐる「徳か才か」の論争は、毛沢東時代の「紅・専」論争の再版である。かつてイデオロギーか実務能力かが争われ、文革派は紅＝イデオロギーを強調し、実務派は専＝実務能力を強調した。いまは保守派が徳をあげ、改革派が才をあげている。

才が実務能力であることはかつての専と同じだが、問題は徳の内実である。保守派のいう徳とは、共産党への絶対的忠誠であり、それは「決定的な時期の政治的態度」から判断されるという。天安門事件当時の党への忠誠心を基準とするという考え方だ。ここには民主化運動に対する保守派の立場が出ている。

マスコミを統制する中央宣伝部の保守派支配はすでに明らかだが、いまや中央組織部までが保守派主導になった。国務院の文化部、教育部も保守派が強い。そして中共中央党校、『人民日報』がくわわる。つまり「四部一校一報」（宣伝、組織、文化、教育、党校、『人民日報』）で保守派が優勢になったのであり、改革開放路線はイデオロギー分野では危殆にひんした。こうした保守回帰ムードのなかで党大会の準備が始まった。鄧小平が逆襲に出ることを余儀なくされたのは、当然であろう。

鄧小平の南方談話

鄧小平は一九九二年一月一八日から二月二一日にかけて、家族を引き連れて南方視察の旅に出た。訪れたのは湖北省の武昌、広東省の深圳経済特区と珠海経済特区、そして上海である。旅先で鄧小平はあたかも毛沢東の故知を学んだかのような手法、作風で、改革開放路線の加速を訴えた。その語録を引用してみよう。

・極左批判

中国では右に警戒しなければならないが、主として〝左〟を防がなければならない。右のものはある。動乱は右だ。〝左〟のものもある。改革開放を資本主義を導入し発展させるものとみなし、和平演変の主な危険は経済領域から来ると考える。これこそが〝左〟だ。われわれは醒めた頭脳をもたなければならず、そうして初めて大きな誤りを犯すことがなく、問題があらわれても容易に是正し、訂正できる。

・「姓資姓社」論への反批判

改革開放の歩みを速めず、あえて突破せず、あれこれ言う。これは資本主義のものが多いことを恐れ、資本主義の道を歩んでいるのではないかと恐れているのだ。ポイントは「姓資姓社」問題（改革開放の本質が資本主義的なものか、社会主義的なものか、という認識をめぐる論争）だ。判断の基準は、主として社会主義社会の生産力の発展に有利かどうか、社会主義国家の総合国力の増強に有利か否か、人民の生活水準の向上に有利か否かであるべきだ。カギは経済発展にある。

・科学技術は第一の生産力

経済発展を速くするには、科学技術と教育に依拠しなければならない。私は科学技術が第一の生産力だといっている。過去一〇年、二〇年来、世界の科学技術の発展はなんと速かったことか。ハイテク領域の一つの突破が一群の産業の発展を主導した。われわれ自身もこの数年、科学技術を離れてこんなに速く成長できたであろうか。科学を提唱しなければならず、科学に依拠してこそ希望がある。

・計画と市場は手段にすぎぬ

計画が多いか市場が多いかは社会主義と資本主義の本質的区別ではない。計画経済イコール社会主義ではなく、資本主義にも計画はある。市場経済イコール資本主義ではなく、社会主義にも市場がある。計画と市場はともに経済の手段である。

・肝っ玉を大きくせよ

改革開放の肝っ玉をもっと大きくせよ。大胆に試みよ。纏足（てんそく）女みたいなのはダメだ。正しいと思ったら大胆に実験し、大胆に突破せよ。深圳の重要な経験はあえて突破したことだ。突破の精神がなければ、

「冒進」の精神がなければ、気迫、気力がなければ、好い道を切り開けず、新しい道を切り開けず、新事業をやれない。

改革開放に対しては当初から反対意見があったが、これは正常なことである。単に経済特区の問題だけでなく、より大きな問題は農村改革であり、農村の家庭生産責任制をやり、人民公社制度をやめたことである。

当初は勇んでやったのではなく、多くの者がただみていた。われわれの政策は様子をみるのを許すものだが、強制よりもはるかによい。

・経済特区と外資系企業

特区をやることについて、当初から反対意見があり、資本主義をやっているのではないかと危惧していた。深圳の建設の成果はあれこれ心配した者に明確な解答をあたえてくれた。特区の姓（属性の意）は社会主義であり、資本主義ではない。深圳の情況からみると、公有制が主体であり、外資は四分の一にすぎない。外資の部分からもわれわれは税収、雇用拡大などの利益を得られるではないか。もっと外資系企業を増やしてよく、恐れてはならない。

広東が二〇年でアジアの「四小竜」に追いつくには、経済だけでなく、社会秩序、社会風紀もりっぱにしなければならない。二つの文明（物質文明と精神文明）の建設で彼らを超越してこそ、中国の特色ある社会主義なのである。シンガポールの社会秩序は好いといえる。彼らは管理が厳しい。われわれは彼らの経験を借用し、しかも彼らよりもうまく管理しなければならない。

開放以後、一部の腐敗したものが入ってきて、中国の一部の地方に麻薬、売春、経済犯罪など醜い現象もあらわれた。りっぱにつかみ、断固として取り締まり、打撃をあたえるべきであり、放任してはならない。

・社会主義の重大な曲折

われわれは社会主義を数十年やってきたが、まだ初級段階にある。社会主義制度を強固にし発展させるには、まだ長い歴史段階が必要であり、われわれ数代、十数代、いや数十代が努力奮闘しなければならず、断じて軽視してはならない。

道は曲折している。資本主義が封建主義に代わるのに数百年かかり、いくども王朝の復辟が発生した。だから、ある意味では一時的にある種の復辟が起こるのは、完全に避けることのできない法則的現象である。一部の国家(旧ソ連、東欧を指す)で重大な曲折があらわれたが、人民は鍛錬を経て、そこから教訓を吸収し、社会主義をより健康な方向に発展させるであろう。

極左偏向防止

鄧小平のいう「肝っ玉を大きくせよ」とか、「纏足女みたいなのはダメだ」とか、「突破の精神」「冒進の精神」の強調など、コトバまで毛沢東と同じだ。南巡談話によって鄧小平は保守派の攻勢に対して、断固たる逆襲に転じたわけだが、そのポイントを整理してみよう。

第一は保守派の提起した「和平演変」論をあらためてしりぞけたことである。「和平演変」とは、かつてアメリカの国務長官ダレスが「中国封じ込め」政策のねらいを説明して、社会主義体制を平和的手段すなわち経済的手段によって瓦解させようとした考え方である。毛沢東はこの危険性をしばしば強調したが、その衣鉢をつぐ保守派がこの論点を「姓資姓社」問題として提起した。すなわち改革開放路線の本質が資本主義の範疇に属するのか、社会主義の範疇に属するのかを改めて点検せよとせまったのである。これは旧ソ連解体という異常な衝撃のなかで、彼らが改革開放の行方に危惧を抱いて声高に叫んだものである。これに対して鄧小平はさらなる開放政策を通じて経済を発展させ、大衆の支持をかちとる以外に、共産党が執政党として生きのこる道はないと反撃した。すなわち生産力の発展に有利かどうか、総合国力の増強に有利か否か、人民の生活水準の向上に有利か否か、をもって政策の当否を判断する基準とせよと強調した。これがかつての白猫黒猫の再版「新猫論」にほかならない。

第二は、保守派の安定成長論をしりぞけ、高度成長論を対置したことである。鄧小平時代の十余年のうち改革開放が大きく進展したのは、胡耀邦と趙紫陽が第一線で奮闘した八〇年代半ばから後半にかけてだが、鄧小平は一九八四〜八八年の経済的成功をこう自讃している。農産物が大幅に増え、農民の所得が大幅に増え、郷鎮企業という別働隊があらわれた。自転車、ミシン、ラジオ、腕時計の「四種の神器」が農民の家庭に入った。工業は年率二割以上の伸びをしめし、カラーテレビ、電気冷蔵庫、洗濯機が大幅に伸び、鋼材、セメントなどの生産手段も大幅に伸びた、と。他方、彼は天安門事件以後三年間、江沢民、李鵬体制のもとでおこなわれた経済調整（一九八九〜九一年）に対しては「単に安定の功績にとどまる」と酷評している。

第三のポイントは経済成長にともなう格差問題の扱いである。鄧小平は「先に豊かになる」ことを奨励し、地域格差、所得格差の拡大を容認し、これを保守派が平等主義堅持の立場から批判していた。鄧小平いわく、「いまは発達した地域の活力をそいではならない。今世紀末に小康水準に到達したときに、この問題を解決することを構想したらよい。そのときになれば、発達地域は、多くの利潤、税金と技術移転などを通じて未発達地域を支持できよう」。この発言はウラを読めば、当面すなわち世紀末までは沿海地区の発展しかのぞめない。格差問題解決への有効な対策はないことを語ったものに等しい。この種の議論において鄧小平はじつに率直である。

これらの論点をまとめると、要するに「極左偏向防止」になる。いわく、中国では主として、「左」を防がなければならない、と。鄧小平路線を右として攻撃する側を、彼はカッコ付きの〝左〟であって、真の左翼ではないと反駁したのであった。

蘇生する中国経済

鄧小平の遊説は中国内外に大きな反響をまきおこした。天安門事件以後、広東省や山東省など一部地域を除いて、全国的状況をみると、改革開放路線は足踏み状態の感じさえみられたが、九二年夏ごろから中国経済には新たな大きなうねりがまきおこった。こうして九二年の中国GNP成長率は実質で一二・八パーセントの伸びとなった。この数字にはいくらか「水分」が含まれているとしても、世界的な不況のなかで、中国経済の活況ぶりはきわだっている。特に目立ったのは、外資導入の激増であった。

九二年は、契約ベースで七八～九一年の累計額六〇〇億ドル台を一挙に突破し、六八五億ドルを記録した。実績ベースでみると、八八～九一年は毎年一〇〇億ドル台であったが、九二年は一八八億ドルと九割増であった。とりわけ特徴的なのは、台湾の大陸向け投資の急増であった。それは九二年までの累計で九〇億ドル弱となり、アメリカの累計五〇億ドル弱、日本の累計四一億ドルを一挙に追い越して、両者の約二倍の水準になった。

春秋の筆法を用いるならば、鄧小平のアジテーションが改革開放の春をもたらし、これを好感した外資が続々と中国大陸に押し寄せた形であった。天安門事件直後の暗雲の垂れ込めたような沈滞ムードは、一掃され、中国にはふたたび明るさがもどってきた。

鄧小平が九一年春に試みた改革開放の復活構想は、旧ソ連の解体衝撃のために一時的に挫折を余儀なくされたが、九二年の南方巡視を通じてみごとに成功したわけである。こうした改革開放ムードのなかで、九二年一〇月に第一四回党大会が開かれ、ポスト鄧小平期を担う新指導部が選出された。晴れて党総書記に選ばれた江沢民の「社会主義市場経済論」を中心とする政治報告の基調は、経済改革の部分に関するかぎり第一三回党大会の趙紫陽報告に酷似していた。いまや経済改革の蘇生は誰の目にも明らかであった。

かくて天安門事件の後遺症は、経済の分野ではほとんど消え、人々は政治については口を閉ざし、ひたすら経済発展による生活の向上へむけて走り出した。

鄧小平改革の成果

ここで鄧小平時代の経済建設の成果を毛沢東時代のそれと比較してみよう。『新中国五〇年統計資料匯編』(北京・統計出版社、一九九九年)の数字から、GNPを比較すると、毛沢東時代の二五年間(一九五二～七六年)の成長は年率で五・六一パーセントであったのに対して、鄧小平時代の二〇年間(一九七八～九七年)は九・二一パーセントであった。鄧小平時代には毛沢東時代よりも成長率が六割程度大きいことがわかる。

　つぎに人口増加率は毛沢東時代の二五年間は年率一・九七パーセントであったのに対して、鄧小平時代の二〇年間は一・二四パーセントであり、〇・七ポイント（五割）低下している。一人っ子政策のおかげである。GNPの成長率と総人口の増加率の差が一人当たりGNPの増加率をしめすことになる。毛沢東時代には三・六四ポイント、鄧小平時代には七・九二ポイントである。この数字からわかるように、人口一人当たりの生活水準は鄧小平時代には、毛沢東時代よりも倍増スピードで向上した。念のために、一人当たりGNPの統計で確認すると、毛沢東時代には年率三・五六パーセントにすぎなかったのに対して、鄧小平時代には七・九二パーセントであった。理論的には両者は一致するはずだが、微妙な食い違いが残る。いずれにせよ、経済建設の面で鄧小平路線の勝利は明らかだというべきであろう。

　ただし、ここで公平のために、二つの時代の差を指摘しておくべきだろう。後述のように、毛沢東の生きた時代は「冷戦時代」であり、なによりもまず国防第一であった。これに対して鄧小平時代は「脱冷戦」の時代である。毛沢東は冷戦時代を生き延びるために、野心的な冒険に乗り出して大失敗した。鄧小平はこの失敗をみつめるところから新たな政策を打ち出したのであった。

鄧小平の評価

　鄧小平の戦略の意味を考えてみよう。一九二七年師走、鄧小平は上海の地下党本部で中央秘書長になったが、このとき二三歳という若さであった。以来、彼は党活動の中枢を歩みつづける。百色暴動をおこして右江ソビエトを作り、江西省の中央根拠地で県委員会書記をつとめるほどの活動家になったが、毛沢東路線に追随したカドで、最初の失脚（「一下」）をあじわう。

長征の過程で、毛沢東の復活と連動して中央秘書長に復帰（「一上」）した。抗日戦争期には八路軍一二九師団政治委員として活躍した。解放戦争期には第二野戦軍政治委員として、淮海戦役、揚子江渡河作戦を指揮し、きわめて大きな軍功を立てた。

中華人民共和国の建国以後は、国務院副総理や党の総書記（五二〜六二歳）として、党務や政務の処理に抜群のさえをみせた。しかし、文化大革命期には二度失脚した。劉少奇につぐ「全国第二号、最大の実権派」としてまず打倒（「二下」）され、七三年三月に復活（「二上」）したものの、七六年四月の天安門事件（第一次）で三度目の失脚（「三下」）に追い込まれた。そして毛沢東死後の七七年七月にようやく三度目の失脚から復活（「三上」）した。

毛沢東時代（広義では三五年の遵義会議から七六年まで、狭義では四九年の建国から七六年の死去まで）における鄧小平の役割は、毛沢東路線の実行者として、いわば執行の役割に限定されていた。むろん、執行においても「白猫黒猫」論が象徴するように、鄧小平流の創意が含まれており、ときに毛沢東を激怒させたことはいうまでもない。毛沢東時代に鄧小平は「皇帝・毛沢東」から戦略を学び、「宰相・周恩来」から行政の手腕を学んだといってよい。三度失脚し、三度復活した（原文＝三下三上）が、この過程で鍛えられた政治能力、調整能力が全面的に発動されたのは、七八年一二月の第一一期三中全会で党内の主流派になってからであった。

鄧小平は「石を摸して河を渡る」〈大胆に、かつ川底の石を探るように慎重に前に進むこと〉という試行錯誤を経て、ついに「中国的特色をもつ社会主義」のスローガンに集約される方針を提起するに至ったが、この鄧小平思想はどのように評価できるであろうか。

鄧小平の知恵

一九四九年革命の成功によって毛沢東が幻惑され、大躍進の失敗の政治的痛手を隠蔽しようとしたとき、毛沢東の『実践論』は天空に漂い始めた。いまや観念論に堕した毛沢東思想に痛撃をあたえ、その「実事求是」を換骨奪胎して、現実論までひきもどしたのが鄧小平の功績である。彼には深遠な哲学や高踏的な理論はない。

しかし、その「知恵」はなかなかのものではないか。旧中国の租界の悪夢と台湾や韓国の輸出加工区の教訓とを折衷して「経済特区」構想をぶちあげたかと思えば、香港や台湾の経済力を巻きこむ（最終的には統一を目指す）ために「一国両制」構想を打ち出した。社会主義中国に植民地香港と資本主義台湾をとりこむための知恵である。

鄧小平の理論や政策がきわめて折衷的なのは、なによりも現実政治の場での実現可能性を優先させるからであろう。実際家、実務家たる鄧小平には「理論信仰」的匂いはまったくない。ここに鄧小平の真骨頂がある。

「右に警戒すべきだが、いま主要なのは左を防ぐことだ」といった言い方のように、玉虫色の折衷策が多いが、単純に中間をとっているわけではない。やや距離をおいてみると、鄧小平路線の目ざす歴史的方向性は明確である。

第一に、七〇年代末に日本や四小竜（ＡＳＩＡ　ＮＩＥＳ）の高度成長の意味を的確に把握した。彼は一九七九年一二月に大平正芳首相と所得四倍増論議をくりひろげたが、これは鄧小平路線の出発点としてきわめて重要である。

第二に、戦後世界の枠組みを作っていた冷戦体制の終焉(しゅうえん)を予感して、毛沢東流の「第三次大戦不可避論」を修正した。大戦は避けられる、今後は平和と発展の時代だと彼は世界の潮流を正しくとらえた。こうして解放軍を四〇〇万から三〇〇万に削減した。八五年のことである。米ソによる軍縮交渉の行方を先どりした面がある。

第三に、鄧小平は「反社会主義の勧め」さえやったことがある。一九八八年五月八日、モザンビークのシサノ大統領と会見した際に、こう語った。「中国の経験によれば、あなたがたは社会主義をやるなかれ、とお勧めしたい。少なくとも大雑把な社会主義（スターリン・モデルの社会主義）は、やってはいけないし、もしやるとしてもあなた方自身の国の特徴をもつ社会主義をやるべきである」と。

毛沢東 vs. 鄧小平

ここで毛沢東と鄧小平を対比してみよう。毛沢東が反帝国主義闘争を指導して、中国を独立させた功績は不滅であろう。しかし、経済建設においては大きな誤りをくりかえした。大躍進期に約一五〇〇万～二〇〇〇万の人々を餓死せしめた政治的責任はことのほか重い。また核戦争による人口半減の危険性を信じていたこともあって、人口抑制政策を軽視した。

毛沢東時代をつうじて人々の消費生活が改善されなかった理由の一因は、戦争にそなえる戦時経済体制のためであり、これは国際情勢からして余儀なくされた側面である。しかし、計画経済体制や人民公社制度が現実に適合しなかったことが経済発展のさまたげになったのはみずからの理論的、実践的失敗である。

鄧小平時代には、平和な環境のゆえに、軍備の削減を可能とする条件が存在したことのほかに、脱計画経済、市場経済化への方向を模索したことによって発展を加速できた面が大きい。

このような転換の功績は、人民の消費生活面での要求や香港、台湾という「ライバル」、そして二〇〇〇万におよぶ海外華人・華僑の存在など政策転換をせまる条件が背景にあったことは確かだが、その潮流を読みとり、政策の方向を大転換させえた功績は、あくまでも鄧小平の英断に帰せられるであろう。経済建設の面では、明らかに実務家鄧小平の方が理論家、理想家毛沢東よりも優れていたと評価して大過あるまい。

実務家鄧小平を思想家（理論家）毛沢東と比較すると、思想の深さや徹底性の点で、毛沢東に軍配があがるであろう。しかし、哲学者が政治家として優れているかどうか、それが庶民にとって幸福かどうかはべつであろう。大きな理論体系をもつ指導者が大きな誤りを犯した現実をすでに観察してきたわれわれの評価基準からすると、むしろ「石を摸して河を渡る」鄧小平流の「小さな理論」こそが誤りを小さなものとしうる点で好ましい。むしろこう表現すべきであろう。四九年革命の時代はまさに思想家、哲学者毛沢東の時代であった。それと同じような意味で、建国以後の中国に必要なのは、思想家ではなく、鄧小平のような行政家、実務家であったのだ、と。

鄧小平は毛沢東のもとでゲリラ活動をやり、江西ソビエト時代に失脚をつきあい（いわゆる反羅明闘争）、長征に従軍した。全国的政権の樹立後は、党主席毛沢東のもとで共産党総書記をつとめた。人格的にも思想的にも毛沢東の枠をこえられないのは、あたかも孫悟空が釈迦の掌中から出られない姿を想起させる。これが常識的見方である。

実は、これはマヌーバーであるかもしれない。鄧小平は毛沢東をあざむき、保守派をあざむくために、みずからをあざむいているのかもしれない。毛沢東がみずからを孫悟空になぞらえたことは、旧著『毛沢東と周恩来』で紹介したが、もし毛沢東が孫悟空なら、鄧小平を釈迦に比定することもできるはずだ。この譬喩は唐突にみえるが、鄧小平株はいまや周恩来を超えて、毛沢東のそれにせまりつつあるのだ。人間の認識はいつも歴史の展開よりもおくれがちである。二一世紀に視点をすえて、九〇年代を逆視すると、今日の常識とは異なる評価になる可能性さえある。

鄧小平は運のつよい人物である。おきあがり小法師（こぼし）のように三回の失脚から立ち直ったことは、すでにふれたが、いま四回目の復活——名誉回復を果たそうとしている。

仮に、鄧小平が天安門事件直後に改革開放路線が「名存実亡」化したときに亡くなったとすれば、人民に対して正規軍の銃口をむけた「歴史の大悪人」のイメージだけが肥大化した可能性がつよかった。しかし、一方では旧ソ連が解体し、他方では、中国経済が高度成長をつづけているおかげで、鄧小平イメージがいま急速に、「改革開放の旗手」「中国再生の旗手」としての明るいものに再修正されつつある。日本を含む中国の隣国の人々は、こぞって中国の政治的安定、社会的安定をつよくのぞんでいる。その枠のなかで経済発展がおこなわれ、中産階級が形成されたのちに、確かな条件のもとで民主化が徐々に進行することをのぞんでいる。

「唐辛子風味のナポレオン」は、党内では、厳父毛沢東と慈母周恩来の双方の薫陶を受けて革命家、実務家になり、両者に優るとも劣らないほどの統治能力を発揮した。

　毛沢東思想はかつて「社会主義が全世界で勝利し、帝国主義が全世界で崩壊する時代のマルクス・レーニン主義」と呼ばれたことがある。いまや時代の潮流は一変した。「社会主義が全世界で崩壊」し、こぞって脱社会主義、脱計画経済から市場経済化への道を模索する時代である。共産党や社会主義の旗をひきつづきかかげながら、撤退作戦を展開するのは、進撃よりももっと困難かもしれない。このような時代にあって、中国社会主義の静かな「安楽死」、グローバルな市場経済への軟着陸への道を鄧小平は切り開いた。

　若き鄧小平はかつて中華人民共和国の建国に粉骨砕身したが、老いた鄧小平は、この国の再生に最後の闘争をかけて一九九七年春静かに消えた。


（初出・『鄧小平』講談社現代新書、第3章〜第5章、一九九三年六月。

のち『鄧小平』講談社学術文庫、第三章〜第五章、二〇〇三年八月、所収）

中国市場経済の行方

九一年副総理就任早々に三角債問題を解決、その後も外貨兌換券制度の廃止、香港ヘッジファンドの撃退など、鄧小平の意を受けて市場経済化を加速するために辣腕をふるい、朱鎔基への期待は高まった。他方、朱への風圧あるいは朱降ろしの党内世論も強まったが、九八年には総理（在任五年）に昇格する。「「ヨーロッパ的結合」があるなら、アジアにもそれなりの結合の形がありうるはずだ。〔中略〕ヨーロッパ統合の核心が独仏の和解にあったとすれば、アジアでこれに対応するのは日中の和解である」と著者に言わしめるほど、朱鎔基の時代は日本と中国、東アジアの可能性を期待させる時代だったといえる。

なぜいま朱鎔基なのか

1　二〇〇〇年正月、朱鎔基の「勝利宣言」

今世紀最後の一年が明けた二〇〇〇年一月七日、北京で大きな経済講演会が開かれた。主催者は、中国共産党の中央宣伝部、中央直属機関工作委員会（党本部直属の党員を指導する）、中央国家機関工作委員会（国務院などに所属する党員を指導する）、解放軍総政治部（総政治部とは軍内部の党員組織である）、そして首都北京市の共産党委員会である。場所は天安門広場の一角に位置する北京人民大会堂だ。講演者は本稿の主人公朱鎔基である。これは「情勢報告会」であり、中国経済の当面する諸問題について舵取り役の朱鎔基が報告したものであった。朱鎔基は次のように述べた。

「九九年は一連のマクロ経済政策措置により、年初に確定された経済発展目標を実現した（七％が目標値であり、当時国家統計局の速報値七・一％という見通しが発表された直後であった）。国有企業の改革と赤字脱却には大きな進展があり、輸出は大幅に回復した。財政収入も増えた。金融情勢も安定している。人民元為替レートも安定し、外貨準備が増えた。つまり、全体的な経済情勢は良い方向に発展している」。

これが経済情勢に対する基本認識である。ついで二〇〇〇年の課題をこう指摘した。

「二〇〇〇年は世紀交替の一年である。（一九九九年一一月に行われた）中央経済工作会議で決定された内容を真剣に実行しなければならない。すなわち内需を拡大するマクロ経済政策を執行し、輸出を拡大し、外資を利用し、社会保障システムの建設を加速することである」。

朱鎔基講演の聞き手は誰か。北京の党・政・軍関係の諸機関に働く「部級、司級」幹部たちである。ここで「部級」とは国務院の閣僚たちである。国務院は外交部、財政部などのように「各部」は日本の「各省」に相当する（上海市、広東省など「省レベル地方政府」は都道府県自治体に対応）。党機関、軍機関にも政府機関に似て、閣僚級ポストがいくつもある。これらの閣僚級幹部、そして閣僚を支える「次官」級幹部もほぼ同格であるから、これに参加した。そして「次官」級（中国では「副部長級」）の下の地位は「局長級」（中国では「司級」）であり、このポストまでの幹部が講演の聞き手である。この会議に出席する資格をもつ者こそが中国共産党の「高級幹部」と呼ばれる人々である。そしてこの重要講演はマスコミを通じて全中国に伝えなければならないからマスコミ関係者も列席する。このため北京のマスコミ関係者だけでなく、全国各省レベルのマスコミ代表と共産党宣伝部長も列席した。その数はざっと三三〇〇人以上である。日本と中国は国情が異なるが、仮に東京の武道館あたりで霞ヶ関の局長級以上の高級官僚（自衛隊を含む）を全員集合させる会議を想定してみると、その会議の大きさが推測できよう。

九七年後半に猛威を振るったアジア通貨危機の悪影響が広がり深まるなかで、九八～九九年の中国経済も当然に困難な局面に立たされ、人民元切下げ必至の観測も広く行われた。しかし過去二年間、そのような事態に追い込まれることはなく、この二年間の実績から判断して二〇〇〇年もまた人民元切下げを避ける見通しがついた。さらに九九年一一月にはWTO（世界貿易機関）についての米中交渉も妥結した。まさにこの段階で過去を総括し、今後の見通しを展望する大演説を朱鎔基が行ったわけだ。

私はインターネットを通じて中国共産党の新聞『人民日報』にアクセスし、この情報に接し、「朱鎔基の危機脱出宣言」、すなわち事実上の「勝利宣言」という感想を抱いた。そこでこの話を学生や知人にもちだしてみると、ほとんどが知らないという。あわてて確かめてみると、日本のマスコミはほとんど報道していない。これはいったいどうしたことか。隣国の大きな動向にまるで鈍感な日本の中国報道に対して私の不満はかねて鬱積しているが、最近はマスコミが痴呆症状ではないかと痛感することが多くなっている。マスコミが痴呆化しても無害ならば放置すればよい。しかし実際には巨大マスコミの影響力はかえって強まっている可能性があるから困る。隣国の動向を誤解して無用の疑心暗鬼を増幅させることほど、わが国の安全保障にとって危険なことはない。私が中国と中国語の勉強を始めたのは四〇年以上も昔のことだが、いまほど中国の実情をありのままに知る必要性が生じたことはないと感じている。

毛沢東時代の中国は基本的に鎖国政策を採用していたのに対して、鄧小平時代に開国が行われ、ポスト鄧小平時代には開放度がますます強まり、日中経済の相互依存関係も広がり深まりつつある。いまわれわれの日常生活をざっと見渡しただけでも、衣食住あらゆる分野でMade in China製品にほとんど包囲されている事実に気づく。事柄は中国人から見ても同じだ。中国工業の立ち遅れを認識する過程で日本製カラーテレビの画像の鮮明さがどれほど役立ったことか。あるいは外貨獲得に貢献する中国産品のなかに、味噌・醬油や中国製日本酒までが含まれる現実から相互依存の一端を彼らも知りうる。一九七一年の国連復帰が政治面における国際社会入りの第一歩だとすれば、二〇〇〇年に予定されているWTO加盟は、経済面での国際社会入りの「仕上げの第一歩」である。中国の加盟は「途上国」としての優遇を受けたものだが、いずれはこの地位から飛躍して、途上国段階を卒業しなければならない。通貨の面では、人民元を「資本取引のレベルで自由化」し、ハードカレンシーにしなければならない。そこまで行かないと一人前の経済とはいえない。課題は大きく、解決は困難だ。その困難さは容易に推測できる。とはいえ、鄧小平時代の改革開放二〇年の歴史を顧みると、その変貌の大きさに驚かされるし、このような柔軟な対応にかつて成功した中国ならば、今後二〇年の努力によってさらに大きな飛躍も期待できよう。つまりは二〇二〇年の中国の姿はすでに遠景に浮かんでいるのだ。

むろん、もう一つの展望を描くこともできる。隣国が経済発展に失敗し、大量の難民を輸出する悪夢である。もし悪夢が現実化するならば、東アジアに位置する日本社会が最も深刻な影響を受け、破滅するのはほぼ必至であろう。そのような道を歩み始めたならば、もはやどのような安全保障対策も無用の長物と化するに違いない。イデオロギーに毒された視野の狭い戦略家たちの煽動に乗ることほど愚劣かつ危険なものはない。いまこそ中国をありのままに理解しなければならない。中国理解の基礎として中国経済の実情を理解しなければならない。

2　宰相・朱鎔基の登場

国務院総理に選ばれた朱鎔基が九八年三月一九日総理として初の記者会見を行った。今後五年、最も挑戦的な課題は何か、との質問に朱鎔基は、「一つを確保し、三つを実現し、五つを改革する」（原文＝一個確保、三個到位、五項改革）と答えた。まず「一つの確保」だが、九八年に確保すべきは、「GDP成長率八％、インフレ三％以内、人民元切下げなし」である（これは実現された）。次に「三つの実現」とは何か。一つは、三年前後で「大中型の赤字国有企業」に現代的企業制度を樹立する。二つは金融システムの改革。中央銀行を強化し、商業銀行の自主経営を実現する。三つは国務院の行政改革。四〇の役所を二九に削減し、八万人の定員を半減する。最後に「五つの改革」とは何か。第一は食糧の流通体制改革。連続三年の豊作で在庫は豊かだ。大きな自然災害が二年続いたとしても、食糧の欠乏はありえない。第二は投融資体制の改革。現行の許認可制度の欠陥のために市場調整がうまくいかない。このため重複建設をもたらしている。第三は住宅改革。「福利政策としての住宅分配」をやめて、「商品として販売」する。第四は財政改革。国税と地方税を分ける「分税制改革」は九四年に実現されたが、政府機関が正規以外の「各種費用」を徴収する問題がある。「費用」が「税金」よりも多いケースさえある。規定以外の費用をみだりに徴収することは許されない（中央政府が地方当局から「乱収費」と非難される）。第五は「科学教育による立国」だ。これまでは資金がなくて科学立国ができなかった。役人が「資金を食って」しまった。

朱鎔基の応答は当意即妙であり、一方で科学や教育の意義を強調し、返す刀で行政改革の世論作りを導いた。「中国のゴルバチョフ」や「エコノミック・ツァー」のあだ名に対する感想を求められて、「そのあだ名は不愉快だ。私は人民の期待に応えられないことをのみ恐れる。だが、前方にあるのが地雷陣であれ、千仞（せんじん）の絶壁であれ、私は前進あるのみ。鞠躬尽瘁（きっきゅうじんすい）、死而後已（ししてのちやむ）だ」（諸葛孔明「後出師表（すいし）」）と言い切った。「死してのち已む」の意味がわからず、「死ぬまで総理のポストを辞めない」と権力亡者もどきに報道した無学な記者もあったが、その笑話はさておき、この言葉を聞いて、涙を流した中国人が少なくなかった由だ。さもありなん。ゲリラ時代の共産党員は、民衆の先頭に立って戦い犠牲となったが、執政党になってからの腐敗堕落ぶりは、目に余る。朱鎔基が名宰相の名に恥じない片鱗を見せた記者会見であった。

3　朱鎔基への風圧強まる（九九年初夏）

宰相朱鎔基はこのようにさわやかに登場したが、その行く手には、彼自身の予想よりもはるかに大きな地雷陣や千仞の絶壁にも似た危険が待ち受けていた。その風圧は、「私は前進あるのみ。鞠躬尽瘁、死してのち已む」と断言した豪気な人物をもときに弱気にさせるほどの厳しさであった。高齢にもかかわらず宰相に選ばれた朱鎔基は、就任一年目の九八年を通じて国有企業のリストラへの大号令をかけ、中央政府の行政改革すなわち役人の半数の首切りを公約通り年内に断行した。私は九八年師走にＮＨＫ衛星放送「激動する世界経済・中国篇」の取材チームに同行して、廃止された役所の門前に立ち、リストラされた高級官僚の再訓練風景を国家行政学院や清華大学経済管理学院で確認した（放映は一九九九年一月二日夜）。朱鎔基の号令を受けたこれらの大手術は、アジア通貨危機のさなか、ＧＤＰ成長率が七・八％、すなわち雇用創出の小さいなかで行われたために、リストラ不安ムードは一挙に高まった。朱鎔基にとって改革への抵抗は、いちおうは折り込み済みではあったものの、事態は予想以上の展開となった。朱鎔基への期待は怨嗟（えんさ）の声に変わり、その風圧は彼自身をときにたじろがせるほどに強まった。

不満爆発の契機は中米関係のトラブルであった。

朱鎔基は九九年四月六日から二〇日まで米国とカナダを訪問し、二一日に帰国した。その訪米は、米国社会に朱鎔基という「新しい顔」を売り込む点では成功したが、WTO交渉がまとまらなかった点では失敗であった。問題は交渉が妥結できなかったばかりではない。朱鎔基の妥結を前提とした大胆な譲歩案を米国側が一方的に公表したことによって、朱鎔基の「失策」が印象づけられた。これは果たして朱鎔基のミスなのか。即時決着を想定した譲歩案を土壇場で蹴り、しかもその譲歩案を一方的に公開してみせたクリントン大統領のやり方は、ほとんど信義に悖るやり方である。つまりクリントンは朱鎔基の頬にジャブを一発食らわせて帰国させた。それだけではない。朱鎔基が帰国してまもなく、九九年五月八日にユーゴの中国大使館が誤爆され、三名の中国人が死んだ。中国の学生たちは激昂し、北京の米国大使館に投石の嵐を浴びせた。燃え上がった中国ナショナリズムの攻撃対象は、当初はむろん米国当局であった。ところが対米抗議活動が抑えられる過程で攻撃対象はすり替えられた。そのように野蛮かつ無礼なふるまいをする「米国に媚態を売った」朱鎔基の「屈辱外交」「売国外交」批判へと論点がすり替えられた。その背後にあるのは、前年のリストラへの恨みであり、九九年のリストラ政策への形を変えた抵抗であった。

九九年六月中旬、朱鎔基への風圧はピークに達した。六月一八日全国教育工作会議閉幕式を主持した朱鎔基は、江沢民と対応を協議したのち、ぶり返した腰痛の治療をかねて、浙江省杭州に静養にでかけた（この間、二三日東京で開催された二一世紀委員会に祝電を送り、二五日には国内の「全国部分省区勘界工作会議」に書面の指示を送っただけである。これは秘書だけでできる仕事だ）。六月一九日から二七日までの九日間の体暇中に、国内で「朱鎔基、辞任か」の噂が広まった。成行きに驚いて急遽帰京した朱鎔基は六月二八日パキスタン・シャリフ首相と会見し、健在を示したが、国内の噂はまず香港に飛び火した。英字紙『サウスチャイナ・モーニングポスト』（六月三〇日付）が辞任騒動を報じた。即日、香港やジャカルタの株式市場が下落し、翌七月一日には辞任情報が逆輸入され、上海B株は七・九％も大幅下落した。ロイター六月三〇日（東京時間二一時すぎ北京発）が米国に向けて、「アジア株下落」を伝え、これを契機に、『ウォールストリート・ジャーナル』七月二日付が辞任騒動を報道した。北京では七月一日付『人民日報』が朱鎔基の活動を伝える二つの記事を報道したあと、二日付『人民日報』は一面トップで、前日に行われた国防科技工業一〇大集団公司の成立大会における朱鎔基の重要講話を報じた。このニュースは国有企業改革、とりわけ解放軍側の反発も予想される軍事工業関連部門の改革が朱鎔基のプログラム通りに進展していることを示唆した。つまり中国当局はこのニュースによって、朱鎔基辞任の風評を沈静化しようとした。

『ウォールストリート』を読んで、あわてて問い合わせてきた知人に、私はこう説明した。「死しての ち已む」と大見得を切った朱鎔基の辞書に「辞任」なる語彙はなさそうですね、と。かくて朱鎔基「辞任騒動」は、ここで一件落着だ。しかし、北京駐在のジャーナリストたちにとっての「辞任騒動」はここから始まり、米中WTO交渉妥結の一一月中旬まで続き、その後遺症は年が明けても続いている。正月の朱鎔基講演がほとんど無視されたのは、その証左というべきであろう。

特派員たちを呪縛した憶測の根拠としてもっとももらしく語られたのは、以下のような「証拠」なるものだ。いわく、中央財経領導小組の「組長が朱鎔基から江沢民に代わった」のは、朱鎔基の格下げではないか。朱鎔基の国有企業案は「挫折し、担当から外された。これは失脚寸前を意味する」などである。私の見方はこうだ。中央財経領導小組という党レベルの最高意思決定機関は、経済政策の最も重要な方針を決定する党中央の機関である。その性格および現行の集団指導体制からして、その組長は当初から江沢民であり、朱鎔基は副組長のはずである（ただし、近年の報道は少ない）。「組長交替」なる確認されていない事柄を根拠に地位の低下や降格を語るのは憶測にすぎない。国務院官僚群を半減する大リストラや国有企業の大胆なリストラが、広範な反発を招いたために、朱鎔基が矢面から離れ、江沢民・呉邦国コンビが前面に出て、国有企業改革についての決定（九九年九月、四中全会決議）をまとめたのは事実である。しかし、呉邦国はもともと国有企業担当だ。朱鎔基の問題提起を受けて、江沢民がトップとして前面に立つのも、集団指導体制のもとではおかしくはない。四中全会では、「三カ年で大型企業を赤字から脱却させる」朱鎔基の目標が否定され、「二〇一〇年まで延期された」と各紙が書き立てた憶測も根拠薄弱だ。二〇〇〇年までに大型企業の赤字脱却にメドをつける話と、二〇一〇年までに国有企業全体の再編成を行う話とは、対象が異なるのだ。現に「二〇〇〇年目標」と「二〇一〇年目標」は、その後の報道でも矛盾なく併存している。

国有企業改革の担当者の調整は、朱鎔基の訪米前と推測できる根拠がある。朱鎔基が米国・カナダ訪問から帰国したのは四月二一日である。江沢民が四川省を五日間視察したのち、四川省成都市で国有企業改革の座談会を開いたのは、朱鎔基が帰国した翌二二日である（江沢民の国有企業座談会は、その後五月三〇日武漢、六月一七日青島、八月一二日大連と続く）。この時間的経緯から推測できるのは、江沢民らが国有企業の新方針を党中央レベルの問題として扱う決定をしたのは朱鎔基訪米前であることだ。

WTO交渉の成否と国有企業改革への江沢民「介入」には、因果関係はない。訪米前の時点で、四中全会へ向けた「一歩後退、二歩前進」の戦略は構想されていたと見るべきである。

故意か無知か、真相は不明だが、この種の憶測のみが闊歩し、日本のチャイナウオッチャーたちがほとんど自縄自縛に陥ったのは滑稽極まる成行きというほかない。

4　混迷する中国経済像――ポスト鄧小平から人民元切下げ騒動まで

私が「『ポスト鄧』の空騒ぎを嗤う」を書いたのは、五年前のことである（『諸君！』一九九五年四月号）。鄧小平死去を契機とした「中国崩壊」や「中国解体」などを語るのは、オオカミ少年の虚言に等しいと私は主張してきた。ポスト鄧小平が現実のものとなって三年、危言聳聴の誤りは事実によって論破されたはずである。にもかかわらず、中国の現実を敢えて色眼鏡で見ようとする潮流は、いぜん日本マスコミ界の主流であるようだ。香港返還前後、「金の卵を産む香港」を北京の指導者たちが崩壊させる危惧あり、とする議論も広く行われた。さらに第一五回党大会で江沢民が後継体制を維持できるかどうか疑わしいとする議論も絶えなかった。

これらの悲観論がすべて事実によって覆された段階で九七年秋から新たに登場したのが「中国発の通貨危機論」である。これは前から続いていた「中国バブル崩壊論」と連動して、人々の不安を煽り立てた。アジアの優等生たるタイやマレーシア、はては韓国までもが通貨を五割も切下げたのであるから、「劣等生」中国がこれに対抗するには、切下げ以外にはない。いまや焦点は、切下げの「有無」ではなく、切下げの「時期」である、といった議論がまことしやかに繰り返し報じられ、論じられたのが九八

～九九年であり、大新聞がこぞって一知半解の憶測を繰り返し書き続けた。

たとえば『朝日新聞』九七年一二月一四日付朝刊一面で船橋洋一記者が「香港・中国発の第三波が引き起こされる可能性」に言及した。これは韓国のウォン切下げに驚愕し、次は香港、中国と煽ったに等しい。実はヘッジファンドが香港ドルを攻撃し、香港通貨当局（ＨＫＭＡ）がこれを撃退したのは、ウォン攻撃の一カ月前である。香港当局が胸をなでおろしたあたりから日本での騒ぎが大きくなった。香港ドル防衛が一勝負ついた時点でそれを認識できず、ひたすら不安を煽ることしかできない半可通ぶりはまことに嗤うべきである。

不可解な話だが、切下げ論しか脳裏に浮かばないこれらの論者には、香港ドル防衛がなぜ現実的に可能なのか、そのメカニズムに無知であり、朱鎔基が第一副総理として陣頭指揮をとった過去五年間（九三～九七年）に中国経済が決定的な変化をとげた事実がまるで見えていない。彼らは天安門事件直後の混迷状況がいまも続いていると誤認しているのだ。かつての「劣等生」がいまや優等生になりつつあるのは、劣等生であることの痛切な自覚のうえに必死の努力を続けてきたからにほかならない。中国が夜郎自大を改めて、国際的に受け入れてもらえる基準に合わせる努力を行い、それが効を奏してきたことは、偏見を排して虚心に観察すれば経済指標から容易に読み取れる。九七年末時点で、中国の対外債務残高は約一四〇〇億ドルである（現在は一五一五億ドル）。外国からの借金は輸出などで得た外貨で返済するほかない。九七年の中国の輸出は一八二七億ドルである。対外債務残高と輸出額との比率を「債務率」と呼ぶ。中国の債務率は朱鎔基が金融秩序の整頓に乗り出した九三年には九四・五％であり、国際的警戒ラインの一〇〇％台に近づいていた。しかし九五年は七〇％に下がり、九七年末は六三・二％

である（『人民日報』一九九八年四月七日）。対外債務の総額は大きいが、輸出が堅調なので、警戒ラインを大幅に下回る。対外債務の重さを測るもう一つの指標は、デット・サービス・レシオ（DSR＝債務返済比率、中国語＝償債率）だ。これは債務の総額ではなく、各年の債務元利金返済額を分子にとり、輸出額を分母にとった比率である。中国の場合、九三年には九・七％であったが、九五年は七・三％に落ち、九七年も七・三％である。この指標の国際的警戒ラインは二〇％であるから、警戒ラインのはるか下にある。わかりやすく説明すれば、住宅ローンの返済額と月給の関係に似ている。ローンが多額でも月給が多ければ問題にはならないし、またローンの返済期限が長ければ、元利返済は容易であろう。朱鎔基の舵取りのもとで、中国経済がすでに「劣等生」の地位から脱却して、基礎的な体力を十分につけてきていることを、これらの指標は教えている。

朱鎔基は前述の三月一九日の記者会見で輸出減少分を補うに足る「新しい成長点」の模索を呼びかけた。つまりは内需拡大だが、モノは農村や内陸地区に売る。人は非公有部門や三次産業に向ける。カネは鉄道建設などインフラや科学技術に投入する。目玉は住宅の商品化などいくつかである。実は朱鎔基戦略の核心は、アジア通貨危機という逆風を逆手にとるものだ。逆風を利用して中国経済を離陸させようとする作戦にほかならない。狭義の経済のレベルでは、輸出減少分は内需で補うほかないが、そのやりくりだけでは限界があろう。朱鎔基はアジア通貨危機という外圧を極力利用して国論を統一し、改革への跳躍板とすることを構想した。この試みはすでに半ば成功したと私は解釈している。単に経済だけのレベルで問題を扱うのではなく、世論を喚起し、政治と経済全体のリストラによって対処しようという姿勢である。外圧や逆風を利用して行政改革をやり、国有企業や金融体制を改革するのだ。

5　朱鎔基なくして江沢民なし

朱鎔基は副総理時代の五年間、保守派との抗争でときに足をすくわれそうな危機を乗り越えて、果敢に改革を進めてきた。朱鎔基マシーンが本格的に始動したのは九三年七月である。中国人民銀行総裁李貴鮮を解任し、みずからそのポストに就いて、金融秩序の整頓に大ナタを振るうことから始めた。こうして高度成長を維持しながらインフレを抑えることに成功し、外貨準備高を七倍増させ、さらに国税と地方税とを分けて徴収する「分税」制を導入して中央政府の財源を確保するなど、バブル処理はなかば成功したのである。経済の再建において確かな実績を挙げてきたからこそ、朱鎔基が引退する李鵬と同年という「年齢の壁」を例外的に越えて総理に選ばれたのである。まさに「経済のわかる男・朱鎔基」(鄧小平の一語)以外にこの難局を乗り越えられないという認識で中南海が一致したからである。

凡庸極まる前総理李鵬との対照はいまや誰の目にも明らかであり、宰相朱鎔基への内外の期待は絶大である。では総書記江沢民と総理朱鎔基の関係はどうか。基本的には党務と政務の分業関係に尽きるであろう。むろん行政改革と国有企業改革や金融改革が進展するなかで、党組織自体の再編成もいずれは避けられまい。両者の部分的、限定的なトラブルは予想しえる。ただし、朱鎔基は戦略をもったテクノクラートであるし、二〇〇二年までには、呉邦国あるいは温家宝、二人の副総理のいずれかに総理のポストを譲る覚悟である。このような「改革の鬼」の気迫と実力を江沢民はただ利用することによってのみ、トップとしての面子を保ちうるであろう。その原型は上海時代に求められる。天安門事件当時、上海市は江沢民党書記、朱鎔基市長のコンビであった。肝心の六月四日前後、江沢民は北京におり、上海での指揮は朱鎔基が直接とった。朱鎔基が上海の混乱を未然に防いだおかげで江沢民が総書記に昇進できたことは明らかな事実である。意に反して李鵬と組まざるをえなかった趙紫陽の悲劇とは対照的に、江沢民は朱鎔基と組むことによって幸運を得た。

6 WTO加盟問題と朱鎔基の役割

九九年一一月一五日午後、訪中したバシェフスキー通商代表がお目付役のスパーリング大統領補佐官（国家経済会議担当）の見守るなかで、石広生部長（対外貿易経済合作部）とWTO妥結案に調印したシーンは各紙で大きく報道されたものの、この調印に至る過程で日本の北京駐在各紙特派員は見通しを誤り、世論を大きくミスリードした。年初以来の経緯を簡単に振り返ってみよう。朱鎔基訪米は四月六日〜一三日である。五月八日ユーゴの大使館誤爆事件が発生した。米国上院が包括的核実験禁止条約（CTBT）の批准を五一対四八で拒否したのは一〇月一三日である。共和党の批准拒否戦術が浮かび上がるなかで、九月一一日オークランドのAPEC会議でクリントン大統領と江沢民主席の会談が行われた。一〇月一六日クリントンは江沢民にホットラインを用いて電話をかけた。一一月三日付『ニューヨーク・タイムス』は「クリントン大統領が一一月内にWTO交渉を妥結させる意向だ」と報じた。この報道を裏付けるように、クリントンは一一月六日に再度江沢民に電話をかけ、バシェフスキー、スパーリング派遣の意図を説明した。二人の訪中について、『毎日新聞』はワシントン逸見義行特派員電（一一月九日付）を伝えた。「クリントン大統領は難航している中国のWTO加盟交渉を促進するため、バシェフスキー代表とスパーリング補佐官を急遽中国に派遣した。一一月三〇日からシアトルで始まるWT

〇閣僚会議を前にした米中間の閣僚交渉で、中国加盟問題が大きく進展する可能性が出てきた」「大統領補佐官も訪中する異例の展開で、米側の交渉決着への決意を示すものと受けとられている」。

この報道は実に的確にクリントン大統領の決意を伝えていたが、この好球を北京駐在の日本報道陣はまったくフォローできなかった（中国側報道は、一〇月一六日、一一月六日の二度にわたるクリントン電話の存在をこのワシントン電が報じられたのちに確認した）。もう一つのポイントは、米中交渉の煮詰まりの程度、四月の米中会談で妥結に至らなかった事情に対する分析である。四月一一日付『ニューヨーク・タイムズ』（Near Miss on Trade Agreement May Have Stemmed From Clinton's Distractions, David E. Sanger 記者）が報じたように、バシェフスキー通商代表、バーガー補佐官（安全保障担当）などは四月当時すでに妥結賛成派であった。しかし、ホワイトハウスの有力者ルービン財務長官などが反対した（ルービンの後任サマーズ長官は一〇月末に訪中してにこやかに談笑していた）。そこでジョン・ポデスタ首席補佐官が主として議会への根回し不足への危惧から、ホワイトハウス内定例会議で時期尚早を結論した経緯がある。当時、大統領はコソボ問題に忙殺され、中国問題を検討する時間を欠き、議会では核スパイ疑惑が騒がれていた。米中間の担当者同士の交渉としては、まとまりかけていたものが大統領の政治判断で妥結を見送られた。問題の所在はすでに「米中間にある」というよりは、「大統領府と議会の間、ホワイトハウスの議会対策」に移っていたのだ。

当時、中南海でいかなる権力闘争が行われていたかを知るのは困難だが、困難性を口実として、手前勝手な憶測を重ねることは、誤解を増幅させただけである。クリントン大統領が妥結を決意し、お目付役（すなわち議会対策の見極め役）としてスパーリング補佐官を派遣したことの意味はまるで無視された。各紙は「妥結はまずありえない」という予断と偏見に基づいて、「交渉が失敗すれば、朱鎔基はますます苦しくなるだろう」といった類の見当違いの憶測を書きまくった。

問題を整理しよう。まず四月の米中会談で交渉担当者たるバシェフスキーが妥結を主張し、スパーリング補佐官は議会事情をもとに妥結反対を主張した経緯を見極めること、そしてクリントン大統領がこの二人を派遣したことの意味を確認することが第一である。第二は、CTBT批准が議会によって拒否され、クリントン大統領は権威を失い、このままでは「史上最低の大統領」の汚名をこうむる危険性が高くなったという新たな状況である。これこそ大統領が「中国加盟」問題に取り組むよう迫られた直接的契機だと私は読む。ニクソン大統領が中国を国連加盟に導いた故事にあやかり、クリントンは「経済的国連」へ中国を導いた、という勲章が得られるならば、これは挑戦に値する課題だ。さて四月時点の交渉内容と一一月の妥結内容との異同について、バシェフスキー代表は、ノンバンクへの自動車ローンの解禁、自動車関税の引き下げ、インターネット事業への外資解禁などを挙げて「前進」を強調したが、これは議会向けの説明だ。むろん議会では四月よりも「後退した」とする批判も出ている。ただし交渉の中身は大同小異であろう。『ビジネス・ウィーク』（一一月二九日号）は、テレコム、インターネット、農業、流通、関税、銀行業、娯楽の七分野について、両者の異同を表にまとめている。この表を眺めると、英語で「win-win」、中国語で「双贏（シュワン・イン）」、を演出するための苦労が浮かんでいる。議会を納得させ、中国の保守派を説得するための演出だ。朱鎔基のシンタンク・国務院発展研究中心（センター）の新聞『中国経済時報』は調印に先立つ三日前に「猫の鈴は、鈴をつけた者が外す」と予想記事を書いた（一一月二一日）。「秋の妥結」を決断するのは、「春の妥結」を葬ったクリントンその人であることを巧みに示唆していた。

7 数奇なる朱鎔基の人生

中国の人口はおよそ一二億五〇〇〇万人である。国土は日本の二六倍に及ぶ。このようなサイズの大きな国を眺めるに際して、たとえばたった一人の男に注目するやり方がある。私は本稿で、朱鎔基を語ることによって、中国経済の実像を描いてみたい。朱鎔基は一九二八年生れだから、今年七二歳である。私よりも一〇歳年上なので、年齢を覚えやすい。中華人民共和国は一九四九年生れで、昨年建国五〇周年を迎えた。私は中国より一〇歳年長である。朱鎔基は建国のときに二一歳、名門清華大学の学生運動のリーダーであった。中華人民共和国が成立した当時、清華大学学生自治会の幹部として左翼運動のリーダーであった朱鎔基が右派分子のレッテルを貼られ、奈落の底に突き落とされたのはなぜか。突き落としたのは誰か。どのような政治状況のもとで起こった事件なのか。それはまさに中国が計画経済体制を旧ソ連から導入し、空想的社会主義の建設に邁進(まいしん)する過程で起こった事件にほかならない。そのような歴史の轍に踏みつぶされて消えていった知識人を数えたらキリがないほど多い。そこを生き延びて、共産党の出世階段を一気にかけのぼり、ついに宰相の座に坐った男が朱鎔基である。なぜそのような人事が可能なのか。誰が朱鎔基の才能を発見したのか。若きエリート官僚の未来を踏みにじったのは、毛沢東時代の中国共産党である。二〇年以上も干されていた男を抜擢し、宰相に任命したのも鄧小平時代の中国共産党である。

二つの共産党は同じ名称を名乗っているから、なんらかの共通性が存在することは明らかだ。しかし同時に、計画経済を目指す共産党と市場経済を目指す共産党は、経済建設における方向性はまるで逆である。これも明らかな事実である。ちなみに前者において「悪魔のごとき敵」として排撃された商品経済は、後者においては「神の見えざる手」として崇められているではないか。要するに、計画経済を推進する共産党が朱鎔基を党から右派分子として放逐し、市場経済を推進する共産党が朱鎔基を宰相に選んだのだ。

ひとたびは右派分子として追放された人物が宰相に返り咲くというドラマは、主役朱鎔基にとっても、その舞台となる中国共産党にとっても、見どころのあるドラマだ。私が徹底的に朱鎔基という男に視点を定めて、中国の市場経済を分析しようとするのは、このような問題意識に基づいている。私は本稿で、改革者朱鎔基の秘密に肉薄することを通じて、中国の計画経済の破産と脱計画経済、すなわち市場経済化への歩みを描く。中国経済の試行錯誤のジグザグ過程が朱鎔基の政治的生涯とそっくり重なっていることを明らかにしてみたい。敢えていえば九〇年代のグローバルな世界経済のなかで、中国の市場経済化の潮流こそが朱鎔基の采配を必要ならしめ、同時に市場経済の初歩的な成功こそがますます朱鎔基の能力を必要とする事態を生み出す。この弁証法が働いていると私は見ている。それを描くことが本稿の狙いであり、同時に結論でもある。鄧小平路線の真の意味での後継者は、江沢民や李鵬といった個々の指導者であるというよりは、「市場経済そのもの」と見たほうが適切だと信じているが、「市場経済の精神を体現する人物」、これこそが朱鎔基にほかならない、と私は考えている。

8　異例の四階級特進

朱鎔基が上海市長から副総理まで、中国現代史においても希有な「三階級特進」（第一副総理まで数えると四階級）したのは、九一年四月である（表1）。朱鎔基は八七年一〇月の第一三回党大会で中央候補委員に選ばれた。当時は中央委員が一七五人、中央候補委員は一一〇人である。朱鎔基は序列九一位の候補委員なので、全体の序列では二六六位である。しかもこのときは中央委員のうえに中央顧問委員が二〇〇人いたことを計算にいれると、四六六位とみることもできる。朱鎔基のエラさの程度は、辛うじてビリで当選したわが衆議院議員といったところであろう。この種の陣笠レベルの議員が五人の副総理のうちの一人になり、九三年三月には李鵬総理に次ぐ第一副総理に昇格したのであるから、鯉の滝登りにも似た大出世である。天安門事件以後の保守派主導ムードのもとで、改革開放路線が「名存実亡」化している窮状から脱出するために、鄧小平が敢えて断行した奇策であった。

朱鎔基は一九二八年、湖南省長沙に生まれた。生まれる前に父が病没した「遺腹子」である。母親も一〇歳のとき死去し、孤児となった。孤児は伯父朱学方のもとで育てられ、苦学して名門清華大学電機学部を出た。この大学は理科系の最高学府であり、よく米国のＭＩＴにたとえられる。彼の学生時代はまさに中華人民共和国の成立前後であった。多感な青年は中国共産党に入党し、しかも清華大学学生自治会の主席に選ばれるほどの熱心な活動家であった。優秀な学生であるから、当時の花形役所たる国家計画委員会（の前身）に就職し、エリート官僚としての道を歩き始めた。名門大学の学生運動華やかなりしころのリーダーとして活躍し、エリート官庁の幹部としての道を歩み始めたのであるから、朱鎔基の二〇歳代はベスト・アンド・ブライテストを絵に描いたようなものであった。しかし燦然と輝いていた朱鎔基の人生は突然暗転する。三〇代、四〇代の彼を待っていたのは、奈落の底に突き落とされたような生活であった。政治闘争の渦に巻き込まれたのである。五六年二月、ソ連でスターリン批判が始ま

表１　公務員の役職階級。数字は朱鎔基の就任年齢、［　］内は対応する日本の地位

1級	総理 70［首相］					
2級	副総理					
3級	副総理 63	部長・省長［閣僚・県知事］				
4級		部長・省（市）長 60	副部長・副省長［次官］			
5級			副部長 55・副省長	司長［局長］		
6級				司長［局長］	副司長（副局長）	
7級	処長・県長［課長・市長］			司長 54［局長］	副司長（副局長）	
8級	処長・県長	副処長・副県長			副司長（副局長）52	
9級	処長・県長	副処長・副県長	科長・郷長	副科長・副郷長	科員	弁事員
10級	処長 50・県長	副処長・副県長	科長・郷長	副科長・副郷長	科員	（ブルーカラー）
11級		副処長 30・副県長	科長・郷長	副科長・副郷長	科員	
12級			科長 24・郷長［係長・町村長］	副科長・副郷長	科員	
13級				副科長 47・副郷長	科員	
14級					科員	
15級						

注１：科長就任 24 歳はきわめて早い。
注２：副処長就任 30 歳も早い。
注３：副科長就任 47 歳はきわめて遅い。
注４：副科長から処長までは３階級特進である。
注５：上海市長から副総理までは中央候補委員から、中央委員、政治局候補委員、政治局委員の３階級特進。（政治局常務委員を含めると４階級特進）である。

ると、その衝撃は中国にも及んだ。毛沢東は人心収攬のため、「百花斉放」を呼びかけた。国家計画委員会では座談会が開かれたが、口を開く者はなかった。誰もが日和見を決めこむなか、竹を割ったような性格をもつ積極分子朱鎔基は皮切りに「三分間スピーチ」をやった。「一部の指導者は計画や予算を編成するとき、調査研究を怠り、いいかげんにやるのでうまくいかない」。きわめて穏当な発言だが、敵を作りやすい朱鎔基の性格と相俟って悲劇の発端となった。彼の罪状は「反党分子」摘発という政治の文脈のなかでかぎりなく拡大され、共産党を除名されるという理不尽な処分を受けた。

このエピソードにはおそらく隠された背景があると私は解釈している。成立初期の国家計画委員会を舞台として行われた権力闘争がからんでいる。国家計画委員会の初代主任は劉少奇のライバルと目された高崗（一九〇五〜五四年）である。彼はスターリンから乗用車を特にプレゼントされるほどの英雄であった。毛沢東からも支持されていると誤解した高崗は共産党の主流は軍人、勇士たちであるべきだと主張し、劉少奇ら国民党統治下で活躍してきたグループに挑戦したが、逆に権力闘争に敗れ、高崗は獄中で自殺した。五四年八月一七日のことである。高崗グループとして処分された人々のうち見落としてならないのは、馬洪（一九二〇〜二〇〇七年）の名である。三四歳の馬洪は当時、国家計画委員会副秘書長、つまりは高崗の秘書格であった。馬洪は事件のとばっちりを受けて国家計画委員会の主流から外れ、五六年に国家計画委員会から分かれて年度内の経済調整を担当する部門として成立した国家経済委員会の「政策研究室」に左遷された。つまりは調査マンである。馬洪の名は政治の表舞台から消えたが、代わりに官庁エコノミスト牛中黄（馬洪の筆名）が現れ、何冊もの本を書いている。

この馬洪こそが最初に朱鎔基の能力を発見した伯楽ではないかと私は見ている。ただし、当時どこまで深く認識していたかは不明だ。むしろ文革後にこの人脈が生きてきたとみるべきかもしれない。五二年に国家計画委員会が北京に成立したとき、東北人民政府から多くの幹部が北京に配転になったが、そのリストに朱鎔基の名を加えたのはおそらく直属上司の馬洪である。文化大革命の後期、すなわち七〇～七八年に馬洪は北京石油化学工業区建設指揮部の副指揮を務めたが、朱鎔基は七五～七八年に石油工業部パイプライン局の「副主任工程師」である。馬洪が中国社会科学院工業経済研究所所長になると、朱鎔基をこの研究所の「研究室主任」に引き上げている。右派分子のレッテルを外し、復党の事務手続きにも馬洪が関わっている可能性が強い。馬洪はその後、国務院のシンクタンク「発展研究中心（センター）」の主任を長く務めて、中国版「官庁エコノミスト」の総帥となった。八〇年代の前半、朱鎔基は国家経済委員会の「技術改造局長」として国有企業の改革に取り組み、まもなく副主任に昇格するが、市場経済の推進機関たるこのグループには馬洪人脈が多い。私は改革派エコノミストの群像を調べる過程で両者の深い関係に気づいた（「馬洪論」『日中経済協会会報』一九八八年五月号）。

国家経済委員会の副主任は数名おり、日本の役所でいえば経済企画庁の政務次官程度であろう。朱鎔基は八三年、五五歳でこの地位に就いた。このあたりで彼の人生はようやく三〇～四〇代の暗さから脱却し、エリート官僚にふさわしいところまで回復した。八四年には国家経済委員会のナンバー2の地位（党組副書記）にまで昇進したが、八八年春の行政改革で、この役所は国家計画委員会に吸収されてしまった。市場経済への歩みに逆行する動きを主導したのは計画経済にこだわる陳雲・姚依林・李鵬ラインだが、私はこの逆流が中国の市場経済化を実に一〇年も遅らせたと見ている。ポストを失った朱鎔基は上海市長への転出を余儀なくされるが、上海で彼の政治家としての素質が花開いたのは皮肉である。人間万事塞翁が馬だ。

「国家経済委員会で彼は副主任を務めたが、周辺との折り合いが悪かった」「朱鎔基はナンバー1はやれるが、ナンバー2はダメだ。朱鎔基の性格は容易に敵を作りやすい」。これは鄧小平の朱鎔基評である。「上海市長になって、こんなにうまくやるとは、誰も予想できなかった」という讃辞が続く。朱鎔基の剛毅な性格を鄧小平はよく見抜いていた。剛毅さの点では二人は酷似している。鄧小平の人生における「三下三起」（三回失脚し、三回復活する）は有名だが、朱鎔基が右派分子として二〇年間干され続け、その後は一瀉千里、総理まで出世したことも中国現代政治の激動の産物にほかならない。

剛直な「右派分子の政治犯」には近づく者がいない。賄賂を届ける者はない。両袖に賄賂はなく、あるのは清風ばかりだ。朱鎔基の波瀾の人生を見ると、孟子の言を想起しないわけにはいかない。「天の将に大任を降すや、必ず先に其の心志を苦しめ、其の筋骨を労せしむ」である。朱鎔基という男に中国経済の再興という大きな任務を与える前に、その能力を鍛えるため数々の試練を課したのかもしれない。この数奇な朱鎔基伝説はいまや彼の政治的資産と化した。これは中国の政治と経済の行方を分析するうえで重要な要素になる。彼の号令に重みを加えるからだ。

エピソードを一つ。一九九五年四月二七日、首都北京のナンバー1陳希同書記が解任された。この事件は、中国に蔓延する汚職と腐敗への追及がついに北京市のトップ、政治局委員という高い地位にある人物にまで及んだことで世界の耳目を驚かせた。「一〇〇個の棺桶」物語は、この事件にからむものである。朱鎔基はこう述べた。「腐敗退治は、まず虎を退治してから狼を退治する。百個の棺桶を準備せよ。私の分も一つ要る。連れ立って地獄へ行き、それと引き換えに国家を繁栄させ、庶民の支持を獲得するのだ」(香港『明報』一九九八年二月二六日)。すさまじい迫力ではないか。「連れ立って地獄へ」という殺し文句は、単なるレトリックのように聞こえるかもしれないが、九三年に祖先の墓に爆薬が仕掛けられたのは事実らしく(同前、九八年二月二三日)、暗殺者が現れても不思議ではない。

9 二一世紀初頭の中国経済と政治の民主化

「社会主義市場経済」ということばがある。読者はこれをどのように理解されるであろうか。「社会主義」は事実上、「形容句あるいは枕詞にすぎない」というのが私の理解である。「白馬は馬に非ず」の類の詭弁の国ならではの造語法だ。文字通りに受け止めて、ここに矛盾があるから、失敗すると考える向きは、このことばに呪縛されているのだ。毛沢東の共産党と鄧小平の共産党は、名前は同じでも、異なる政党であると考えたほうがわかりやすい。人も人の集団である組織も、何を語るかという発言を根拠に、その人物や組織の実体を認識するのではなく、実際に何を行っているかを根拠として、その実質を判断するのが正しいアプローチである。タテマエとして何を掲げているかではなく、実際にいかなる政策を推進しているかを基準として、その政党を判断したほうが健全な判断を得られるはずである。

中国共産党はいま市場経済を目指してひたすら走っている。市場経済の心臓部分は資本市場である。これを経済学のことばで表現すると「資本の商品化」である。単にモノやサービスだけが商品化されるのではなく、究極の商品として「資本そのもの」が商品化される社会、それが資本主義経済である。WTOに象徴される世界経済の軌道へのソフトランディングを果たしつつある中国経済は、そのような原理によって動いている。これがまともな経済学の教える原理である。この文脈では、「社会主義市場経済」という観念が形容矛盾であることは自明の事実である。そのような虚偽のイデオロギーから脱却して、素直な眼で中国経済を分析することがいま必要なのだ。

では、二一世紀初頭の中国経済はどのような姿になるのであろうか。世界銀行の「世界発展指標一九九九』によると、一九九七年の時点で購買力平価に換算した中国のGNPは三兆七七〇〇億ドルで、世界第二位である。ちなみに一位の米国は七兆七八三〇億ドル、三位の日本は三兆七六〇億ドルである（図1）。ただし、為替レート換算方式によると、米国、日本、ドイツ、フランス、イギリス、イタリアに次いで中国は第七位である。

同じく購買力平価ベースで一人当たりGNPの順位を調べてみよう。同じく世界銀行の資料によると、リヒテンシュタインやルクセンブルク、そしてシンガポール、香港などの「人口小国」が一人当たりでは上位にくるが、ここでは図1に掲げられたGNP大国について、その順位を見てみよう。図2からわかるように、中国は世界二一〇国（地域）のなかで第一三五位にとどまる。マクロで見た世界第二位のGNP大国は、一人当たりのベースでは、このような低いランキングに位置している。いわば「マクロ大国、ミクロ小国」であり、その対照はかなりアンバランスだ。

中国のイメージが混乱する一因はここにある。ある面から見ると、中国はすでに日本を追い抜いて米国に迫るGNP大国なのだ。ところがもう一つの面から見ると、一人当たりのGNPは三〇七〇ドルにとどまり、シンガポール二万九二三〇ドル、香港二万四三五〇ドルとは一〇倍近くの差がある。このため一人当たりGNPで論じる「貧しい中国」のイメージと、GNP（購買力平価）で論じられる「大きな中国」のイメージは極端に乖離（かいり）する傾向がある。中国にはかつて「群盲、象をなでる」という古語が

図1　中国はGNPで日本を抜いて世界第3位である

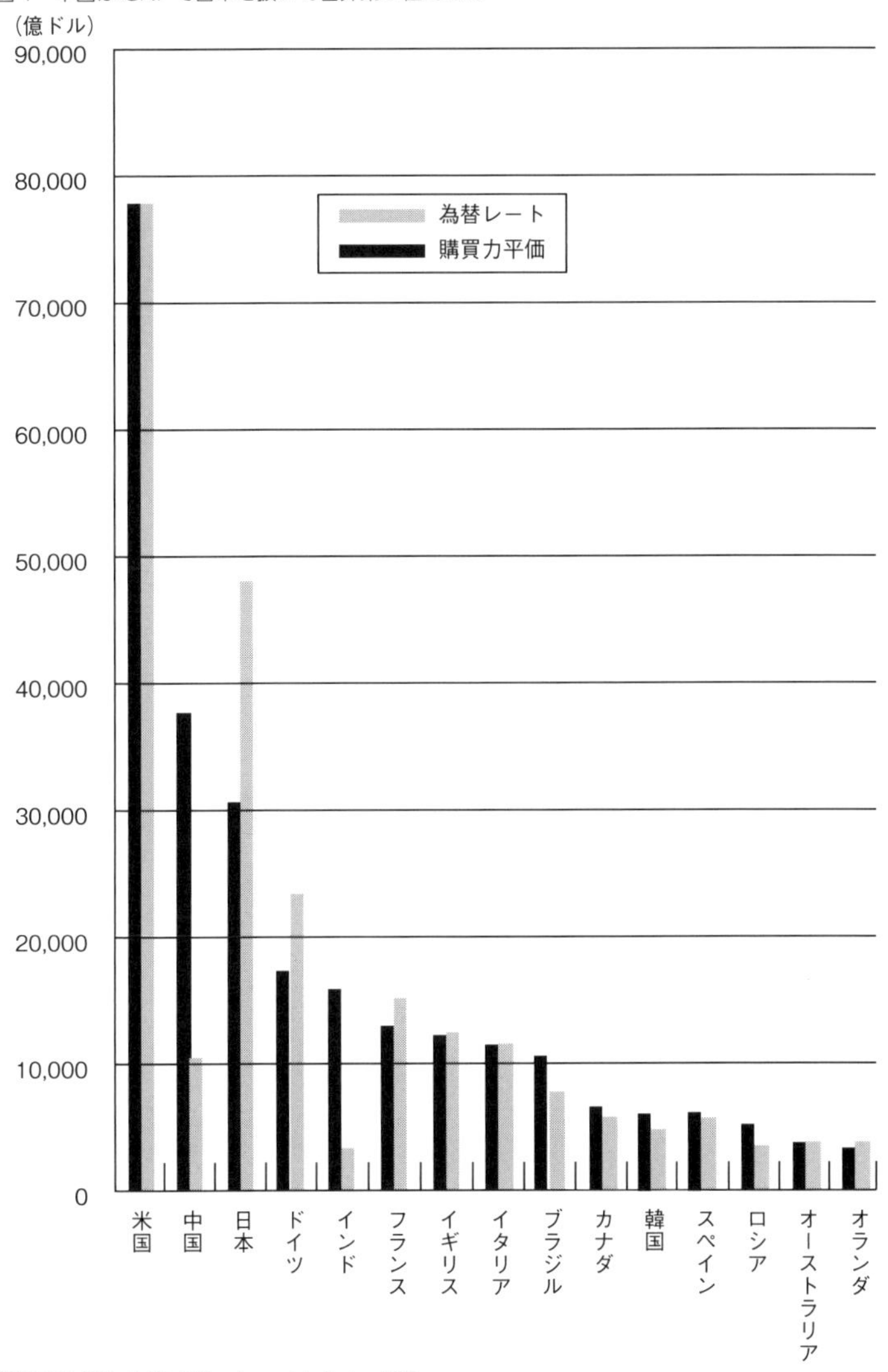

資料：World Bank, World Development Indicators 1999.

図2　中国の一人当たりGNPは世界第135位にとどまる

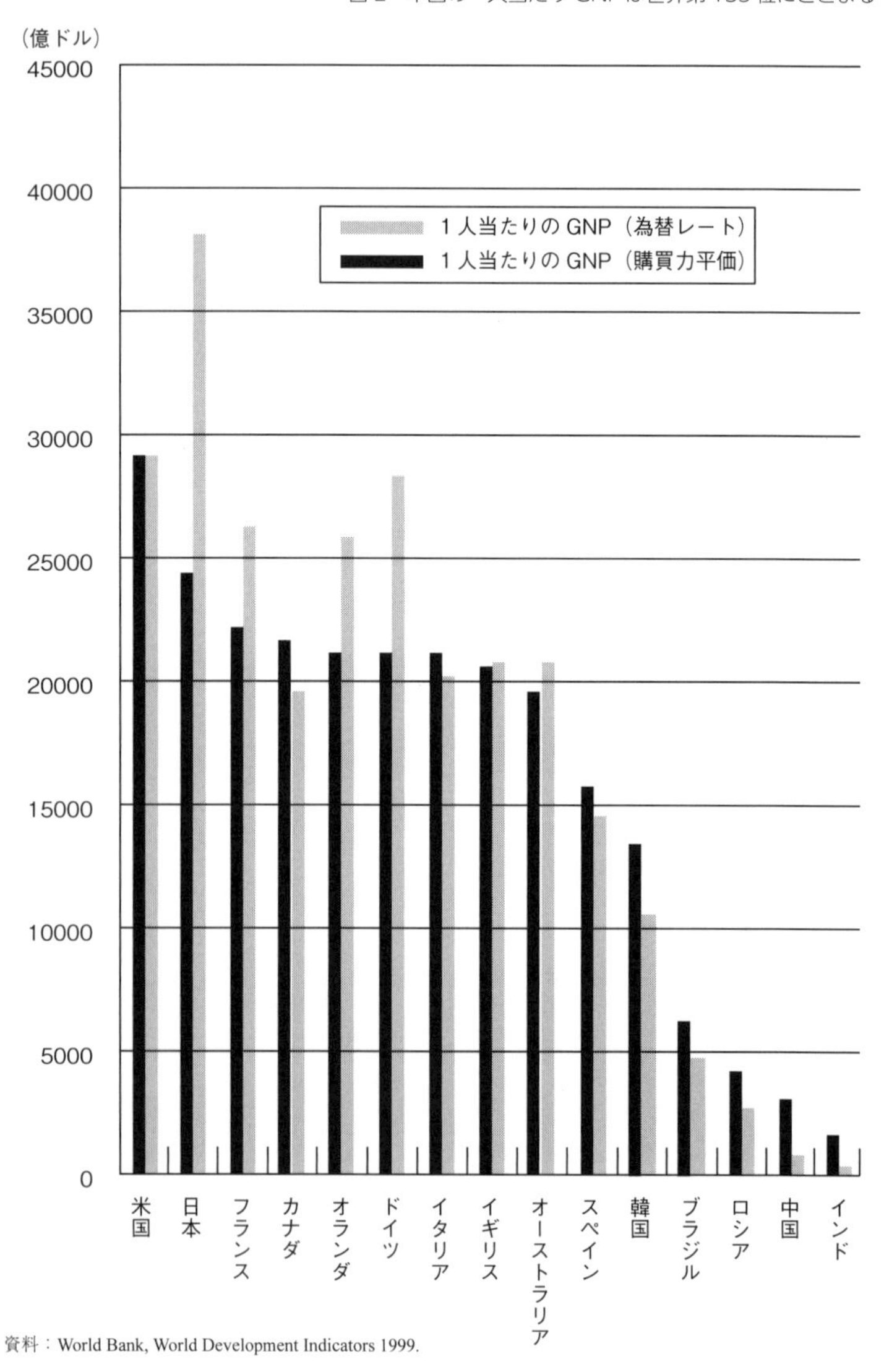

資料：World Bank, World Development Indicators 1999.

あったが、まさにその図柄である。

中国経済のもう一つの特徴は、近年の高度成長である。中国はいま発育盛りなのだ。では中国経済の高度成長はどこまで続くのか。日本、韓国、台湾の高度成長の記録を調べると、各国とも約三〇年にわたって一〇％に近い成長が持続している。この「経験則」が中国に適用できるならば、中国経済は今後少なくとも一〇～二〇年の高度成長が続く可能性が強い。経済企画庁経済研究所はアジア通貨危機の直前に中国の将来とアジア太平洋経済を展望する研究会を設けて、その結果を『二一世紀中国のシナリオ』（九七年四月）と題して発表したことがある。私はこの委員会の一員として、この大胆な展望を強く支持した一人である。研究会が行われたのは「アジア危機以前」だが、その後も大きな流れは変化していないはずだ。中国経済の高度成長体質はまだ失われていない。

中国のエコノミストたちも類似の展望を試みている。たとえば中国社会科学院数量経済技術経済研究所は「第九次五カ年計画および二〇一〇年長期計画目標要綱」を提起して、量的成長から質的成長への転換を呼びかけた。ここでは二〇三〇年には「中所得国」（一部は高所得国なみ）、二〇五〇年には「高所得国の中上位」という鄧小平によって描かれた夢の具体的なイメージが展望されている。二〇五〇年の夢は以下の一〇カ条からなる。⑴三次産業の就業者数が五割を超える。⑵情報産業が米国に追いつく。⑶多元的な消費社会が生まれる。⑷ハイテク産業において世界の先進水準に近づく。⑸二〇三〇年前後に鉄鋼、セメント、石炭、石油化学などの伝統的重工業は需要の伸びが止まり、中小型企業は淘汰され、ハイテク産業と代替する。⑹就業構造が変わり、失業率は高まるので、就業競争は激化する。⑺国有企業の改革はすでに終わり、農村の近代化が新たな課題となる。⑻二〇三〇年以後、東西の地域格差は縮小に向かうが、その速度は遅い。(9)二〇三〇年までに工業化が完成し、その後は生態環境への圧力は小さくなる。(10)資源不足への圧力が強まる(『経済日報』一九九七年一一月三日)。これはポスト工業社会のイメージであり、先進国への「追いつき願望」が満たされるという夢である。

では朱鎔基はどのように見ているのか。朱鎔基はアセアンの会議に出席するため、九九年一一月に東南アジアを訪問した。一一月二五日にマレーシア商工業界が行った昼食会の席で、二〇年後に中国の経済力が米国を追い越し、世界最強の国となるという予測、その際の国際関係における中国の役割について問われ、朱鎔基はこう答えた。まず予測について。

「私には二〇二〇年の状況を予言する能力はない」とまず質問をかわし、「ただし、そのときになっても、GNPなど経済力のどの側面を取り上げても、中国が米国を上回ることはできまい」とコメントした。

次に予測の政治的含意について。

「現在、一部に中国の経済的地位を高く持ち上げる傾向もあるが、実際は所謂〝中国脅威論〟を助長しているのではないか」と警戒感を示した。

そして「中国はその時点でもまだ途上国」段階だと結論した。「二〇二〇年まで、ひいてはさらに長期間にわたり、中国はいぜんとして発展途上国である」「その立場で他の発展途上国と共に世界の平和を維持するため努力を続けたい」

朱鎔基発言がすこぶる慎重である点に着目したい。おごり高ぶった姿勢はいささかもない。「人はおのれを知る明をもつことを尊ぶ」(人貴有自知之明)とは、毛沢東が文革の前夜、江青に宛てた書簡(一九六六年七月八日）に出てくる箴言である（中共中央文献研究室編『建国以来毛沢東文稿』第12冊、北京・中央文献出版社、一九八八年）。結果的には「おのれを知る」はずの毛沢東も個人崇拝の海に溺れた。その嵐を生き抜いた朱鎔基は、十分に「おのれを知る明」をもつことが、これらの発言からうかがわれる。日本が隣人として深くつきあうべきなのは、そのように分をわきまえた中国であろう。日中双方ともに夜郎自大を軽蔑する文化的伝統を共有している。そのような交流史を踏まえて、相互依存関係を発展させることは経済交流のレベルを超えて、安全保障にも直結するはずだ。

朱鎔基の慎重な姿勢はそれとして、中国経済が今後も高度成長を続けるならば、一人当たりＧＮＰで見た東アジア世界との「ＧＮＰギャップ」が急速に縮小されることは見やすい道理であろう。その暁に中国は現行の開発独裁的システムから脱却し、政治的民主化の道を模索することになろう。九九年九月の四中全会決議は、国有企業改革を二〇一〇年までに完成する目標を提起したが、それはまさに政治的民主化の課題が迫りつつあることを言外に語っている。市場経済に移行したあとも開発独裁体制に固執するならば、政治体制が経済体制の桎梏と化する恐れがある。他方、政治的民主化の条件はすでに成熟するであろうから、韓国や台湾のケースに学びつつ、無理のない形でこれを進めることができるはずだ。つまり、高度成長による経済的条件の成熟を待って政治的民主化を逐次進める「経済から政治へ」の戦略に移行するわけだ。その準備はすでにはじまっていると私は観測している。二〇〇二年に予定されている第一六回党大会では初歩的な形で一部が姿を出すであろう。

開発独裁以後の中国の政治体制は基本的に連邦中国制が望ましいのではないか。これについてはすでに『巨大国家　中国のゆくえ』（東方書店、一九九六年）で書いたので繰り返さない。その段階をまって初めて台湾海峡両岸の問題も順調な解決が期待できよう。条件のないところで解決を急ぐのは賢明な判断とはいいがたい。

隣国日本の経済について、その戦後復興から高度成長を経てバブルの崩壊まで、日本経済の歩みを最もよく研究してきたのは、朱鎔基周辺のエコノミストたちである。彼らは日本経済の歩みから、よい経験（たとえば製造業の活力、メインバンク制、総合商社の機能など）と悪しき教訓を虚心に学んできた。教訓を学び、経済交流を深めつつ、朱鎔基の中国経済はいまようやく離陸しようとしている。

私は九九年の夏休みをハンガリーのブダペストで暮らし、ベルリンの壁崩壊一〇年後のヨーロッパ世界を静かに見つめた。欧州連合の統合の進展、そしてEUの東方拡大を「拡大対象」の側から観察した。EU統合の経験からアジアは何を学ぶことができるのか。EU統合の条件としてこれまで語られてきたもの（キリスト教文化圏という価値観、近代的国民国家としての類似性、地理的まとまりなど）を基準として挙げるならば、類似の条件がアジア世界に欠けていることは確かであろう。

だが、それはアジアの経済的統合の不可能性を示唆するものであろうか。おそらくそうではあるまい。ヨーロッパ的個性を基礎とした「ヨーロッパ的結合」があるなら、アジアにもそれなりの結合の形がありうるはずだ。岡倉天心が「アジアは一つ」と語ったとき、それは理念でしかなかったが、アジア通貨危機はアジア経済が相互にいかに深く結ばれているかを逆説的に示したと見ることができよう。たとえばタイ・バーツの切下げに始まる通貨危機はまたたく間にアジア全域に波及することによって、アジア経済の相互依存関係の深さを示した。アジアの宗教はさまざまだが、それらに共通する寛容さはヨーロッパ世界の宗教対立とは異なる様相を示している。かつては諸国を隔てる障壁と思われた海洋は、実は物流にとって最も好ましい条件であることもいまや明らかである。これらは共存に有利な条件にほかならない。ヨーロッパ統合の教訓を糧としつつ、アジアの現実に即して二一世紀の秩序を構想することがいま必要なのである。ヨーロッパ統合の核心が独仏の和解にあったとすれば、アジアでこれに対応するのは日中の和解である。日中関係の矛盾や非対称性はいくつも指摘できよう。しかし相互依存、相互協力の広がりと深まりも確実に進展している。それゆえ、より深い協力のための相互理解がいまほど求められているときはない。相互不信や疑心暗鬼を増幅する言説を私が批判するのは、そのためである。

10　国有企業改革の現段階と不良債権問題

最後に最新情報を書き留めておきたい。中国共産党が昨年設立を決定した中央企業工作委員会（書記＝呉邦国政治局委員、副総理）が二〇〇〇年二月二七日に開かれ、国有企業のスクラップ・アンド・ビルド政策のうち、ビルド部分に対する「党の指導強化」が始まった。会議には朱鎔基が「重要指示」を送り、国有企業改革担当の呉邦国が同工作委員会書記として演説した。

「九九年、国有企業や国有株主支配企業の利潤は前年比七七・七％増の九六七億元となり、九五年に請負制を終え、分税制を実施して以来、最高の水準に達した。紡績、建材、非鉄業界は赤字状態から脱却し、石油、化工、軽工、機械、電子などの業界の収益性も大幅に向上し、軍需産業では赤字が縮小し、石炭業界は赤字の増加傾向を止めた」「今後の方針としては、①国有企業における党の建設を強化する、②企業の指導グループを強化する、③腐敗反対闘争を行い、国有における公正な業務を強化する、④国有企業の監督メカニズムを健全化する」。

八〇年代以降、国有企業に対する党の役割の位置づけは、二転三転した。総じて経営が重視されるなかで党の役割は後退傾向にあるが、逆流現象も絶えなかった。たとえば工場長・総経理責任制が導入されたとき、党は「思想面の指導」に限定されたはずだが、天安門事件以降、いくつかの逆流があり、最近では九七年に、「国有企業の指導グループに対する考課制度創設に関する党中央組織部などの通達」や「国有企業の党建設をさらに強化、改善する活動に関する通達」など党の「指導強化」策と受けとれるような政策が目につく。党支部書記が総経理を兼ねたり、総経理が副書記として、支部書記の下につくといったケースも目立つ。「党が人事を管理する方針」の堅持が強調されているが、これは何を意味するのか。問題の核心は、その対象企業にある。国有企業一般に対する党の管理強化ではなく、国有企業のリストラを経た最後の段階で国有企業としての地位を保証された「中央企業」（という分類の国有企業）に対する党の指導なのである。

実は昨秋の中央経済工作会議（一九九九年一一月一五日〜一七日）に先立つ政治局常務委員会で「党中央大型企業工作委員会」の廃止と、「中央企業工作委員会」および中央企業紀律検査工作委員会の設立が決定されている。この委員会は大型国有企業の党組織を建設し、経営管理を監督するために設けられたものだ。中央企業工委は大型国有企業一六三社を管理すること、これらの「中央企業」のトップ人事は、この中央企業工作委員会の決定に基づいて国務院人事部が任命すること、さらに一六三社のうち、超大型の中央企業三九社のトップ人事は、政治局常務委員会の許可を得て、国務院が任命すること、などが決定されている。その「中央企業」リストに含まれるのは、以下のような企業である。中国核工業集団公司、中国航天科技集団公司、中国航空工業第一集団公司、中国船舶工業集団公司、中国兵器工業

集団公司（以上、軍事工業）、中国石油天然気集団公司、中国石油化工集団公司、中国海洋石油総公司（以上、エネルギー）、中国電信集団公司、中国聯合通信有限公司（以上、通信）、中国第一汽車集団公司、東風汽車公司（以上、自動車）、鞍山鉄鋼集団公司、宝山鉄鋼集団公司、武漢鉄鋼集団公司（以上、鉄鋼）、華潤集団有限公司、招商局集団有限公司、香港中旅集団有限公司、中国光大集団総公司、中国国際信託投資公司、中国儲備糧管理総公司、などである（香港『鏡報』二〇〇〇年第一期、劉漣論文）。

これら基幹産業の企業群を一瞥して想起するのは、かつて中国版ノーメンクラツーラに名を連ねていた企業群である（『巨大国家 中国のゆくえ』東方書店、一九九六年）。両者を対比すると、中国共産党が「最後まで国有企業として残す企業」こそが中央企業であることが理解できる。国有企業改革というと、とかく失業問題に目を奪われがちだが、失業対策はいわば後ろ向きの対策である。二一世紀の中国経済を考えるうえでより重要なのは、「世界の巨大企業500社」にランキング入りできるような中国企業の育成に関わる話だ。これらの中国流コングロマリットの動向を注視しなければならない。

もう一つ、不良債権問題について触れておきたい。中国の不良債権はGNPの二、三割程度と推計される。国有企業が赤字をかかえて返済不能に陥ったケースが少なくないことは周知の通りだが、国有企業の赤字を銀行の側から見ると、銀行にとっての不良債権になる。中国の国有企業は、運転資金の融資は中国工商銀行、設備投資については建設銀行、農業については農業銀行、為替関係のものは中国銀行、という棲み分けがある。国有企業への融資総額のうち八割以上はこの四大商業銀行（旧国有専業銀行）が融資している。これら四行は不良債権を処理するために、九九年それぞれ系列の資産管理会社を設立した。工商銀行——華融資産管理公司、建設銀行——信達資産管理公司、中国銀行——東方資産管理公司、農業銀行――長城資産管理公司である。資産管理会社は株式を発行して債権を株式に転換する。企業にとっては利子負担が避けられ、もうかった暁に配当すればよい形になる。銀行と資産管理公司の関係は、裏表の関係であり、資産管理公司の再建策が失敗し、債権の回収ができない場合、その株式は紙切れになり、その母体行が損失を被る。要するに、借入金を塩漬けし、返済を繰り延べ、その間に再建を図ろうという目論見である。これを「債転股」（すなわち債権の株式転換、debt equity swap）と呼ぶ。

さて、不良債権処理において肝要なのは、次の四カ条、すなわち⑴迅速かつ果断な処理を行うこと、⑵信用不安（クレジットクランチ）を起こさないこと、⑶公的機関の介入による適法処理、⑷解決の具体的展望を示すこと、である。この意味では、移行期中国における処理問題も市場経済諸国のそれと同じである。しかし、市場経済では大問題になる「公的資金の民間投入」という所有権の移転問題が、中国では避けられる面に着目したい。すなわち国有企業の赤字＝国有商業銀行の不良債権であり、両者はともに国有セクター内部である。そこへ中国人民銀行という中央銀行（＝国有銀行）から資金を投入することは、すべて極論すれば朱鎔基の一存で決められる。すなわち「帳簿の付替えで済んでしまう」。ズバリ言えば「徳政令」にほかならない。

とはいえ、資金の「所有権」問題ではなく、当該資金の「金融機能」の側面から見ると、問題は別である。結局は、どのような企業に対して「債転股」扱いを認めるかである。仮に再建の可能性のない企業に対してこれを適用すれば、企業の赤字を銀行がそのままかぶることになる。こうして問題の焦点は、「債転股」という媒介を経たあとでの当該企業の再建策如何の話になる。したがって、この再建企業を認定する国務院国家経済貿易委員会および国務院財政部の判断こそが重要である。筆者は不良債権のうち、およそ半分を回収できれば、まずまずと見る。中国の計画経済の破産が明らかになってすでに二〇年経つ。この間に、外資系、郷鎮企業系の工業生産シェアがすでに全体の三分の二を超えている。国有企業のシェアはすでに三分の一に落ちており、その半分が生き返れば、中国経済はやっていけると読む。中国のバブルあるいは不良債権は、計画経済から市場経済への体制転換期に生じたものだ。これはいわば転換期のコストと見てよい。中国経済は、およそ六分の一を「体制転換の移行コスト」として切り捨てる形になる。敢えて比喩を用いるならば、これは明治初期の地租改正で地券の価値がインフレで帳消しになった先例に似ている。いずれにせよ、これは「平和革命のコスト」と見るべきだというのが著者の大局観である。このように見てくると、中国の市場経済化への道は、すでに大きな山を越えたことがわかる。著者が中国経済の展望についての悲観論を排するのは、このような認識に基づいてのことである。

副総理・経済担当（一九九一〜九六年）

1　三角債問題（一九九一年六月）

中国国家統計局は日本の総理府統計局に対応する、国務院に直属する権威ある組織である。中国が市場経済への移行を始めてから「統計公報」を毎春出すことが恒例になっている。一九九一年二月二二日、前年の経済実績をまとめた「統計公報」（国家統計局「一九〇〇年の国民経済と社会発展に関する公報」一九九一年二月二二日）が公表された。これによると国営の大型企業の利潤と税金（原文＝利税）は、一二七一億元（約三・三兆円）、対前年比一八・五％の減少であった。これを大型企業一万余について見ると、約三割が赤字であった。この事実を踏まえて、国家統計局のエコノミストは次のように警告した。

「国営企業の業績悪化や財政赤字の拡大が進み、インフレ圧力が再び強まっている」と。確かにこの公報を読むと、中国経済の厳しい実態の一端がうかがわれる。たとえば物価上昇率は八九年の一七・八％から九〇年の二・一％へ急降下している。物価が安定するのは望ましいには違いないが、これほど極端に物価が下がるのは、通常の景気循環的な動きとはいえない。

中国経済に何が起こったのか。八八〜八九年のインフレは、いわば需要超過型インフレであったが、今度は国営企業の業績悪化や政府の財政赤字に現れたような供給不足のゆえにインフレ圧力が強まった。これは「景気低迷下のインフレ懸念」であり、八八〜八九年のインフレよりも深刻である。いわば中国版スタグフレーションの危機にほかならない。天安門事件後の政治的引き締めが経済面にまで及び積年の国有企業赤字問題が一挙に顕在化したようである。

ここで鄧小平路線の展開過程においてＧＮＰの成長率と物価の動向がどのような動きを示していたかを眺めてみよう（図3）。改革開放路線への転換に伴ってまず高度成長の局面が現れ、八〇年代半ばにＧＮＰの二桁成長を実現したが、物価上昇率は一桁にとどまっていた。しかし八八〜八九年にはそれぞれ一八・五％、一七・八％と二桁になり、物価問題が社会問題化した。

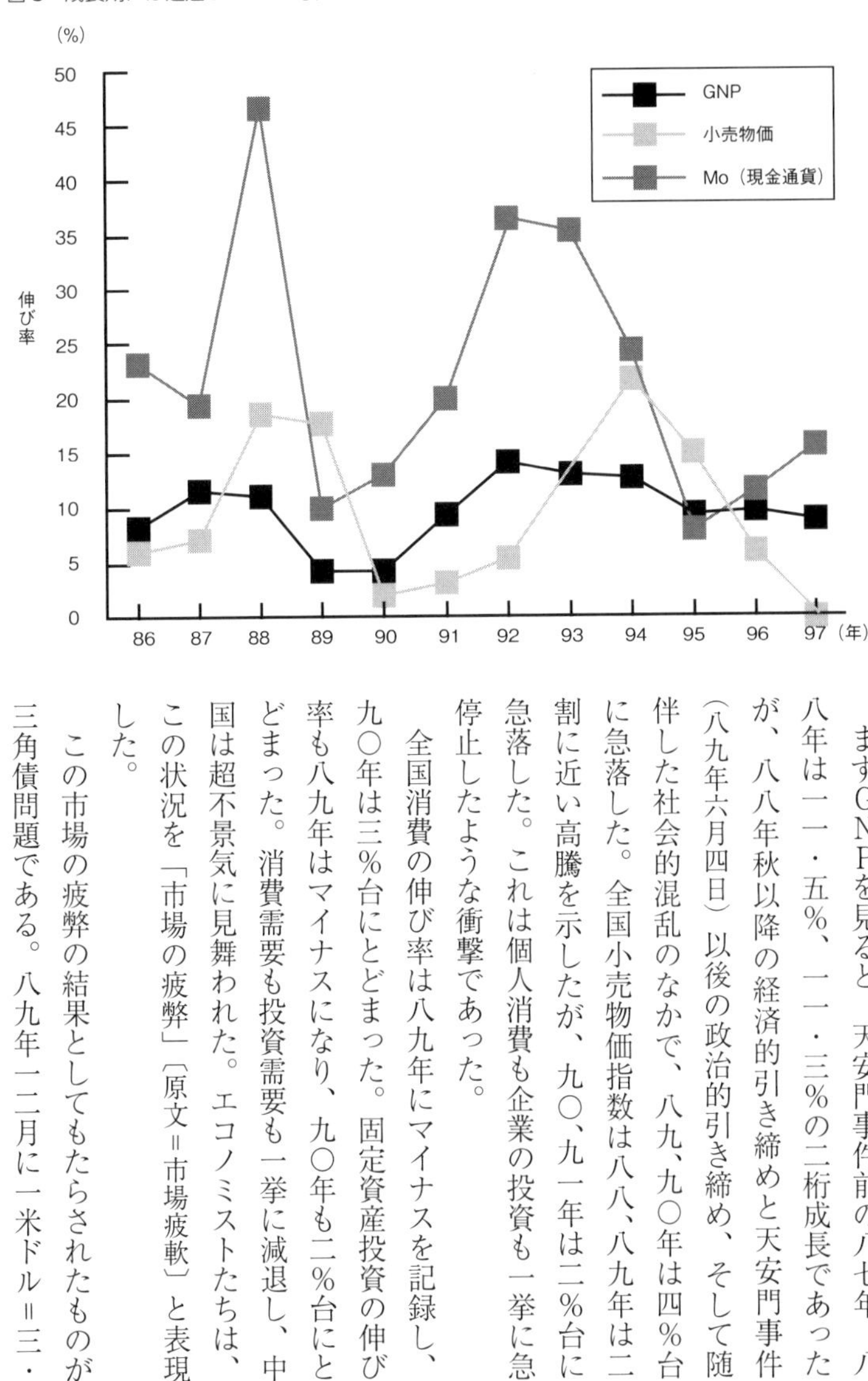

図３　成長期には通過がGNPを引き上げ物価は相対的安定

まずＧＮＰを見ると、天安門事件前の八七年、八八年は一一・五％、一一・三％の二桁成長であったが、八八年秋以降の経済的引き締めと天安門事件（八九年六月四日）以後の政治的引き締め、そして随伴した社会的混乱のなかで、八九、九〇年は四％台に急落した。全国小売物価指数は八八、八九年は二割に近い高騰を示したが、九〇、九一年は二％台に急落した。これは個人消費も企業の投資も一挙に急停止したような衝撃であった。

全国消費の伸び率は八九年にマイナスを記録し、九〇年は三％台にとどまった。固定資産投資の伸び率も八九年はマイナスになり、九〇年も二％台にとどまった。消費需要も投資需要も一挙に減退し、中国は超不景気に見舞われた。エコノミストたちは、この状況を「市場の疲弊」〔原文＝市場疲軟〕と表現した。

この市場の疲弊の結果としてもたらされたものが三角債問題である。八九年一二月に一米ドル＝三・

七人民元から四・七人民元へと二一・二％切下げたこともあって、輸出は一割以上の伸び率を堅持したものの、消費と投資がいずれも上述のように減退した結果、工場は在庫や滞貨の山となり、三角債問題が生まれた。

九一年後半から九二年にかけての朱鎔基の適切な指揮により、糞詰まりしたパイプが動き始めた。九二年には全国消費の伸びは一三％と二桁になり、九一年に二割の水準を回復していた固定資産投資は四割を超えるという投資ラッシュが起こった。この投資の激増は一方では八九、九〇年の落ち込みの回復要因によるものだが、他方ではデタラメな重複投資のためでもあり、移行期の中国経済の矛盾のありかを示す。

九一年後半から九二年にかけての三角債整理によって危機を脱出しつつあった中国経済は、九二年春節前夜の鄧小平による南方講話によって、政治的、心理的ムードが様変わりした。ＧＮＰは九二年一四・一％、九三年一三・一％、九四年一二・六％と三カ年にわたって二桁成長を記録した。全国小売物価は九二年は五％台にとどまったが、九三年は一三・二％、九四年は二一・七％、九五年は一四・八％とＧＮＰより一年遅れる形で三カ年にわたって二桁の値上がりとなった。特に九四年の二割を超えたインフレは大きな社会問題を招いた。

インフレを危惧した中共中央は、八八年九月に中共中央工作会議と第一三期三中全会を相次いで開いた。そこで「経済秩序の整頓」の方針が提起され、一連の金融引き締めが実行に移された。たとえば中国人民銀行は三年以上の定期預金に対して、インフレによる目減り分を補塡するインフレヘッジ付き定期預金（保値存款）の制度を導入し、過剰に流通している通貨を吸収した。また各銀行の預金準備率を従来の一二％から一三％に引き上げて、貸出額を抑えた。その後も八九年前半を通じて、預金金利の引き上げや固定資産投資に対する融資規模を二割以上圧縮する措置がとられ、八九年三月以降物価の値上がりは沈静化し、現金通貨の伸び率も八四〜八八年平均三二％に対して、八九年の伸び率はようやく一桁になった。

こうした金融引き締め過程で生まれたのが三角債問題である。『人民日報』に「三角債」というキーワードが引用符付きで初めて登場したのは八九年五月三日である。それは人民銀行が工商銀行、農業銀行、建設銀行、中国銀行、交通銀行と連合して企業の三角債の整理に乗り出したことを報じるものであった。

金詰まりのために、全国の工商企業が相互に支払いを遅延した結果として生じた三角債問題が企業の生産経営の正常な運営の障害になっているので、商業信用の手形化を進め、各専業銀行（工商、農業、建設、中国の四銀行を指す）が手形を割引く形で企業に融資し、専業銀行に集められた手形を中央銀行が再割引する形で金詰まりを解決しようとした。

九〇年三月、国務院は「全国で三角債を整理する工作についての通知」を出し、人民銀行が数百億元の資金を用意して、取り組むよう提起した。しかし、金融引き締めの過程で生じた金詰まりを一片の通達で解決することはできない相談であった。

個人消費の動きを見ると、買い占めブームが起こった八八年に対前年比二八・七％の伸びを示したあと、八九年は八・六％、九〇年は二・一％の伸びに急降下した。他方、設備投資の動きを見ると、九〇年の場合、対前年比四・二％の伸びにとどまり、資材の値上がり分を控除した実質ベースでは投資の伸びは二・一％にすぎなかった。

個人消費も設備投資も急降下することによって、八八年秋からの金融引き締めは、「市場の疲弊」現象をもたらした。この天安門事件前後の中国経済は、いわば高速道路で全力疾走中に突然急ブレーキをかけたごとく、中国経済というクルマ自体が横転しかねない状況であった。

当時の経済状況を解説したある内部資料を読んでみよう。おそらくは筆名とおぼしき厳聞広の報告「国有企業の重大な欠損の原因」（『内部文稿』北京・紅旗雑誌社、一九九〇年一二月二五日）は、中国国有企業に占める赤字企業の比率は拡大の一途をたどったとして、次のように説明した。

①赤字企業は国有企業の三割に増えた。一九八六年の国有工業企業の赤字率（企業総数に占める赤字企業の数）は一四％であったが、八七年一六％、八八年一九％、八九年二〇％とうなぎ上りに増え、九〇年上期の場合、国有工業企業の赤字率は三四％に達した。つまり国有企業のうち三つに一つが赤字である。

②九〇年の国有企業の赤字は年間二〇〇億元に増える。赤字企業の増加につれて赤字額も増えた。七九年の赤字額は三〇数億元であり、八五年には四〇・五億元（対前年比一八・三％増）、八六年七二・四億元（同七八・七％増）、八七年七五・八億元（同四・六％増）、八八年一〇五・六億元（同三九・三％増）、八九年一三六億元（同二八・八％増）、九〇年二〇〇億元以上であり、すでに八八年時点の約二倍の水準である。

③赤字企業は一部企業の段階を越えて、一業種全体が赤字に転落した。全国石炭産業の赤字は八八年

に三六・三億元だが、八九年には六〇億元に増えた。石油工業のうち採掘部門の赤字は八七年四億元だが、八八年には一二・五億元に増えた。紡織工業の場合、九〇年上半期調査から明らかになったが、一〇〇〇企業のうち、四〇〇企業＝約四割が赤字である。赤字額は第1四半期だけで約二億元に上る。このほか、石鹸、洗剤、金物、文具など軽工業も業界全体が赤字になった。

④赤字工業への財政補塡額は工業利潤の半分に匹敵する。国有企業への財政補塡額は八〇年代初頭には七〇億元であったが、八七年には二〇〇億元に増え、八八年には四〇〇億元に膨れ上がった。この補塡額四〇〇億元という数字は、八八年の工業利潤総額八〇〇億元の半分に相当する金額である。九〇年には国有企業の赤字を補塡するために政府から支出される財政補助金は六〇〇億元に上る。こうして国有企業の赤字はいまや国家財政にとって大きな荷物となった。国有企業の赤字は財政負担の大きさだけでなく、職員、労働者の労働意欲（モラール）の低下という深刻な事態をもたらした。企業の労働生産性は著しく低下し、経済効率の悪化も甚だしい――。

当初「内部報告」の形で提起された内容は、まもなく『人民日報』などのマスコミでも書かれるに至り、国有企業の苦境は周知の事実となった。それを象徴するキーワードとして「三角債」「多角債」「連環債」が語られるようになった。三角債とは、たとえばB社がC社への製品売上げ代金を回収できないために、A社への原材料代金などが支払えないといった三者関係、あるいは多角的な債務の連鎖をいう。

副総理に就任した朱鎔基の初仕事は、この三角債問題の解決であった。九一年六月一日の国務院総理弁公会議で国務院三角債整理指導小組組長のポストに就いた朱鎔基は、東北地方への行脚に旅立った。「東北現象」として話題になるほど国有企業の不振が最も重大な局面を迎えていたのは東北三省であった。六月二～一〇日、まず遼寧省を訪れ、ついで一一～一六日吉林省を訪問、一六～一八日黒竜江省を訪問し、それぞれの国有企業を現地調査し、国有企業の工場長などを集めて座談会を行い、国有企業の三角債問題の現状把握に努めた。その上で、八月三一日から九月四日にかけて、「三角債整理」工作会議を開いた。会議には各部門、各省レベル責任者のほか、国家計画委員会、国家経済委員会、銀行などの責任者四〇〇人が出席した。プロジェクト数にして一万件、コゲ付き債務は三八〇億元であったが、それらを「銀行融資二三〇億元、自己資金一一〇億元を用いて決済せよ」と命じた（『人民日報』一九九一年九月六日）。

九一年九月二三～二七日、中共中央は「中央工作会議」を開き、国有企業対策を検討した。朱鎔基は経済担当の副総理として当然この会議に出席したが、『人民日報』の報じた序列は、江沢民、李鵬、楊尚昆、万里、喬石、姚依林、李瑞環、王震、田紀雲、李鉄映、李錫銘、呉学謙、秦基偉、丁関根、鄒家華についで一六位であった（同前、九一年九月二八日）。会議の主題は国有企業問題であるとはいえ、これは党レベルの会議であり、中央候補委員にすぎない朱鎔基の地位の低さを確認するような氏名の並べ方であった。しかし、この難問に取り組み、解決することによって朱鎔基の名声は否応なしに確固たるものになっていく。

同じ九月二八日付『人民日報』二面は、省レベルと計画単列都市を含めて四二単位の「資金注入状況」を公表したが、これは朱鎔基の主宰した「三角債工作会議」に基づくものだ。その一カ月後には「悪質な債務支払い拒否」を行った一〇ケースについて、金額、支払い拒否の口実、債権者などの一覧

（表2）を公表した（同前、九一年一〇月三〇日）。こうした形で問題を一つ一つ具体的に解決していくのが朱鎔基のやり方である。

明けて九二年二月、国務院三角債整理指導小組は「公告」を発表し、九一年の三角債整理が目標を達成したことを明らかにした。銀行融資三〇六億元および自己資金二四・五億元を用いて、結局一三六〇億元のコゲ付き債務を解決した。「一元の資金で四元の債権を取り立てた」と称讃された。また一〇月三〇日に紙面で名指しで批判された表2のような悪質事例は恰好の反面教材となり、不名誉なレッテルを貼られまいと企業が戦々恐々としたことも報じられた（同前、九二年二月九日）。

一方では解決方法を明示し、融資を用意して条件を整え、他方ゆえなく支払いを拒否する悪質企業を名指し批判するといったアメとムチを併用するやり方で、朱鎔基は解決を迫った。その成果を地方別に見ると表3の通りである。九二年もおしつまった一二月二三日、朱鎔基は三角債整理総括を行い、李鵬が国務院総理として一七の先進単位を表彰した。表彰を受けたのは、天津、河北、内蒙古、遼寧、吉林、上海、江蘇、浙江、安徽、湖北、湖南、貴州、陝西の一三省レベル単位のほか瀋陽、大連、ハルビン、重慶の四計画単列都市であった。朱鎔基はこう説明した。まず東北の三省四市の「試点（実験地）」から手をつけたこと、九一〜九二年に計五五五億元（銀行融資五二〇億元、地方と企業の自己資金三五億元）を用いて一・四一万件の一八三八億元にのぼるコゲ付きを解決したこと、九一年は石炭、自動車、綿花のコゲ付きを解決し、九二年四月には石炭、電力、林業、非鉄金属の四分野を重点的に解決したこと、九二年一二月には綿花融資二八億元によって流動資金のコゲ付き三五二億元を解決したことなどである。結局九一〜九二年に解決したのは、固定資産投資と流動資金を合わせて二一九〇億元分のコゲ付

表2　新聞に公表された債務支払い拒否企業名――三角債のケース・スタディ

支払いを拒否した			支払い拒否の		債権企業名
企業名	取引銀行	年月日	金額	理由	
寧波市寧海県農機公司	農業銀行寧海県支店	1991.9.9	2014.4元	担当者が出張し不在のため	寧波市塞環廠
江西省萍郷鋼鉄廠	工商銀行江西萍郷市峡山口弁事処	1991.9.4	33万2257元	コークスが在庫満杯なので	浙江紹興市物資経営総公司
河南平頂山市高圧開関廠	工商銀行河南省平頂山市火車站弁事処	1991.9	2万2894元	伝票に税務署の公印がないため	上海銅材廠
上海童涵春堂中薬飲片廠	農業銀行上海浦東支店	1991.9.7	2万4867元	品物が未到着のため	寧波市薬材公司中薬材経営部
湖北化油器廠	農業銀行湖北省英山県支店	1991.9.19	1万3247元	品物が未到着のため	杭州工具総廠
海南省海口医薬貿易公司駐広州弁事処	建設銀行広州第二支店	1991.9.25	5万2180元	品物を受け取っていない	江西国薬廠
上海電気連合公司電站閥門連合成套部	建設銀行上海第二支店	1991.9.24	5021元	品物を受け取っていない	寧波閥門廠
石家荘市新華ミシン商店	石家荘市北大街城市信用社	1991.9.25	1050.6元	資金がないため	解放軍81065部隊低圧電器廠
大連第二電機廠	工商銀行大連沙河口星海分理処	1991.9.20	4万7223元	該当契約なし	上海銅材廠
江蘇南通第二化工廠	工商銀行江蘇南通市溏弁	1991.10.4	5万5140元	該当契約なし	南京硬質合金廠

資料：『人民日報』1991年10月30日。

きであり、「一元の資金で四元のコゲ付きを解決した」と報じられた（同前、九二年一二月二六日）。朱鎔基の指導スタイルは江沢民、李鵬ら従来の指導者にはない作風であり、大いに期待されるとともに、叱責を受けた当事者の間では朱鎔基の辣腕に対する怨嗟の声があふれた。内外のマスコミはこの種の朱鎔基批判を増幅して伝え、「朱鎔基には敵が多すぎる」「これでは総理になれまい」と書き続けた。この種の批判をよそに彼は初仕事で難問を見事に解決し、名声を高めた。鄧小平が首都鉄鋼公司を訪れた際の談話で朱鎔基を「経済のわかる男」と絶讃したのは、九二年六月のことだ。

表3　朱鎔基が最初に取り組んだ三角債整理（1992年4月15日～5月31日）

	A（%）	B（%）	C（億元）
河南	96.8	32.1	30.6
河北	100.0	86.3	28.3
天津	106.0	35.3	27.9
湖北	100.0	88.9	27.5
江蘇	99.3	65.9	25.6
山東	95.4	20.5	23.5
四川	97.0	0.8	23.5
浙江	96.5	119.0	20.4
安徽	99.9	69.1	18.7
重慶	102.7	11.7	18.4
湖南	97.8	106.7	17.6
上海	59.9	7.3	15.0
山西	99.5	20.3	13.1
内蒙	84.5	8.4	11.7
雲南	94.2	7.5	11.4
陝西	93.4	87.4	11.1
黒竜	89.4	105.1	11.0
北京	100.0	5.1	10.9
江西	90.7	11.7	10.6
広西	85.5	63.2	10.0
吉林	94.3	27.4	8.5
ハルビン	90.6	70.1	7.9
成都	98.0	70.5	7.4
遼寧	73.2	37.1	7.1
瀋陽	73.2	101.5	6.0
武漢	83.3	29.5	5.8
広東	90.1	105.1	5.4
青島	99.9	—	5.3
西安	78.6	56.3	4.6
南京	100.0	120.8	4.2
貴州	74.9	20.7	4.1
甘粛	71.8	20.1	3.2
新疆	85.0	0.0	3.2
長春	100.0	98.9	3.0
広州	85.1	18.3	2.6
寧夏	74.4	10.9	1.9
青海	92.4	61.1	1.8
大連	99.8	9.1	1.6
深圳	32.8	0.0	1.1
寧波	95.6	77.6	0.5
福建	109.4	1.9	0.4
海南	5.1	—	0.3
厦門	—	0.0	0.1
全国	92.9	36.6	452.9

A：銀行貸出　実績率（対計画）%。
B：自己資金投下実績率（対計画）%。
C：三角債整理総額（億元）。
資料：『人民日報』1992年6月25日。

2　改革開放を再提起する鄧小平の南方談話

鄧小平は九二年一月一八日から二月二一日にかけて、家族とボディガードのみを引き連れて南方視察の旅に出た。訪れたのは湖北省の武昌、広東省の深圳経済特区と珠海経済特区、そして上海である。旅先の鄧小平はあたかも毛沢東の故知を学んだかのような手法、作風で、改革開放の加速を訴えた。

旅先での談話はその後整理されて「武昌、深圳、珠海、上海などにおける談話要点」として『鄧小平文選』第三巻（北京・人民出版社）に収められているし、この南巡の意義はよく知られている。ここでは重複を避けて、「談話要点」においては削除された箇所についてのみ触れておくことにしよう。鄧小平がまず訪れたのは武漢であった。そこで江沢民と李鵬を名指しして批判し、「第一三回党大会の改革開放路線に反対するものは誰であろうと失脚する」と恫喝した。これを聞いた相手は湖北省党委書記関広富、省長郭樹言とされている。鄧小平がここで第一声を放ったのは私の解釈では、誰よりもまず武漢市長趙宝江を前にしたかったのであろう。趙宝江は九〇年七月市長代表団の一員として、朱鎔基とともに米国を訪問していることからわかるように改革派の市長である（鄧小平と遠縁に当たる）。天安門事件後の制裁ムードのなかで、中央レベルの訪問団が米国に受け入れられる余地はまるでなかったが、地方政府レベル、すなわち市長代表団のかたちで中国封じ込め作戦を乗り越えようとした訪米団の団長が朱鎔基であり、趙宝江はその団員であった。

『人民日報』（二月二四日）は「改革の肝をもっと大きくせよ」と題する社説を掲げた。楊尚昆、楊白冰兄弟は深圳にかけつけ、高級将官を集めて会議を開き、鄧小平支持を表明するとともに、九二年三月の全人代で解放軍は改革開放の「護衛船団になる」と旗幟（きし）を鮮明にした。李鵬はあわてて鄧小平に対して「忠誠を誓う書簡」を書いたと伝えられる。

この前後で鄧小平の「最後の闘争」は成功したことがほぼ明らかになった。中国では旧ソ連解体の衝撃に耐えて、改革開放路線が復活する。朱鎔基は早速、改革開放を加速するための具体的なプログラム作りに着手した。

中共中央は九二年五月一六日に政治局拡大会議を開いて「中共中央四号文件」を採択し、五月末に党内に正式に下達した。この四号文件は、鄧小平の南方談話（中共中央二号文件）の精神を具体化したものといわれる（『東京新聞』一九九二年六月二日）。香港『大公報』（九二年六月一三日）は、四号文件の背景をこう説明した。

九二年四月六～一〇日、江沢民（総書記）は日本を訪問したが、出発に先立って李鵬（国務院総理）に置き手紙をした。それは鄧小平の南方談話で提起された「改革開放を加速し、数年内に中国の経済建設を新たな段階に引き上げる目標」を実現するために、国務院が速やかに具体案を作成せよと指示したものである。この提案を受けて、四月上旬から中旬にかけて中南海で一連の会議が開かれた。

この具体案を設計した実際の責任者は朱鎔基（副総理）であった。この文件は数回にわたって大きな修正が行われた。国務院常務会議で二回討論されたのち、各国務委員に渡され詳細な修正が行われ、五月一六日の政治局拡大会議で採択されたのは第四稿である。この文件は四つの部分に分かれ、第二部では「全方位開放の新構造」という考え方が提起された。このキャッチフレーズを最初に言い出したのは田紀雲（副総理）だ。国務院常務会議で討論した際に、田紀雲は四つのレベルの構想を提起した。

第一は沿海地区の開放であり、特区と開放都市を指す。

第二は沿辺開放であり、東北、西北、西南辺境の省区でも特区を作り、貿易を多元化することを指す。

第三は沿江開放であり、浦東を竜頭として揚子江全体の対外開放を引っ張るものである。

第四は内陸省区でも特区の「試点」を行うものだ。田紀雲は四月二五日に中共中央党校で報告を行った際にこの考え方を比較的詳細に説明した。この報告の際に、田紀雲は左派〈保守派〉の態度を厳しく批判した。

「指導部が左の思想の呪縛から脱却することは重大な課題だ。もしこれに触れなければ、改革開放は空語になる。この問題を徹底的に解決しなければ改革開放を継続できるかどうか疑問だ」。

この田紀雲報告は熱烈な拍手のゆえにしばしば中断された。その録音テープは洛陽の紙価を高からしめるがごとく、テープ一本で一五〇〇元のヤミ値がついた〈「京城紅頭文件熱」香港『大公報』一九九二年六月一三日〉。

香港の中国系紙『大公報』の解説から、鄧小平談話・朱鎔基設計・田紀雲の活躍ぶり、という舞台裏の事情がうかがわれる。

四号文件の下達と連動して、『人民日報』は一連のキャンペーンを展開した。

江沢民は六月九日、喬石〈中共中央党校校長兼任〉の力を借りて中央党校で省級・部級幹部を相手に南方講話支持を表明し、左派〈保守派〉批判を行った〈『人民日報』一九九二年六月一五日〉。

『人民日報』の六月九日付社説は「中国の改革開放の新段階」を論じて、その特徴は、「沿海から沿江〈揚子江〉へ、沿辺〈国境〉へ」と広がりをもたせること、また「全方位、多元化した対外開放の構造」〈原文＝全方位、多元化的対外開放格局〉にあると説明した。

「東部と西部の発展のギャップが増大していることは、民族団結の大局に影響し、国境防衛の強化に影響するからだ」とその狙いを説明した。要するに、沿海地区で試行された開放政策が成功したとの認識に基づいて、これを「全方位」に拡大する作戦だ。

改革深化の面では、最大の課題は企業の「経営メカニズムの転換」だが、これを断行するために、社会保障制度の改革を並行させ、企業改革の援軍にしようとしていることがわかる。『人民日報』評論員論文（五月二九日）は「社会保障は制度改革が必至」と論じ、労働者の「生・老・病・死・住宅」から「子弟の入学・就職」まで企業に請負わせることをやめよ、企業の資金は住宅や福利費ではなく、設備投資に向かわせ、企業環境、個人の貯蓄は住宅や社会保険などに向かわせる経済システムを構築せよと訴えた。

四号文件は、また第三次産業の意義を強調した。三次産業の発展を一般的に論じたのではなく、この分野に外資を積極的に導入する方針を提起した。これまでは輸出による外貨獲得の観点から製造業を優遇したが、これからは金融や国内の流通、不動産業を含めて、ほとんどすべての分野（防衛を除く）において「外資歓迎」を掲げたことが特徴的である。この時点ですでに日系流通グループの進出がいくつか決定しているが、これは三次産業における開放路線に沿ったものである。

このような改革開放の発展によって当然、旧来の行政機構は改編を迫られる。国務院経済貿易委員会の設立（全人代での報告は九三年三月一六日）や農業委員会の設立構想などはその一環である。

前者は朱鎔基勢力、後者は田紀雲勢力の拡大につながる（ただし、後者の農業委員会は実現しなかった）。つまりは国家計画委員会（鄒家華主任）の地盤沈下（「小計委」化）を意味する。

3　朱鎔基降ろしの党内世論、強まる

朱鎔基が経済担当の副総理として、テキパキと難題を処理していく過程で朱鎔基への期待はしだいに高まったが、他方で、朱鎔基への風圧あるいは朱鎔基降ろしの党内世論も強まった。焦点は第一四回党大会における朱鎔基の政治局常務委員昇格問題であった。姚依林（国務院常務副総理、政治局常務委員）は、朱鎔基や李瑞環が市長を務めていた時期の上海市および天津市の経済発展について、これをくさす「調査報告」を「国務院政策研究室および財政部」の名で作成させ、朱鎔基、李瑞環を牽制した（高新・何頻著／多田敏広訳『朱鎔基伝』近代文芸社）。九二年五月二〇日、中共中央組織部長呂楓は、第一四回党大会の人事で「三段飛び」はありえない、と語り、朱鎔基の昇格を否定した。

朱鎔基昇格をめぐるかけひきが最も激化したのは九二年七月であった。中共中央宣伝部長王忍之は中央党校で保守派主導の座談会を開き、中共中央対外宣伝領導小組組長朱穆之は「若干の老同志の意見は、朱鎔基は過去に誤りを犯したことがあり、政府の大権をこのような同志に手渡すことに安心できない」と『通報情況』（内部発行）に書いた。中央顧問委員会秘書長李力安は「朱鎔基の三角債処理はさほどの手柄ではなく、赤字の国有企業は増えた」とくさした（同前）。

この種の雑音を意識したからこそ、鄧小平は前述のように敢えて「朱鎔基は経済がわかる男だ」と支持を強調したのであった。

九二年一〇月、第一四回党大会が開かれ、朱鎔基は政治局常務委員会の七名の一人に選ばれた。鄧小平の強い推挽があり、陳雲らもしぶしぶ承知し、喬石などが積極的に支持した結果だ。とはいえ、政治

局委員の選挙は、朱鎔基への得票は二八七票であり、常務委員および政治局委員二二名のうち一五位であった。保守派が朱鎔基を警戒した結果だ。常務委員会における序列は、江沢民、李鵬、喬石、李瑞環についで第五位となった。

4 鉄腕うなる、朱鎔基の金融整頓（一九九三年七月）

第一四回党大会で政治局常務委員に昇格し、九三年三月の全人代で朱鎔基は国務院第一副総理に再任された。総理李鵬を直接補佐し、場合によっては代行する地位である。国務院経済貿易弁公室主任のポストは腹心の王忠禹にゆずった。約二年の経験を経て、いまや副総理朱鎔基の実務能力を疑う者はなくなったが、政敵はますます増えた。九三年四月下旬、李鵬は心臓病で倒れ、一〇月まで約半年、国務院の日常工作をすべて朱鎔基に委ねた。

朱鎔基はいまや事実上の総理として、経済だけでなくあらゆる分野を指揮した。全国人民代表大会は毎年春に開かれるが、大会の閉会中はその常務委員会が大会の権能を代行する。

九三年七月、この全人代常務委員会（第八期二次会議）が突然フットライトを浴びた。中国人民銀行行長李貴鮮を解任し、朱鎔基がみずから兼任したからだ（『人民日報』一九九三年七月三日）。

鄧小平の南方講話以後、改革開放路線が復活したのは歓迎すべきだが、それまで極度の不況に悩まされていた中国経済は一転してバブル景気の様相を深めた。本来なら固定資産投資に用いられるべき長期資金さえ、株式市場に横流しされる異常な事態が蔓延したが、計画経済への惰性が強く、市場経済に不慣れな金融担当者たちは制止しないばかりか、便乗して私腹を肥やす動きさえ見られた。

朱鎔基の鉄腕がうなった。まず金融界の最高責任者の地位にある人民銀行の李貴鮮行長（国務委員兼任）を罷免し、一罰百戒の範を示した。まさに「鶏を殺して猴（サル）に警告する」の図柄である。中国人民銀行行長のポストを兼任した朱鎔基はさっそく陣頭指揮を始めた。七月五〜七日、全国金融工作会議を主宰し、会議の総括として「約法三章」を提起した。

①すべての不法貸出をただちに停止し、真剣に清算せよ。不法貸出は期限内に回収せよ。

②いかなる金融機関も預金、貸出金利を引き上げ（原文＝変相提高）てはならない。預金金利を引き上げて、預金獲得戦争（原文＝儲蓄大戦）をやってはならない。貸出先からリベート（原文＝回扣）を受け取ってはならない。

③銀行がみずから設立した各種経済実体への貸出をただちに停止せよ。銀行はみずから設立した各種経済実体と徹底的に縁切りを行え（同前、九三年七月一〇日）。

朱鎔基の「約法三章」から、当時の金融秩序の混乱の所在がわかる。

①は「不法貸出」の停止と回収である。コネと職権を悪用して、銀行から短期資金を借りて、株式を買ったり、不動産を買ったり、はては商品の先物取引をやる事例が九二年来急増したからだ。

②は預金金利、貸出金利を安定させ、不当な競争をやめさせ、高金利によって預金を獲得し、貸出を抑制するものである。このため五月一五日に人民銀行は新金利を決定し、普通預金二・一六％、一年定期九・一八％、貸出金利九・三六％としたのに続いて七月一〇日、普通預金三・一五％、一年定期一〇・九八％、貸出金利一〇・九八％に再引き上げした。

③は天安門事件以後、停頓していた金融改革の間隙に乗じて、銀行自身が子会社を作り、資金を流し

て、事業に乗り出し、私腹をこやそうとする動きに対する処断である。ここでいう「各種経済実体」とは、ペーパー・カンパニーから投機会社までさまざまだが、機構改革ブームに便乗して、「翻牌」会社（役所の看板を裏返しただけの公司）をデッチ上げ、銀行の資金を食いものにする動きである。

さて、人民銀行行長の解任という朱鎔基の果断な措置と「約法三章」が好感を与え、人民元の交換レートが下げ止まり、安定化に向かったことは、全国の主要な外貨調整センターのレートの変化から明らかであった。

朱鎔基が金融整頓に取り組む前の時点で、全国各都市の外貨調整センターにおける人民元の対米ドル交換レートは、最も安い重慶で一米ドル＝一〇・七五五元、最も高い上海で一〇・三九八元であった。新政策のニュースが伝わった七月五日、人民元は、深圳の二割高を筆頭に、浙江、上海などで一割近く値上がりした。八月末の時点で、一米ドル＝八・八人民元程度である。ちなみに政府のオフィシャル・レートは一米ドル＝五・七人民元であり、調整センター・レートという「政府公認のヤミ・レート」の五割高である。両者の関係が、一対二まで開いたところで整頓が始まり、一対一・五の水準で安定した。これが「朱鎔基効果」である。

なお、図4における「外貨調整センター・レート」は九三年の場合、年間平均の一米ドル当たり八・六三元を採用して描いた。ここで公定レートとの格差は約五割であり、市場の実勢レートは公定レートよりも五割方人民元安・ドル高である。

七月一〇日、朱鎔基は国務院第二次全体会議を主宰し、マクロ・コントロール〔原文＝宏観調控〕の新政策を伝え、全国二〇省レベル単位に、中央調査組一〇チームを派遣し、この任務を貫徹する体制を整えた（同前、九三年七月一一日）。

翌七月一一日には朱鎔基は全国農村金融工作会議を開き、農村金融の整頓を呼びかけた（同前、九三年七月一二日）。ついで七月二〇～二三日、全国財政工作会議と全国税務工作会議が北京で同時に行われ、各省レベルと計画単列都市の財政、税務庁長（局長）と国務院の関係部門責任者が出席した。朱鎔基は九三年上期の財政収入の伸び率がＧＮＰの伸び率をはるかに下回っていると指摘し、その理由として、次の三カ条を挙げた。すなわち、

①越権行為による減税、免税による損失、
②流通税〔原文＝流転税〕の請負化、
③徴税工作のいいかげんさ、

であった。朱鎔基はさらに、各級財政、税務部門に対して、「税収財務大検査」をやり、国債の売却任務を達成し、国家重点建設の資金需要を満たすことなどを提起し、根本的対策として財政、税務工作の改革を訴えた。すなわち現行の「各種の請負制」のやり方を「市場経済に対応しえない遅れたやり方」だと決めつけ、財政改革の四つの原則を提起した。すなわち、

①新たな財政、税務体制を樹立すること、
②「分税制」を行い、中央税と地方税を別々に徴集し、管理すること、
③財政の機能を明確にし、財政支出の権限委譲を行うこと、
④「企業会計準則」「企業財務通則」に基づいて政府と企業の分配関係を規制すること、

の四カ条である。

図４　人民元レートが安定すると貿易黒字が増える

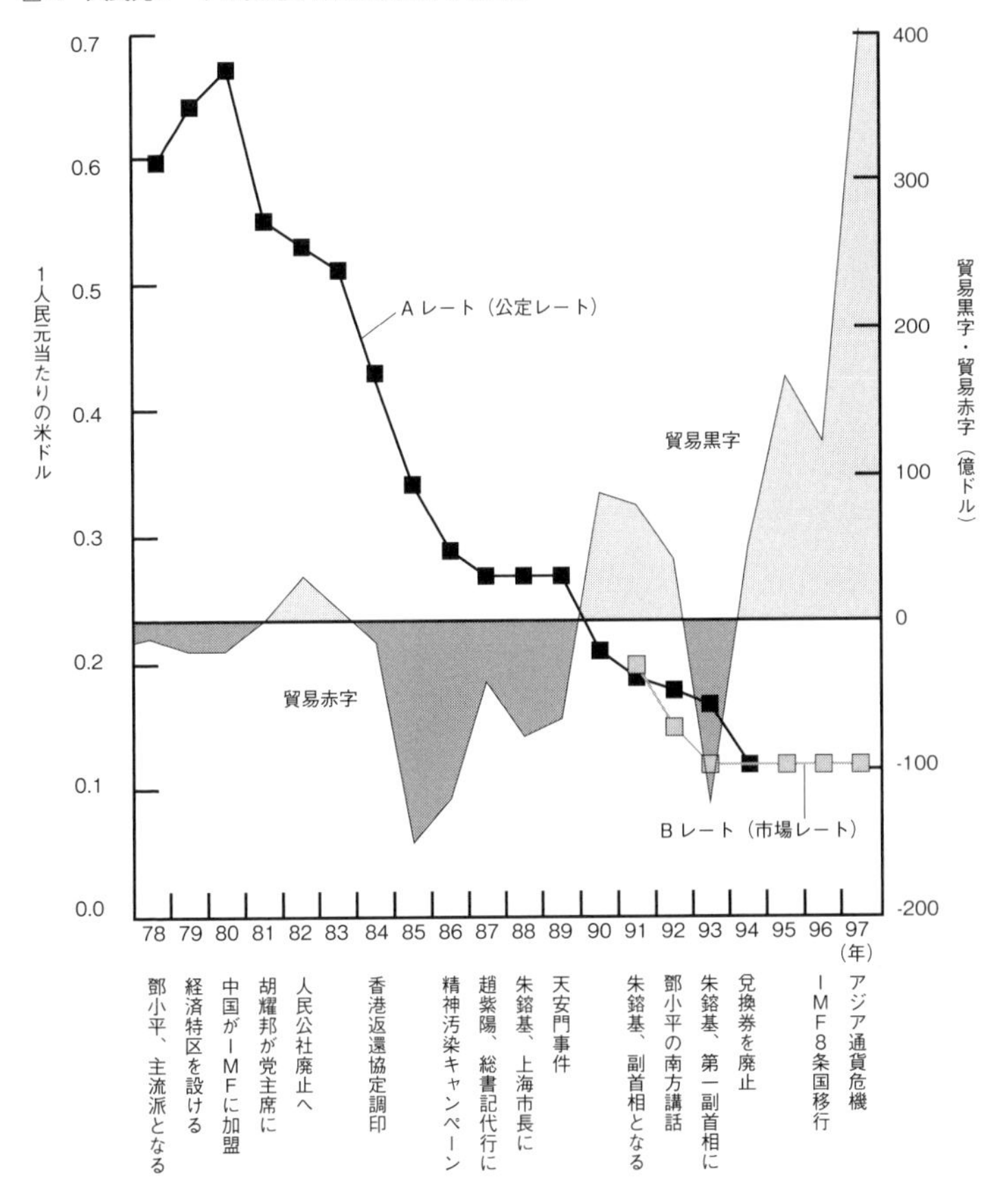

注１：A レートとは、中国当局の公表した公定レートである。
注２：B レートとは、中国当局が外国企業のために設けた外貨調整センターのレートである。
注３：94 年のレート改革は事実上 A レートを廃止し、B レートに置き換えたことになる。
資料：調整センター・レートのうち、91 年は『金融年鑑 1992』、92 年は同 1993 年版、93 年は同 94 年版、公定レートは『中国統計年鑑 1997』北京・中国統計出版社。

この四原則は今後の財政改革の基本的な考え方になるものだ。金融部門と同じく、財政、税務部門に対しても当面の緊急措置として、「約法三章」を命じた（同前、九三年七月二四日）。すなわち、

①みだりに徴税時の減免をやってはならない、勝手に減免した場合は当事者および責任者の責任を追及する、

②財政支出を厳格に統制し銀行へのツケ回し（原文＝向銀行掛帳）を停止する、財政赤字は国債発行で解決し銀行引受けの方法を禁止する、

③財政、税務部門は、商業的な金融業務に従事してはならない、財政部門の設けた各種公司、とりわけ金融的性格の公司は期限内に財政部門と縁切りを行う、

というものである。

朱鎔基の陣頭指揮下のマクロ統制によって、九三年七月の工業生産高は対前年同月比で二五・一％増にとどまり、六月と比べて五・一ポイント落ちた。固定資産投資のプロジェクト数も減少し、不動産バブルや開発区ブームにも「熱さまし」が効いた（同前、九三年八月二〇日「国家統計局報告」）。しかし、過熱景気を本格的に軟着陸させるまでにはあと三カ年を要した。

5　人民元の交換レート切下げ

九四年元旦を期して、中国は人民元の交換レートについての大きな政策変更を断行した。その一つは、八〇年四月以来一四年間にわたって行われてきた外貨兌換券制度を廃止し、二重為替制度をやめて交換レートを一本化した。その二つは従来の固定為替レート方式をやめて、「管理されたフロート制」に移

行した。従来の固定為替レート制度のもとでレートの決定は、「外貨入手コスト」に基づいて行われた。これは中国製品を外国に輸出して米ドルを稼ぐ場合に、その商品を中国国内で調達するのにいくらコスト（人民元）がかかるかを計算するやり方だ。たとえば外貨一〇〇万ドルを稼ぐのに、五〇〇万元相当分の商品が必要ならば、一米ドル＝五元が交換レートになるわけだ。この方式は、極端な外貨不足に悩む中国が開放政策の初期に採用した実践的な方式で、きわめて具体的、即物的なレートの設定方法であった。

では九四年に「管理されたフロート制」に移行したとき、レートの設定方法はどのように変化したのか。九四年に新しいレートを設定したときの基本的な考え方は、交換レートは外貨の需給関係で決まるというものだ（楊帆「人民弊匯率走勢分析」『経済藍皮書一九九七』北京・社会科学文献出版社）。中国政府はすでに「外貨調整センター」なる政府公認のいわば外貨ヤミ市場を中国の主要都市に設け「外貨を売りたい企業」と「買いたい企業」の需給調整を行ってきた。この経験を活かして、調整センターのレートこそが市場の実勢であると決断し、このレートを追認した。

図4の人民元の交換レートから読み取れるように、七八年以後、中国が人民元の交換レートを二割以上切下げたのは、八一年、八五年、九〇年、九四年の四回である。八一年の切下げは七八〜八〇年の貿易収支が三カ年にわたって赤字を続けたからだ。八五年の切下げは、八五年の貿易赤字が一〇〇億ドルを超え、八六年も一〇〇億ドルを超えたからだ。九〇年の切下げは八八〜八九年の貿易収支が赤字になったからだ。九四年の切下げは九三年の貿易収支が一二二億ドルの赤字になったためと見てよい。つまり、中国当局にとって国際収支の赤字は最もセンシティブな経済指標のひとつであり、これに警戒信号

が灯ると、かならず為替レートを調整してきた。しかし九四年の人民元切下げは従来のパターンを踏襲したただけではない。これまでは、貿易収支の黒字化を目指して為替レートを調整してきたが、今後は「外貨の需給関係」にレート調整の根拠を求めることにした。

このような転換が行われたのはなぜか。いうまでもなく、中国経済の発展にとって貿易収支だけに注目すればよい時代が終わり、資本収支が大きな役割を果たすようになったことがその背景にある。

米国の雑誌『ビジネス・ウィーク』(九四年一月三一日号)は、人民元切下げの直後に朱鎔基をインタビューして、その「肉声」を生き生きと伝えた。たとえば、中国側通訳がfinancialと訳したのを聞いて、bankingと訂正するなどインタビュー途中でしばしば通訳の「誤訳あるいは不正確な英訳」を直したエピソードを伝えている。中国はどのような経済体制を作ろうとしているのか、という問いに、目標は「市場経済が機能するメカニズム」であり、その内容は「米国のそれと同じ」である。唯一の違いは、米国のそれが私有制に基づいているのに対して「中国では公有制に基づく」ことだと答えている(ただし、「公有制に基づく市場経済」という言い方の内実はいぜんあいまいである)。

そして「予想もしなかった問題が現れた」として、九三年一二月二九日付の兌換券廃止の「通達に欠陥」があったので、改めた経緯を説明した。それは兌換券は今後も引続き、「一ドル=八・七元ではなく、一ドル=五・八元という切下げ前のレート」での換算を認めたことだ。「この説明を怠ったために、貴金属などを買い漁る現象が現れた」と弁解し、即日この補足を行い、この問題を解決できたと説明している。

この率直な「反省」の弁は注目に値する。通達の欠陥を認め、ただちにそれを補足する通達を出した機敏性は、朱鎔基の「テクノクラート的体質」をよく物語る。従来の権威主義的指導者にとっては、みずからの「指示」に傷がつくことを恐れてこの種のプラクティカルな対応ができなかった。

一九九四年一月一二日から一五日まで北京で全国金融工作会議が開かれた。九三年六月以来、金融秩序の整頓を突破口として国民経済のマクロ・コントロールを強化する決定が行われ、周知のように、「約法三章」を執行した結果、次の効果が現れた。

①国家重点プロジェクトの九九％に資金が向かった。

②農産物買付けにおいて「カラ手形」〔原文＝打白条〕を切る現象がなくなった。

③重点生産と貿易企業における流動資金不足は基本的に緩和された。

④通貨の過大な発行が抑制され、九三年の年間の通貨発行は予定通りのマクロ・コントロールの範囲内に抑えた。

⑤為替レートは安定し、国家の外貨準備が増えた。

朱鎔基は九三年の金融情勢をこのように総括したあと、指示した（『人民日報』一九九四年一月二〇日）。

①過大な固定資産投資を拘束するメカニズムはまだできていない。

②インフレ圧力は、随時強まる危険性がある。

③九四年の金融政策は、金融秩序の整頓と金融改革、貸出総量の規制を続けよ。

と強調し、新たな「三カ条」を提起した。すなわち、

①九四年の貸出規模の総量を厳しく統制する。カギは各級銀行の固定資産投資資金の貸出規制にある。九四年からインフラや基礎工業の重点プロジェクトへの貸出は、新たに設立される「国家開発銀行」が

統一的に行う。開発銀行以外の銀行は他の資金を流用してはならない。とりわけ流動資金を設備投資（基本建設）に流用してはならない。許可を得ていないプロジェクトに貸出したり、プロジェクトを「細切れにして部分的に貸出を受けるやり方〔原文＝化整為零的項目〕」を厳禁する。正当ならざる手段で貸出枠を突破した者には、その責任を追及する。

②「政策金融」は開発銀行など政策銀行に委ねる。工商銀行、農業銀行など各専業銀行は商業銀行に移行する。国有企業は経営メカニズムの転換過程にあるが、各専業銀行はまず貸出限度額統制を実行して「資産負債比例管理」を行い、「自己拘束」と「リスク責任」のメカニズムを樹立する。「破産法」の適用に対応して九四年から「貸倒れ準備金」〔原文＝呆帳準備金〕を増やす。

③人民銀行の各級支店は、その職能を確実に転換して、地域金融の監督の面で主導作用を発揮せよ。みだりに貸出を行い〔原文＝乱貸款〕、みだりに資金を集めること〔原文＝乱集資〕を防いでこそ、固定資産の投資規模を抑え、インフレ圧力を軽減できる。

要するに、銀行が「カギのない金庫」である状態を改めて、「銀行をして真に銀行たらしめよ」（『鄧小平文選』第三巻）というのが、朱鎔基講話の骨子であった。

『ビジネス・ウィーク』の朱鎔基会見から想起した逸話を書き留めておきたい。話は九三年一一月二日、日本商工会議所の稲葉耕作訪中団が朱鎔基と会見したさいの奇妙な出来事である。朱鎔基が「兌換券の廃止による交換レートの一本化」という重要な政策変更を「九四年年初から」と語ったのか、「九四年中には」と語ったのか、中国側通訳が不慣れのためあいまいで、日本側に理解の混乱が生じた。廃止は前述のごとく年初に行われた。つまり朱鎔基発言の真意は「九四年年初から」であった。

ところが、である。日本側は有能な通訳陣を同席させておきながら、朱鎔基の肉声の聞こえる位置に配置しない愚行を演じ、折角のメッセージを受けとることに失敗した。この会見に限った話ではないが、あたかも新任社長たちが参勤交代のごとく、「恭しくお説を拝聴する」スタイルをやめて、率直な対話に切り換えないと、せっかくの機会をムダにするばかりでなく、相互の誤解が増幅される恐れが強い。これは日中関係におけるディスコミュニケーションを示す教訓である。

6　朱鎔基の財政改革

金融整頓・金融改革と並ぶもう一つの課題は、財政改革であった。これは政府予算の部分と徴税工作の部分に分けられる。

九四年三月二二日、全人代は「中華人民共和国予算法」を採択し、九五年元旦から施行した（同前、九四年三月二六日）。これによって九一年一〇月以来行われてきた「国家予算管理条例」は廃止された。

新予算法の骨子を見ると、中国の各級政府はそれぞれの予算を実行するので、全体として五級の各政府が予算をもつことになる。すなわち、

①国務院のもつ中央政府予算、
②省レベル政府（三直轄市、二二省、五自治区）の予算、
③「区を設けた市」（大都市で△△区のように区制を敷いているもの）の予算、
④県レベルの政府予算、
⑤郷鎮レベルの政府予算、

である。

中央・地方政府は五段階に分かれるので、「五級予算」と呼ぶ。これらのうち、

①中央政府予算、すなわち中央予算は国務院の各部門（直属単位を含む）の予算からなる。中央予算には地方政府から中央に対して「上納された歳入」と中央から「地方政府へ返還されたもの」および中央から「地方への補助金」が含まれる。

②地方予算は省レベルの二二省、五自治区、三直轄市（その後、重慶市が加わり四直轄市となる）の総予算によって構成される。地方各級の総予算は当該級の予算（原文＝本級予算）と下一級の総予算を合計したものからなる。

九四年予算の場合、中央の財政収入は中央で徴収した二七二〇・六億元と省政府から上納された六〇八・五億元、計三三二九・一億元である。歳出を見ると、中央の行政のために中央レベルで直接的に支出するものが一八六三・九億元であり、省レベル財政への返還と補助金が二一三五・四億元である。このうち六〇八・五億元は上納部分の返還に相当し、補助金は一五二六・九億元になる。この中央からの資金と省レベルで独自に集めた二〇三九・四億元が省レベル財政の歳入になる。省レベルの歳出を見ると、中央への上納六〇八・五億元と省レベル独自の支出三五六六・三億元からなっている。

これは中央レベルの予算と省レベルの予算の関係を説明したものだが、同じ関係は省レベルと地区レベル、地区レベルと県レベル、県レベルと郷鎮レベルについてもあてはまる。歳入のうち中央財政における「地方からの上納」部分および地方財政における「中央からの返還と財政補助」の部分とは、重複計算される。したがって、九四年の実際の歳入は中央で徴税した財政収入二七二〇・六億元と地方独自の

財政収入二〇三九・四億元の計四七六〇億元になる。同じく歳出は中央財政として支出した一八六二・九億元と地方独自の財政支出三五六六・三億元、計五四二九・二億元になる。

要するに、中央財政収入三三二九・一億元と地方財政収入四一七四・八億元を単純に加算してはならない。

なお、中央と省レベルとの関係において、中央への上納と返還が同時に出てくるのは、奇異に感じられる向きもあろうが、「上納する省」と「返還あるいは補助金を受けとる省」とは異なる。上納する省は広東省、上海市、遼寧省、四川省、江蘇省、山東省、浙江省などの豊かな省市だ。他方、補助金を受けるのは、五自治区（広西、内蒙古、新疆、寧夏、チベット）および少数民族が多く、事実上自治区に近い雲南省、貴州省、青海省などだ。これらを両端として、あまり上納もせず、さりとて補助金を受けるわけでもない中間の省がある。

九五年予算案における中央政府徴税額は三二一九億元、地方政府徴税額は二四七三億元であり、計五六九二億元になる。全体に占める中央、地方の比率はそれぞれ五六・五％、四三・五％である。次に中央財政から貧しい地方財政への補助や豊かな地方からの中央財政への上納による再配分を経た結果はどうか。中央財政の支出は財政赤字六六九億元を含めて四四九四億元であり、地方財政は財政赤字の計上を許されないので支出は収入と同額の四九二三億元、中央と地方の支出合計は六三五九億元である。全体に占める中央、地方の比率はそれぞれ三二・二％、六七・八％である。つまり徴税ベースでは中央がすでに五六％を掌握し、これに地方財政からの上納金を含めた財力で地方への補助金を交付する結果、支出ベースでは中央対地方の比率がおよそ一対二となっている。朱鎔基は九四〜九五年のわずか二カ年でこのように転換させた。九四年に導入された「分税制」の効果は著しい。

八〇年代に行われた「財政請負制」のもとでは、省レベル政府が中央政府に対して歳入の上納を請負い、請負額の超過達成分を留保することが行われていた。請負制のもとで豊かな省は、地方留保分を拡大する反面、貧しい省は貧しいままに取り残された。中央の取り分を増やすことによって、マクロ・コントロールの能力を高めることが一つの狙いであり、もう一つの狙いは、中央政府が省レベル政府と相対取引のような恣意的な基準で取り分を分けるやり方を規範化することであった。

分税制によって財政収入に占める中央と地方の比率が劇的に変化したことは、図5「分税制で強化された中央財政」からよくわかる。九三年には財政収入に占める中央のシェアは二二％まで低下したが、九四年には一挙に五五・七％までシェアが増えた。このシェアを六割までもっていくことが朱鎔基の狙いだ。改革の初年度にここまでシェアを拡大したのは特筆すべき変化だ。とはいえ、九五年は五二％、九六年には四九％に落ちている。これは中央収入の伸び率が地方収入の伸び率の半分以下であるためだ。国家税務局と地方税務局を分設し、国税と地方税を明確に区別することは近代的な租税制度を確立するうえできわめて重要な一歩である。

分税制はひとまず成功したが、問題はいくつか残る。一つは中央税収の還付による九三年時点での地方の既得権維持を、朱鎔基が譲歩案として呑んだことだ。朱鎔基は実を捨てて名をとり、地方政府（たとえば広東省など）は、名を捨てて実をとった。この結果、中央の財力はいぜん不足しており、内陸地区への移転は十分に行われていない（なお、これは事後の確定数字であり、前述の予算案レベルの比率とは違いがある）。この分税制によって、中央政府が対地方政府との関係において主導権を回復すると

図5　分税制で強化された中央財政

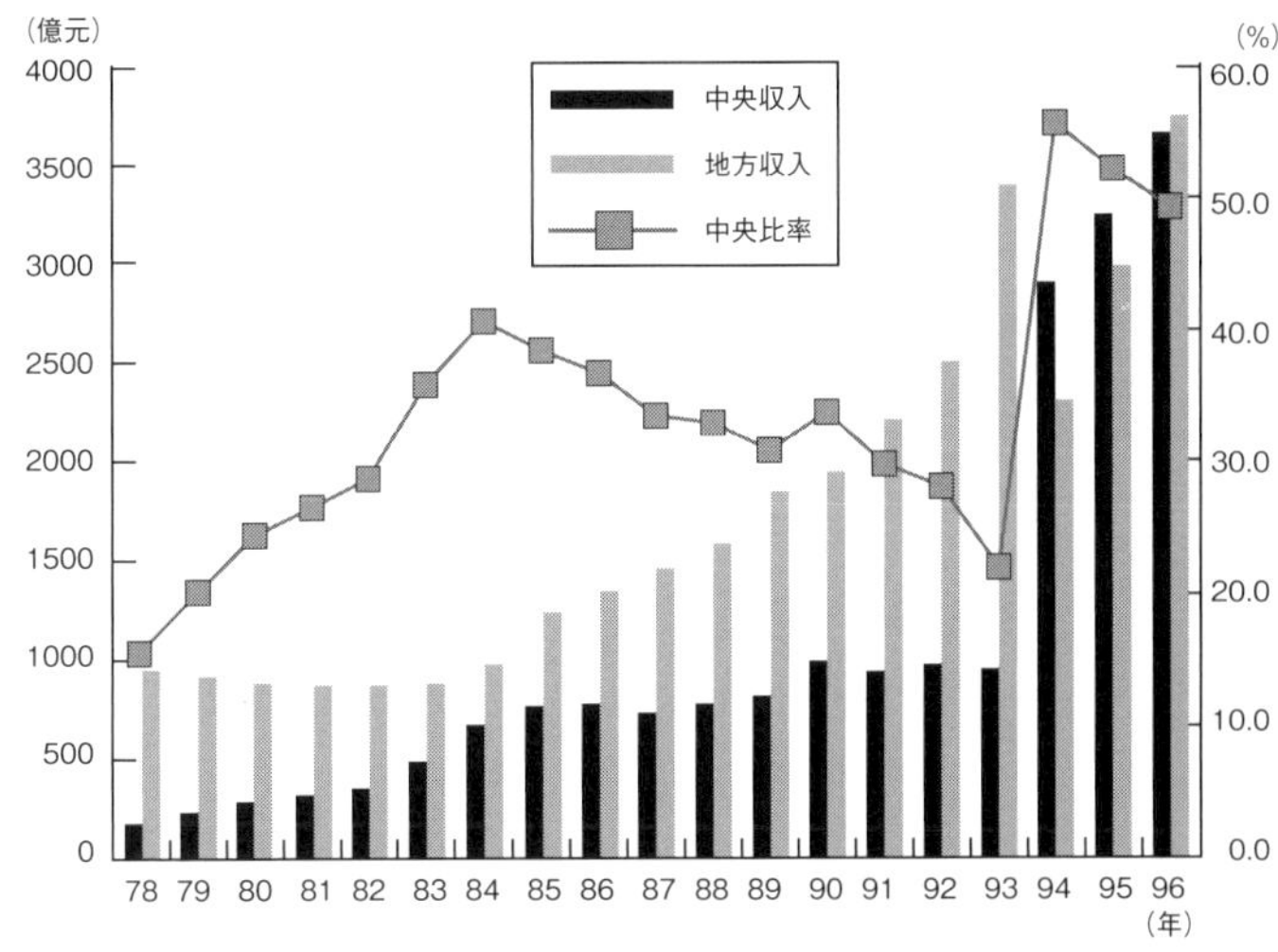

資料：『中国統計年鑑』各年度版。

いう朱鎔基の目論見は実現できたが、もう一つのより大きな難問が解決されていない。

それは図6に明らかである。このグラフに示されているように、鄧小平改革の始まった七八年にはGNPに占める財政の比率は約三割を維持したが、九五年には一〇％台まで落ちた。朱鎔基の財政改革は、この低下傾向をとどめ、逆転させるには至っていない。マクロ・コントロールの手段として財政資源を考える場合に、これは放置できない問題であろう。最近は、税収をGNPの伸び率と関連させて徴税すべきだという考え方が有力になってきている。

さて予算法について、もう一つだけ大事なポイントを補足しておきたい。それは第二七条で中央政府予算には「赤字を計上できない」と禁止したことだ。中央政府が安易に中央銀行からの当座貸越、あるいは政府借入の形で借金することを禁じ、万一必要な場合には「国債発行」という明示的な形で、借金の形を示し、放漫な赤字財政に枠をはめた。

図6　対GNP財政比率を25%に回復する目標が提起された

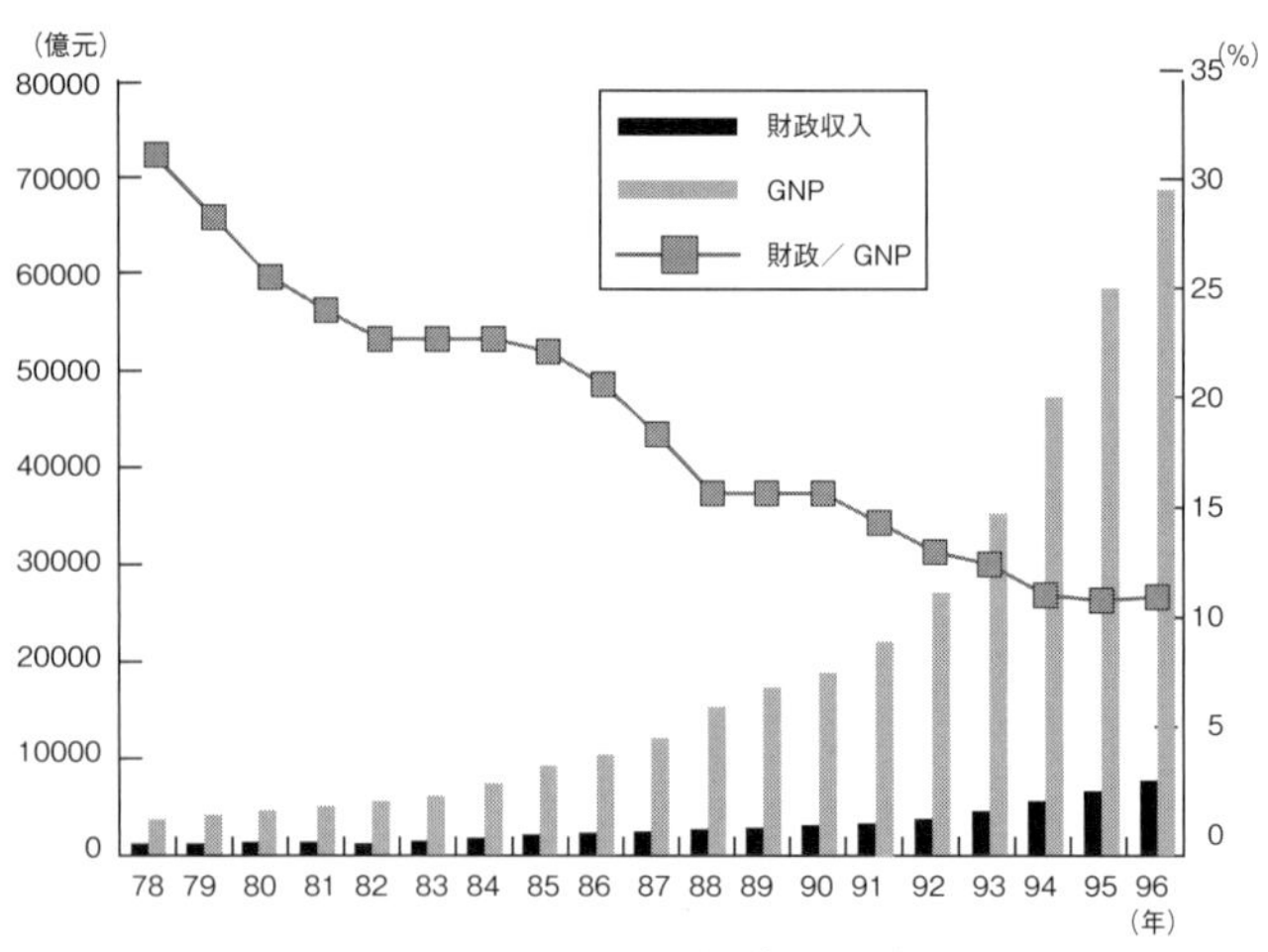

資料：『中国統計年鑑1997』北京・中国統計出版社。

さらに第二八条では地方各級の予算は「赤字を計上してはならない」と厳禁し、「地方政府債券」の発行も厳禁した（同前、九四年三月二六日）。

朱鎔基が財政改革に強い決意で臨んだ理由は、大きく分けて二つある。一つは、インフレ対策をはじめとする国内政策を動かす手段としての財政の役割に着目した。もう一つは、対外債務の問題である。九二～九三年の債務率は九割から九割五分台に迫った。対外債務残高を貿易収入とサービス収入で除した比率を債務率と呼ぶが、この比率の国際的警戒ラインは一〇〇%であるから、朱鎔基が改革に着手したとき、警戒ラインに近づいていた。改革後の現在、七割台に落ちて、この指標は大いに改善された。対外債務残高が九四年九二八億ドル、九五年一〇六六億ドル、九六年一一六三億ドルと伸び率が小さい反面、貿易の伸び率が堅調であったからだ。しかも、九六年の場合、長期債務が一〇二二億ドルで、全体の八八%を占める。中国は債務率において安全であり、その内容を見ても短期債務の比率は一割強にすぎない(『中国統計年鑑1997』北京・中国統計出版社)。

対外債務の残高がGNPに対してどの程度の規模かを見ると、九六年時点で二・九%である。債務残高は一二〇〇億ドル台を超えて小さくはないが、GNPが大きく伸びているために、その比率は意外に小さい。

最後に、株価対策とインターネット利用の一例を示すエピソードを紹介して、この章の結びとしよう。九六年の一二月一六日、『人民日報』が一面トップに「特約評論員」論文「当面の株式市場を正しく認識せよ」を掲げて、一〇月以後の株式暴騰に警告を発したことがある。九六年一二月九日には上海証券市場の指数は九六年四月一日の水準と比べて二・二倍の高さになり、また深圳のそれは四・四倍になった。これは新規の投資者八〇〇万を加えて、計二一〇〇万の投資者が市場に参加する空前の株式ブームのもとで生じた。

『人民日報』の警告は効を奏して、株価沈静化対策は成功した。この現象をとらえて、bull market(強気の相場)やbear market(弱気の相場)ではなく、pig market(豚の相場)という言い方がなされた。雄牛、熊に対して、朱鎔基の朱と豚が同じ発音ヂュウであるところからの連想で、朱鎔基相場というわけだ。

『人民日報』がこの警告を発した当日、朱鎔基はオフィスに現れると、ただちに海外および香港の反応を知るためにインターネットを通じて反応を調べさせた。香港紙が中国の株式ブームを批判して、一九二九年のウォール・ストリート暴落を想起させると書いた箇所を読んで、朱鎔基は「評論員論文は証券監督管理委員会の同志が書いたものだが、原稿を点検した際、その箇所には気づかなかったね」と述懐した〈香港『鏡報』一九九七年第五期〉。中国経済の市場経済化にとって、インターネットがいかに重要な役割を果たしているかを示すヒトコマだ。中国のインターネット事情については、反体制政治情報やポルノ規制などの側面が過度に語られ、ミスリーディングな報道が少なくないが、この種の規制論や管理論は、すでにインターネットが広く使われ始めた事実を裏書きするものにほかならない。

金融整頓と国有企業改革

1　金融秩序の整頓

朱鎔基は九三年七月に中国人民銀行行長〈総裁〉を兼務して以来二カ年にわたって、金融の引き締めと改革の陣頭指揮を続けたが、その結果を統計で検証しよう。

初めに二つの基本的なデータを示しておきたい。表4は国有銀行の資金平衡表である。これは歴年の『中国統計年鑑』から得られる。表5は中国人民銀行の発表する「貨幣概覧 Monetary Survey」である。この資料は九四年に第1号が出版され、以後通貨の動きは「季報」レベルで知りうるようになった。中国当局がM_2をIMF〈国際通貨基金〉の定義に改めたのは九四年だが、資料の継続性に鑑み、九三年分も新基準に改めて発表している。

表4　国有銀行の資金平衡表

単位：億元

借方	1988	1989	1990	1991	1992	1993	1994	1995	1996	1997	1998	1999
資金来源計	11,541	13,618	16,838	20,614	24,269	34,195	49,558	64,222	79,034	95,008	110,421	123,231
1　各種預金	7,426	9,014	11,645	14,864	18,891	23,230	40,503	53,882	68,596	82,390	95,698	108,779
2　金融債券	76	70	92	134	163	99	94	1,684	2,484	30	56	39
3　国家投資債券	149	139	186	185	236	217	120	117	120	197	174	372
4　貨幣流通量	2,134	2,344	2,644	3,178	4,336	5,865	7,289	7,885	8,802	10,178	11,204	13,455
5　所有者権益	1,074	1,197	1,316	1,482	1,822	2,207	3,698	4,113	4,481			
6　当年利益	123	119	166	454	-1,178		381	188	-31			
7　その他	561	736	789	318	0	2,576	-2,526	-3,647	-5,718	2,214	3,288	585

貸方	1988	1989	1990	1991	1992	1993	1994	1995	1996	1997	1998	1999
資金運用計	11,541	13,618	16,838	20,614	24,269	34,195	49,558	64,222	79,034	95,008	110,421	123,231
1　各種貸出	10,551	12,409	15,166	18,044	21,616	26,461	39,976	50,544	61,157	74,914	86,524	93,734
2　有価証券と投資							2,462	4,216	5,645	3,672	8,112	12,506
3　国家投資債券貸出	187	192	259	262	298	337	89	76	69			
4　金銀買付け	12	12	12	12	12	12	140	202	234	12	12	12
5　外貨買付け	158	265	600	1,228	1,102	876	4,482	6,775	9,579	13,467	13,728	14,792
6　保有現金							642	721	662	827		
7　財政への貸越							557	557	557	534	462	604
8　政府債務	577	685	801	1,068	1,241	1,582	1,237	1,132	1,132	1,582	1,582	1,582
9　その他支出	56	56	56			4,927						

資料：94-96年は『中国統計年鑑1997』、86-92年は『中国統計年鑑1993』、93年は『中国統計年鑑1994』、97年は『中国統計年鑑1998』、98年は『中国統計年鑑1999』、99年は『国際貿易』2000年1月25日。

表5　貨幣概覧　単位：億元

	資産（＝負債）	流通中現金 M_0	要求払預金	貨幣 M_1	準貨幣 M_2	定期預金	貯蓄預金	その他	外国純資産	財政融資	銀行貸出	その他要因
1993.12	35,234	5,865	10,416	16,280	17,015	1,248	15,204	1,938	2,223	1,184	31,827	16,280
1994.03	38,239	5,835	10,602	16,437	19,002	1,279	17,157	2,800	3,566	1,256	33,416	16,437
1994.06	40,151	5,782	11,895	17,676	20,616	1,605	18,350	1,858	3,604	1,129	35,417	17,676
1994.09	42,735	6,413	12,597	19,010	22,515	1,788	19,970	1,211	4,257	1,137	37,341	19,010
1994.12	46,308	7,289	13,252	20,541	24,287	1,943	21,518	1,481	5,064	1,315	39,929	20,541
1995.03	47,892	7,271	13,755	21,026	26,947	2,203	23,763	-81	5,076	1,287	41,529	21,026
1995.06	48,830	7,004	14,417	21,420	29,267	2,646	25,572	-1,858	5,033	769	43,028	21,420
1995.09	51,506	7,369	15,124	22,493	31,750	3,096	27,570	-2,737	5,416	1,003	45,087	22,493
1995.12	57,307	7,885	16,102	23,987	34,265	3,324	29,662	-945	6,370	1,651	49,287	23,987
1996.03	59,942	8,169	15,740	23,909	38,333	3,725	33,297	-2,300	7,290	2,099	50,553	23,909
1996.06	63,580	7,666	16,954	24,620	41,154	4,301	35,458	-2,195	7,485	2,115	53,980	24,620
1996.09	66,276	8,409	17,927	26,336	43,212	4,675	37,085	-3,273	8,708	2,011	55,557	26,336
1996.12	70,888	8,802	19,713	28,515	45,098	5,042	38,521	-2,725	9,522	2,162	59,204	28,515
1997.03	78,573	9,280	20,349	29,629	48,267	5,692	41,567	676	11,200	1,712	65,661	29,629
1997.12	89,470	10,178	24,649	34,826	54,144	6,739	46,280	500	14,220	1,593	73,657	34,826
1998.12	107,831	11,204	27,750	38,954	63,344	8,302	53,408	5,533	15,571	4,827	87,434	38,954
1999.09	115,575	12,255	29,659	41,914	70,978	9,282	59,364	2,684	16,110	5,023	94,442	41,914

資料：『中国人民銀行統計季報』。

通貨量は現金通貨M_0（狭義の通貨）とこれに企業の当座預金など要求払い預金を加えたM_1、そしてM_1に定期預金など「準預金」を加えたM_2（広義の通貨）の三つのレベルでとらえられる。これら三つの数字系列は表5の貨幣（通貨）概覧から得られる。そしてM_0は表4の資金平衡表における「資金来源」の「貨幣（通貨）流通量」と同じである。通貨量は現金通貨M_0（狭義の通貨）とこれに企業の当座預金など要求払い預金を加えたM_1、そしてM_1に定期預金など「準預金」を加えたM_2（広義の通貨）の三つのレベルでとらえることが行われている。

先進市場経済諸国では、銀行カードやクレジット・カードの普及により、現金通貨M_0と要求払い預金通貨は事実上同じように用いられる。そこで両者はM_1としてまとめて扱われることが多い。当面は利用しない資金は、定期預金あるいは貯蓄預金として預けられる。これらは準通貨M_2と呼ばれる。M_1が減少し準通貨が増えることは、市場に流通する現金の減少を意味するから、短期的には物価安定にとってプラスだが、中長期的にはマネーサプライの増大要因になる（中国では八八〜八九年当時、貯蓄預金も含めて換物パニックが起きたが、現在は準通貨はM_1とは異なる動きを見せ、落着きを示している）。

先進市場経済諸国において通貨量の指標として最も多用されるのは「M_2＋CD（certificate of deposit 譲渡性預金証書）」であるが、中国では企業レベルの決済においても、個人消費のレベルにおいても、まだ現金通貨M_0の役割が大きく、物価の推移に最も関連した動きを示しているのがM_0である。M_1やM_2の動きは、往々物価と逆方向の動きさえ示している。中国において、物価問題を考える際にはM_0に注目すべきことがわかる。企業の経営を見るさいには、M_1、M_2などが重要な指標になることはいうまでもない。

表5の貨幣概覧を加工して、通貨供給の方程式を考えてみよう。貨幣概覧において資産の部と負債の部は一致するから、次の方程式が成り立つ。

M_1＋M_2＝外国純資産＋国内貸出（対政府純債権＋対民間貸出）

M_1＝外国純資産＋対政府純債権＋（対民間貸出－M_2）

ある年にどの程度の通貨増があったかを調べるには、これらの指標ごとに対前年比の伸びを調べればよい。

この式を用いて、朱鎔基が金融秩序の整頓に着手した時期の通貨増を点検してみよう。まず各年のM_1（流通中の現金と要求払い預金）の伸びは、九三年一五八〇億元、九四年四二六〇億元と増加するが、九五年から減少に転じて三四四六億元となり、九六年には六三三億元増にとどまった。このようなM_1の動きが、通貨発行のどの要因によって生まれたのかを上の方程式で解析するわけだが、各年の増加額と増加率とをグラフに描くと、図7のごとくである。

九三年後半は過熱抑制を始めた段階であり、銀行貸出を実際に減少させるまでには至らなかった。同期の通貨供給増のうち銀行貸出増による部分は二一二二億元である。しかし九四年には銀行貸出増による増発量は九三年の四割に減少し、九五年には減少に転じた。銀行によって回収される部分が貸出よりも多くなった結果だ。九六年上期には銀行貸出の減少による通貨減少分が二一九六億元にまで拡大した。この数字は九三年下期の貸出増にほぼ等しい。九三年下期の過熱抑制から貸出金利および預金金利の引き下げに転じた九六年五月までの約三年間の過熱対策を、マネーサプライ面から見た状況を図8は端的に示している。

この図8からあと二つの事柄を読み取る。一つは、財政赤字による通貨増発分は最も大きい九六年上期でも四六五億元にとどまり、増発要因としては相対的に小さな位置を占めるにすぎない。

これに対して、九四〜九六年の三カ年にわたって、対外純資産増に基づく通貨増発は著しい伸びを示している。すなわち九四年は二八四一億元であり、M_1の増加量の六七%を占める。九五年は一三〇六億元で増加量の三八%を占める。これは九四年当時、銀行貸出への規制にもかかわらず、通貨が増発された要因として注目を浴びた。外資の流入こそがインフレの主因であり、外資流入を制限すべしと主張する議論も行われたが、やはり外資導入論が優先された。

朱鎔基は人民銀行の中央銀行化が成り（九五年三月全人代で採択）、商業銀行法が七月一日から施行され、金融秩序がひとまず整ったことを踏まえて、行長（すなわち総裁）の地位を退いた。ただし、過熱抑制は九六年上期まで継続された。

図７　M_0、M_1、M_2 の伸び率

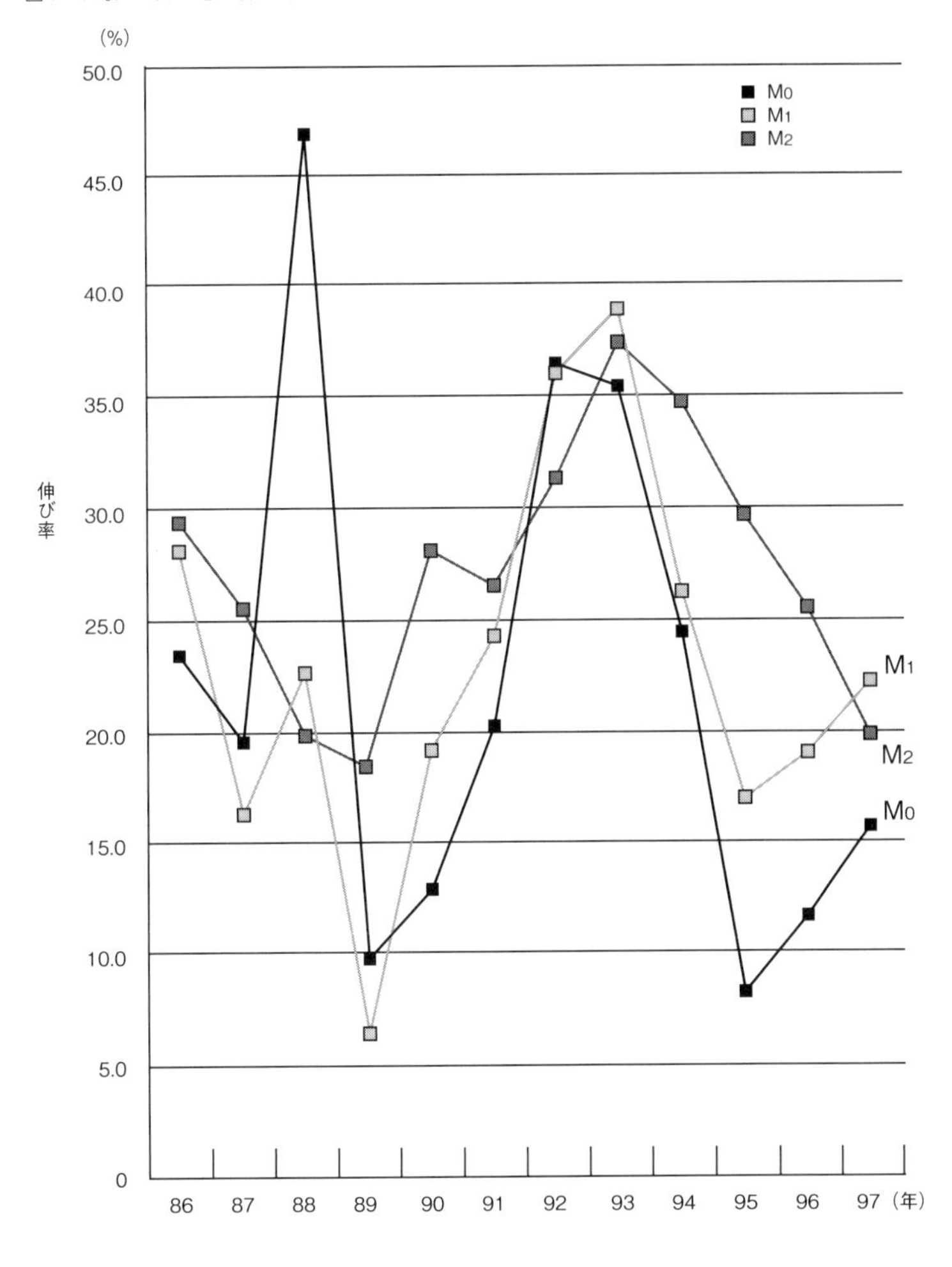

資料：『中国人民銀行統計季報』。
98 年の見通しは戴相竜総裁の記者会見。『人民日報』1998 年 3 月 8 日。

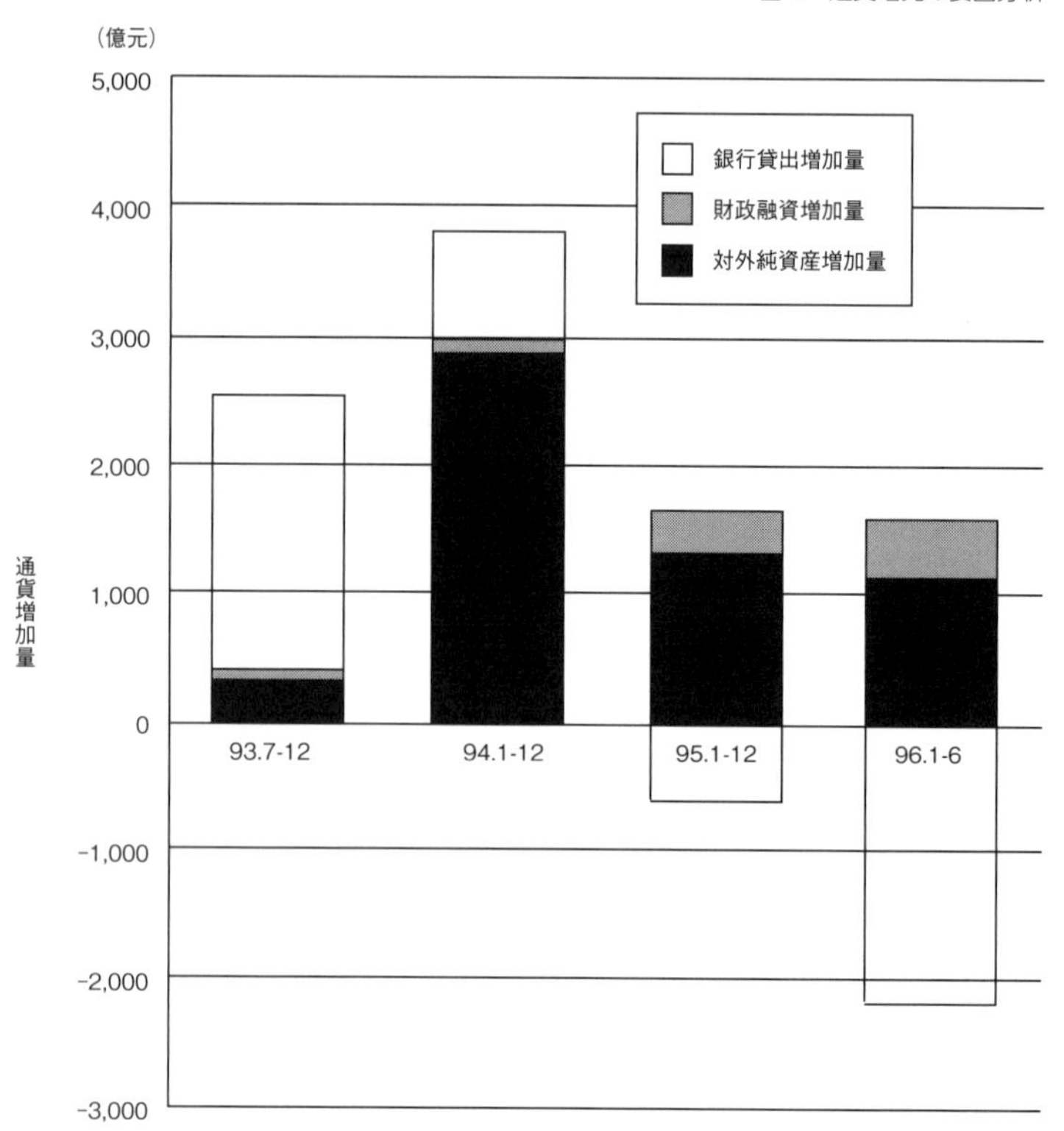

図8　通貨増発の要因分析

	M_1 増加量		対外純資産増加量		財政融資増加量		銀行貸出増加量		その他 残差	
93.7-12	1,580	100	308	19.5	90	5.7	2122	134.3	-942	-59.6
94.1-12	4,260	100	2,841	66.7	131	3.1	831	19.5	458	10.8
95.1-12	3,446	100	1,306	37.9	337	9.8	-621	-18.0	2.425	70.4
96.1-6	633	100	1,116	176.3	465	73.5	-2196	-346.9	1.250	197.5

資料：『中国人民銀行統計季報』。

後任の新総裁には、戴相竜副総裁（四四年生まれ、江蘇省儀徴の人、高級経済師、第一四期中央委員候補、第一五期中央委員）の昇格が六月三〇日決定した。戴相竜は上海の交通銀行の総経理であった二年前に、朱鎔基によって抜擢され、以後マクロ経済のコントロールを担当していた。同じく朱鎔基によって副総裁に抜擢され、外国為替管理局長を兼任していた朱小華（四九年浙江省生まれ）は同局長のポストを副局長から昇格する呉暁霊に譲り、副総裁のポストに専念した。呉暁霊は長らく人民銀行で金融体制改革局副局長を務め、金融体制改革のプログラム作りに従事してきた。このポストはその後、周小川に代わった。

金融秩序の整頓のもう一つの内容は、外貨兌換券の廃止によって人民元の交換レートを一本化する措置だ。その後交換レートは、一米ドル当たり八・七元から八・三元へと四・九ポイント元高になり、人民元の交換レートはこの水準で安定した。兌換券廃止という大手術は成功した。この前後に直接投資の爆発的な伸びもあって、九四年末現在の外貨準備高は、五一六億ドルとなり、九三年末と比べて倍増した。この外貨準備は九七年末には一三九九億ドルとなった（『人民日報』一九九八年三月五日。『国家統計局統計公報』）。この外貨準備が中国のカントリーリスクを減らし、対外的信用を高めるうえで重要なことは、九七年秋のアジア通貨危機に直面して明らかになった。

三角債問題における朱鎔基の課題は、不景気のなかでの金詰まり対策であったが、九三年夏からの新たな課題は、一転して「過熱対策」、すなわち過剰な通貨を市場から吸収することになった。どの部分がどのように過熱していたのか。

まず全国消費の動向を見ると、その伸び率は九二年に一二・九％を記録して以後、九三年、九四年は八・一%、六・五%であるから、健全な動きと見てよい。

これに対して企業の固定資産投資の伸び率は、異常なほど大きかった。九二年から九四年にかけて、それぞれ四割、六割、三割も伸びた。これらの投資資金はどのように調達したのか。中国の企業、とりわけ国有の大中型企業は、計画経済時代の遺制として自己資金に乏しく基本的に外部からの借入資金に依存している。

この外部資金のチャネルとしては、(1)通常の銀行借入のほか、(2)半ば非合法の銀行借入、(3)財務公司、信託公司などノンバンク系金融機関からの借入、(4)債券の発行、(5)社会一般からヤミ金融の形で集めるもの〔原文=社会集資。このうち企業内部の関係者から集めるものを「内部集資」と称する〕など五つの源泉からなる。

(1)通常の銀行貸出については、貸出枠の規制があり、これは基本的に厳守された。しかしそれ以外のチャネルは、管理体制に大きな欠陥があり、中国型経済人はその間隙につけいることに巧みであった。

(2)半ば非合法の銀行借入とは、人民銀行の設定した貸出枠のほかに、農産物買い付け資金を一時流用の形で不動産投資に回し(その結果がいわゆる「白手形」問題となる)、地方レベルの党書記や首長の政治的圧力や賄賂などを利用して資金を調達した。

(3)財務公司、信託公司などノンバンク系金融機関は、経済改革のなかで誕生した新たな金融組織のため、その管理には不十分な面が多かった。

(4)債券や株式の発行も管理に遺漏があり、非合法な部分も含まれた。

固定資産投資が六割も伸びた九三年の場合、投資資金をどこから調達したかを調べると、国有企業の固定資産投資七六五八億元のうち、国家予算内資金五・九％、国内借入（銀行借入）二五・四％、外資利用六・一％、自己資金四八・〇％、その他一四・五％であった（『中国統計年鑑1994』北京・中国統計出版社）。前二者は政府が銀行を通じて管理しやすいが、これは三割にすぎない。後三者は当局が間接的にしか管理しえない部分で、七割に達する。

では九三年の時点で国有企業の固定資産投資のシェアはどの程度であったのか。中国全体の固定資産投資一兆三〇七二億元のうち七九二六億元であり、六〇・六％である（同前。なお、九七年版の数字と九四年版のそれとは二六八億元の誤差がある）。つまり六割のなかの三割であるから、中国全体の固定資産投資のうち、当局が直接的に管理できる部分は二割弱にすぎなかった。計画経済時代の金融管理手法の限界は明らかであり、市場経済化に即応した新たな金融管理体制の構築が求められるゆえんだ。従来は銀行貸出の総額を直接規制する方法がとられたが、これに代わって、新たな間接的コントロールの方法が模索された。預金貸出金利や預金準備率の操作、預貸率、流動資産・残高比率に対する指標の提示など、一連の金融手段が用いられた。

その過程でM_0の流通量をどのように制限するかが大きな課題になり、その文脈でベース・マネー（中国語「基礎貨幣」）の議論もにぎやかになった。ベース・マネーとは、通貨流通量に金融機関の法定準備金（中国語「準備金」）と超過準備金（中国語「備付金」）を加えたものだ。景気が過熱した場合に、中央銀行は商業銀行に対して超過準備金を課して流通通貨を減少させる。

中国人民銀行が初めて準備金制度を樹立したのは一九八四年であり、企業預金は二〇％、貯蓄預金は四〇％、農村預金は二五％と規定した。翌八五年にこの比率が高すぎるとの批判を容れて一律一〇％に引き下げた。八七年、人民銀行は重点プロジェクトへの資金需要を満たすために一二%に引き上げた。八八年九月、景気過熱の抑制を意図して一三%に引き上げた（「金融をまなぶ」『人民日報』一九九八年二月九日）。その後、三月七日の記者会見で戴相竜総裁は景気刺激のために、準備金率を引き下げた。

以上は「準備金」の話だが、超過準備金はどうか。九四年六月、それまでの五~七%水準から一一%へ引き上げたが、九月には九・六%に引き下げ、一二月には再度一〇・七%へ引き上げるといった操作を繰り返して、商業銀行に対して中央銀行の政策意向を示した（劉光第主編『中国経済体制転軌時期的貨幣政策研究』北京・中国金融出版社、一九九七年）。

現金通貨および準備金、超過準備金の増減によって変動するこのベース・マネーの量を狭義の通貨、広義の通貨と比較してみよう。

図9から通貨の八六~九七年の伸び率を計算すると、M_0は年平均二一・三%、M_1は年平均二一・一%、M_2は年平均二六・七%である。この伸び率の差異を反映して、中国の通貨の構造は、図9のように変化してきた。準通貨は四割強から六割強に増え、要求払い預金は三割弱、現金通貨は一割強である。

ちなみに九七年現在の準通貨は五・六兆元だが、九六年現在の都市農村貯蓄預金三・八兆元と企業預金二・二兆元を合わせた六兆元に近い数字である。準通貨のシェアの拡大の背景には、統計範囲の拡大という事情もある。すなわち、中国の旧統計では準通貨のなかに基本建設預金、機関団体預金、都市家計預金、農村預金など国家銀行の預金のみを加えて、商業銀行（たとえば交通銀行）や銀行預金に準ずる農村信用合作社預金、都市信用合作社預金などを加えてこなかった。しかし九四年以来、IMFの基準にしたがってM_2の対象範囲を拡大した。中国国家統計局が新しいM_2の基準を明記したのは一九九五

図 9　準通貨のシェアは拡大中

単位：億元

年	M_0	M_1-M_0	M_2-M_1
86	1,218	2,638	2,865
87	1,455	3,027	3,958
88	2,134	3,355	4,611
89	2,344	3,491	6,114
90	2,644	4,306	8,343
91	3,178	5,456	10,717
92	4,336	7,396	13,671
93	5,865	10,416	18,735
94	7,289	13,252	26,400
95	7,885	16,102	36,799
96	8,802	19,713	48,083
97	10,178	24,649	56,169

93 年から M_2 を IMF 方式に変更した。

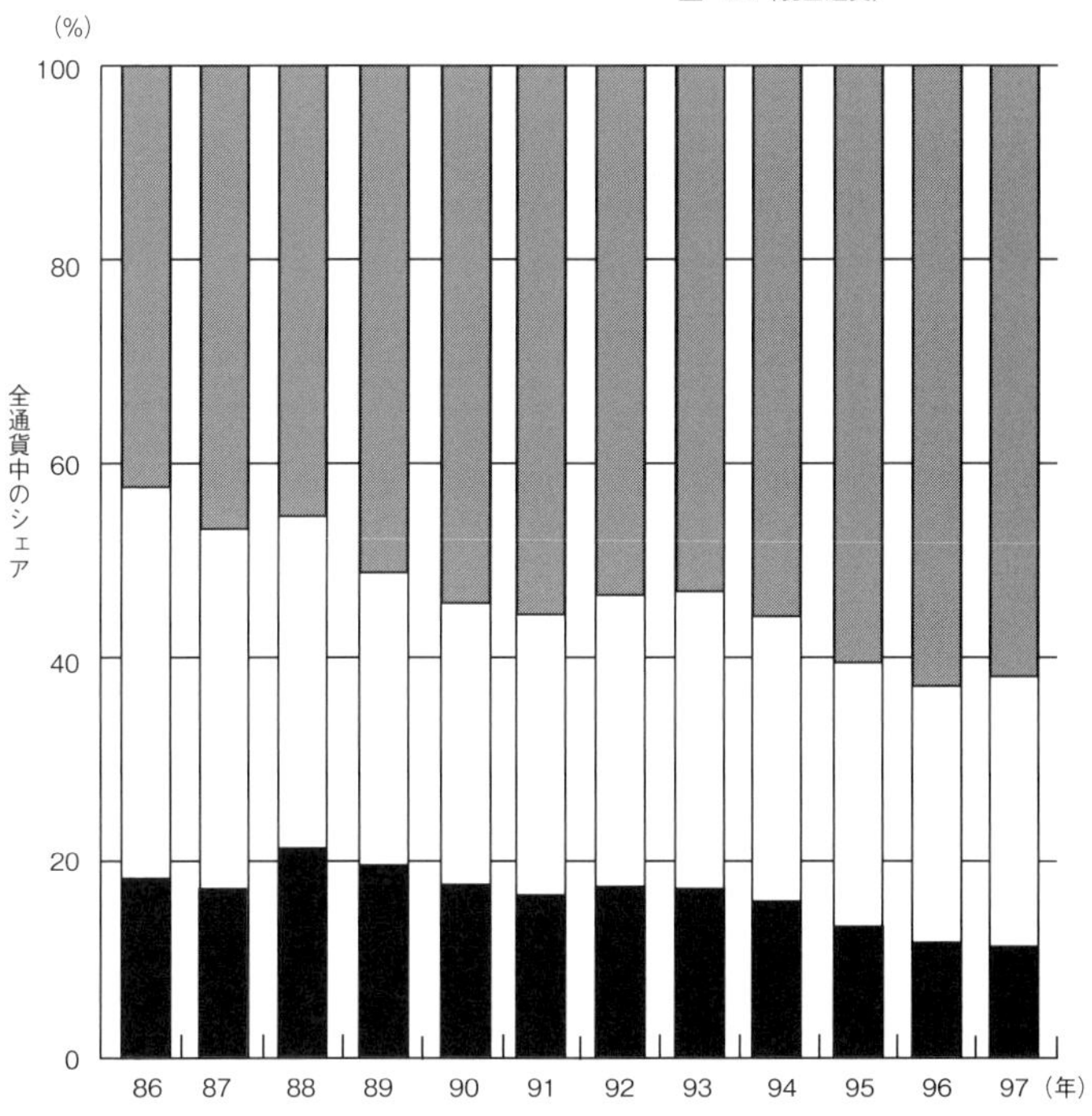

資料：『中国統計年鑑』各年度版。

年の統計を収めた『中国統計年鑑1996』以来のことである。一連の統計の対象として、以下の金融機関名が列挙されている。すなわち、国家開発銀行、中国輸出入銀行、農業発展銀行、中国人民銀行、中国工商銀行、中国農業銀行、中国銀行、中国建設銀行、交通銀行、中信実業銀行、郵政貯蓄機構である。

このように統計の対象範囲の拡大という事情もあるが、M_2の急成長の主要な原因は、やはり経済成長に伴って貯蓄預金と企業預金が伸びた結果である。

九四年には小売物価上昇率が二割の大台を超えて、大きな社会問題となった。この猛烈なインフレには、ある特異な事情が認められる。その原因を通貨供給と食糧生産の面から検討しておこう。

まず通貨供給だが、図7が示すように、M_0は九二〜九三年は三六・四%から三五・三%に減少し、さらに九四年は二四・三%と一〇ポイント減少している。M_1は二六・二%の伸び率だが、これはIMF基準に改めて対象範囲を拡大したあとの数字である。従来の基準ならば、これよりも三ポイント小さいはずであり、対前年比一五ポイント程度落ちている。M_2は三四・五%の伸び率だが、これも従来の基準で計算すると二ポイント小さくなり、対前年比で五ポイント程度減少した（同前）。

九四年は伸び率が落ちたとはいえ、結果的に年初計画を上回ったことについて、外貨供給増の要因とみる見方が有力である。

九四年から中国は外国為替の管理体制に大きな変更を加えた。一つは前述のように、人民元の交換レートを市場レートに合わせて一本化し、フロート制（原文＝浮動匯率制）に移行した。これによって公定レートは約五割切下げられ、既存の市場レート部分を加重平均して三三%の人民元切下げとなった。

この結果、輸出ドライブがかかり、対前年比三二％増となり、国際収支バランスは九三年の一二二億元の赤字から五四億ドルの黒字に転じた（その後、九五〜九九年は一貫して黒字基調を続けている）。ここで輸出ドライブが食糧輸出に対して与えた重大な影響に触れる前に、為替管理体制の強化という改革を挙げておく。これにより、企業が得た外国為替は期限内に銀行で人民元に交換することを義務づけられた。貿易黒字は九四年時点ではまだ大きな金額には達していないが、九四年の直接投資は実行ベースで三三八億ドルに達した。これを当時の交換レート一米ドル＝八・六元で換算すると、約二九〇〇億元になる。貿易黒字による外貨と合わせておよそ三〇〇〇億元が外貨流入を裏付けとして増発された（ただし、中国の金融関係者の間では、中央銀行に外貨が急増したことは、同時に中央銀行の各金融機関に対する貸出を減少させたもので、外貨買い入れによる増発分は貸出減少による通貨減少分と相殺されるので、一方的な増発にはなっていないとする見方もある。たとえば『貨幣政策研究』二一四頁）。

マネーサプライ面から見ると、九四年の二割インフレの背景は、以上のごとくだが、実は人民元の切下げは、食糧不足騒ぎの契機を作った。

この事実は、実際に値上がりした分野を分析してみると、明らかになる。九四年の経済実績を収めた『中国統計年鑑１９９５』に基づいて、九四年の値上がりを見ると筆頭は、食品類三五・二％であり、なかでも食糧は四八・七％である。他の商品は価格改定を行った書籍・新聞・雑誌の三三・五％を除いてすべて一〇％台の値上がりにとどまる。全国小売物価の総指数は二一・七％である。ここから九四年のインフレの主犯が食糧だったことがわかる。では食糧はなぜ五割弱という大幅な値上がりを示したのか。

発端は九三年一二月に沿海地区で食糧と肉類の価格が値上がりの兆候を見せたこと。これは沿海地区の経済発展に伴い消費需要が急増したのに対して、供給が不足したためだ。不足ムードに追い打ちをかけたのは外需であった。人民元切下げが食糧輸出業者の買い占めを誘発した。九三年の食糧輸出は一五三五万トン、金額ベースで一九億ドルであった。これに対して九四年の食糧輸出は一三四六万トン、二二・七億ドルである。九三年の輸出価格はトン当たり一二三・八ドル、九四年は同じく一六八・八ドルである。九四年に輸出業者は同じ数量を輸出して利益を三六％増やした（『中国統計年鑑１９９５』北京・中国統計出版社）。つまり、需要増は国内消費面で見られただけではなく、人民元切下げが輸出部門にも食糧確保への意欲をかきたてた。実際に確保できた輸出分は、数量ベースでは九三年の数量を下回ったが、金額ベースでは増えている。

当局は食糧増産を意図して生産者価格の引き上げを決定したが、生産者価格の引き上げは、いずれ消費者価格に波及せざるをえない。こうした食糧の地域的、一時的不足ムードのなかで、九四年夏作が天候不順のために減産となった。

いまや食糧の値上がりは全国的、恒常的現象と化した。折から食糧の流通においても市場経済化が進展しており、流通資本の買い占めという投機行為は全国に蔓延し、九四年九月には三五大都市の対前年同月比が六割を超えた。こうした食糧の投機的値上がりが便乗値上げを呼び、九四年のインフレは全国レベルで約二割、三五の大都市では三割の値上がりを記録した。

食糧の地域的不足に乗じた投機的資本が便乗値上げを誘発した。事後に明らかになった数字だが、九四年の食糧生産量は四・四五億トンであり、対前年比一一三九万トンの減産であった。ちなみに九三年は四・五六億トン、対前年比一三八三万トンの増産である。当局は九三年の増産に気をゆるめて農業を軽視し、九四年の減産に対して有効な対策を講ずることができなかった。

念のために食糧の輸出入を整理しておくと、九一年までは純輸入国であり、九一年の純輸入量は二五九万トンだが、九二〜九四年は純輸出である。その規模は、九二年一八九万トン、九三年七八三万トン、九四年三四八万トンである。しかし九四年の食糧不足に驚愕した当局は九五年には輸出をストップし、純輸入量は一九七六万トンであった（農業部編『中国農業発展報告'96』北京・農業出版社、一九九七年）。

これも事後に明らかになった事実だが、九四年は確かに減産となったが、九三年までの備蓄分を加えると、九五年春の端境期までを考えて、絶対量として不足する事態ではなかった（「国務院農業部および国家食糧備蓄局でのヒアリング」一九九六年九月）。つまり九五年の輸入分二〇〇〇万トンはそっくり備蓄に回った。その後、九五年の食糧生産量は四・六七億トン、九六年は五億トンの大台を超えた。五億トン台は当局が西暦二〇〇〇年の目標としてきた数字であり、四年繰り上げて超過達成した。九七年も四・九二億トンであり、五億トンの大台に近づいた（『人民日報』一九九七年三月五日『国家統計局公報』）。

問題を整理しよう。第一に農業生産を直接担当する農業部のたるみはいうまでもない。九四年の食糧値上がり時に無策であった流通担当者（＝国内貿易部）に第二の責任がある。第三に、九五年以降輸出を禁止しひたすら輸入拡大に努め、九六年になっても輸出を解禁しなかった対外貿易部にも見通しの誤りがあった。こうして九四〜九六年の食糧不足騒ぎは、国務院の複数の担当部門の判断ミスが重なって増幅された「人災」にほかならない。ワールド・ウオッチのレスター・ブラウンの予測は、中国が二〇三〇年に食糧三〜三・八億トンを輸入するという。これは中国の食糧需要を過大に推計し、国内生産能力を過少評価したもので、著しく妥当性を欠く(『ワールド・ウオッチ』一九九四年九〜一〇月号、日本語版)。

中国当局は九六年一〇月になってようやく国務院報道弁公室の名で『中国的糧食安全』白書を公表し、事態を総合的に説明した。食糧インフレをめぐる一連の騒動は、市場経済への移行過程において国務院の担当部門がいかに不慣れであったかをよく物語るが、これはシカゴの穀物市場の価格騰貴を招き、中国脅威論に拍車をかけた。

この節の結びとして、中国の通貨政策をまとめておこう。これまでの主な手段は、貸出規模、中央銀行からの直接貸出、利率、預金準備金の操作などであった。中国で中央銀行が直接商業銀行に貸出を行う形になったのは、商業銀行の手形利用度が低いこと、国債発行の対象が主として個人であること、中央銀行が公定歩合を操作する形で商業銀行に信用を供与するチャネルが少なかったことによる。

他方、中央銀行の規定する法定預金準備金率はわりあい高いことも、商業銀行にとって中央銀行からの直接借入を必要とした理由の一つだ。九三年末の時点で、(資本)負債総額に占める中央銀行からの借入金は、農業銀行では三割、工商銀行や建設銀行などでは二割を占めた。中央銀行はこの貸出枠を用いて金融を緩和したり、引き締めることができた。

西側では中央銀行は公定歩合の調整を通じて市場金利を間接的に調整するが、中国では中央銀行は商業銀行に対して貸出金利を直接的にコントロールした。とはいえ、貯蓄預金に対する利率の変更は有効であったものの、企業の貸出需要を抑えるうえで利率の操作は有効ではなかった。

中央銀行の預金準備金は、中国の通貨政策の重要な手段であった。中央銀行はこの準備金でベース・

マネーを拡充し、商業銀行の二~三割にも及ぶ資金をコントロールした。

市場経済諸国で中央銀行の主な手段となっている公開市場操作は、国債を対象として売りオペレーションや買いオペレーションを行う。中国では国債の大部分が個人によって所有されているため、オペレーションができなかった。そこで商業銀行に対して無理に国債の保有を強制した結果、個人は国債を商業銀行に売却し、その資金を貯蓄預金に向けた。こうした経緯はあったものの、近年は赤字財政をカバーするために発行した国債が一定の規模になり、オペレーションの条件が整いつつある。

赤字国債は八一年以降発行されてきたが、八〇年代の発行額は計一〇九二億元にとどまる。九〇年代以降の発行額は九一年二八一億元、九二年四六一億元、九三年三八一億元、九四年一一三八億元、九五年一五一一億元、九六年二一二六億元、計五八九八億元である。償還額を無視して仮にこれを加えると約七〇〇〇億元になる(矢吹晋、S・M・ハーナー『[図説]中国の経済(第二版)』蒼蒼社、一九九八年)。九五年のベース・マネーは約二兆元であるから、その三割に相当する額をオペレーションによって操作できる。

伝統的な計画経済体制のもとでは、「現金投入」政策と「貸出枠規制」政策が存在するのみで、「通貨政策」という観念は欠如した。金融改革のなかで通貨供給量や利率が重要指標となり、その手段として準備金やベース・マネーなどの指標が重要になった。貸出規模を直接規制する計画はいずれオペレーションや公定歩合政策にとって替わられる。これらの金融体制が整うまでにはあと一〇数年かかるとする見方もある(前出『中国経済体制転軌時期的貨幣政策研究』)。

ただし、改革は急ピッチである。中国人民銀行は一九九八年元旦を期して、従来の国有商業銀行の貸出枠規制を廃止し、預貸率七五％未満、流動資産残高・流動負債残高比率二五％以上、中長期貸出の預貸率一二〇％未満、などの新方針を決定した（「中国人民銀行負責人答記記者問」『人民日報』一九九八年二月一一日）。中央銀行としての中国人民銀行と商業銀行との関係は、かなり透明になるだろう。

財政赤字と通貨供給の関係はどうか。財政赤字を弥縫（びほう）するために中央銀行が通貨を供給するチャネルは、いくつかありうるが、中国では国債を個人に売却する形や中央銀行の当座貸越で処理する形、そして中央銀行から政府が借入を行う形で、財政赤字を解決してきた。しかし九四年以降、当座貸越の形で処理することを停止し、九五年には中央銀行からの借入の形をとることも基本的に停止した。

この財政政策の結果、政府は国債を正式に発行するという明示的な形でのみ赤字問題を解決するほかなくなる。こうして財政赤字の拡大にブレーキをかけた結果、中央銀行に対する政府の負債はベース・マネーのレベルで一割以内の水準にまで縮小し、通貨供給に対する圧力は大きなものではなくなった。九四〜九六年の財政赤字は、それぞれ五七五億元、五八二億元、五三〇億元である。各年の歳入はそれぞれ一一％、九％、七％にすぎない（前出『中国統計年鑑1997』）。

最後に不良債権問題にふれておく。中国人民銀行の戴相竜総裁は、九八年一月一六日の記者会見で、以下の事実を明らかにした（香港『大公報』九八年一月一八日）。

中国では銀行貸出を「正常な貸出」と「不良な貸出」に分け、後者は「逾期貸款」「呆滞貸款」「呆帳貸款」の三つに分類する。「逾期貸款」は返済遅延二年未満のもの、「呆滞貸款」は返済遅延が二年を超えるもの、「呆帳貸款」は企業の破産などにより回収不能なもの、を指す。

九七年末の時点で、「不良な貸出」三種類のカテゴリーを合計すると、全貸出の二五％に達した。このうち「呆帳貸款」（回収不能）は二％であり、大部分は「呆滞貸款」（返済遅延二年以上）である。回収不能なものと「返済遅延二年以上のもの」の一部を加えて、中国でほんとうにコゲ付いた貸出は貸出総額の五～六％である。

表4から九七年末の貸出残高は約七・五兆元であるから、広義の「不良な貸出」は一・九兆元、狭義の「コゲ付き」は三七五〇～四五〇〇億元になる。

コゲ付きのうち、九七年に三〇〇億元分を処理し、九八年は五〇〇億元を処理する方針であること、また不良貸出の分類基準を国際的な五分類（「正常」「関注」「次級」「可疑」「損失」）に改める作業を年内に行うと明らかにした。

ちなみに日本銀行の考査においては、「返済遅延」はS（Slow）、「返済に危惧あり」はL（Loss）、「コゲ付き」はD（Dead）と呼んでいる。

戴相竜行長は九八年三月七日の記者会見では、不良債権対策として二七〇〇億元の特別国債を発行して（個人や企業ではなく、商業銀行引受け）、国有商業銀行の自己資本比率を年内にBIS（国際決済銀行）の国際基準の八％まで高める方針を明らかにした。中国の商業銀行法は元来自己資本比率を八％とするよう定めていたが、自己調達は不可能なのでこの措置をとるに至った（『人民日報』九八年三月八日）。

2　国有企業の二つの神話

国有企業の二つの神話を検討してみたい。一つは、国有企業の従業員の比率であり、もう一つは赤字問題である。

まず従業員の比率について検討してみよう。前出『中国統計年鑑1997』を開くと、国有工業企業の従事者は九六年に四二七八万人であり、これは全国総計の六六％に当たる。同書の次の頁、すなわち四一三頁を開くと、九六年の工業総生産額九・九五兆元のうち、国有工業の部分は二・八三兆元であり、これは二八・五％に当たる。この二つの比率を対比すると、中国の国有企業は全国の六六％の労働者を雇用しながら、生産額は三割にも満たないという理解が得られる。ここから中国内外の論者が国有企業の人員整理のむずかしさを論ずることが多かった。

しかし、これは大きな誤解である。歴年の『中国統計年鑑』が、対象範囲の異なる資料を説明なしに並べてきたことから生じた誤解である。私はかねてこの数字に疑問を抱いてきたが、この疑問が氷解したのは九七年二月末のことだ。調査時点を九五年末とした第三次全国工業センサス（同前、九七年三月一九日）によって初めて正確な事実が判明した。

九五年センサスによると、九五年末の時点で従業員総数は一億四七三六万人だ。このうち国有企業のそれは四六五二万人であり、三一・六％を占める。ちなみに総生産額は全国で八・二三兆元であり、国有企業のそれは二・六八兆元で、三二・六％である。企業数は全国で七三四万社、うち国有企業は一一・八万で一・六％を占める。

これは文字通りセンサスであり、全調査である。ところで、このようなセンサスを毎年行うことは困難だから、中国では通常、一定規模以上の企業を対象として調査を行う。それが「郷および郷以上」の「独立採算企業」である。『中国統計年鑑』に掲げられる多くの資料は、これを調査対象としたものだ。

両者を比較してみよう。中国全体では企業数は七三四万だが、「郷および郷以上」の企業は五一万、七％にすぎない。五四〇万の個人企業が除外されるからだ。ただし、国有企業はすべて「郷および郷以上」の分類に入るので、国有企業一一・八万社を位置づける場合に、全国での位置づけなのか（一一・六％）、「郷および郷以上」レベルでの位置づけなのか（二三・一％）、分母があいまいになる。誤解はここから生じた。

国有企業の従業員の比重は、全国ならば三一・六％、郷および郷以上ならば五二・一％である。総生産額の比重は、全国ならば三二・六％、郷および郷以上ならば四七・一％である（詳しくは、前出『「図説」中国の経済（第二版）』）。

赤字問題に立ち入る前に、九五年センサスを前回の八五年センサスと比較しておこう。両者を対比して最も際立つのは、国有工業の凋落（ちょうらく）である。八五年には生産額の六五％を占めたが、九五年には三四％まで、すなわち国有工業の中国工業に占めるシェアは三分の二から三分の一に減少した。この間にいわゆる「集団工業」（農村の郷鎮企業や都市の街道企業など）は三二％から三七％弱へ四・五ポイント増えただけだ。激増したのは非国有・非集団工業で、三％から三〇％弱へと一〇倍増した。「非国有・非集団」と否定形で説明した内訳を細分すると、個体工業（個人企業）一〇・五％、株式制工業三・五％、私営工業二・六％、その他工業一二・八％、計二九・四％である。ここで「その他工業」とされているものが外資系工業（原文＝三資工業）である。外資は株式制工業にも一部資本参加しているので、それを加えて外資計工業の九五年の工業生産に占めるシェアは一三・一％である。

外資系工業を詳しく見ると、八五年当時の企業数二八二から九五年の五・九三万へ、従業員は七・八万人から八九八万人へ、工業総生産額は二七億元から一・二兆元へ激増している。国地域別では香港、台湾が約六割、日米などが約四割である。形態別に分けると、合弁企業七割、合作企業一割、一〇〇％外資企業二割である。産業別に見ると、電子通信設備（工業総生産額の一四・二％）、紡織（七・七％）、交通運輸設備（七・六％）、電気機械（五・九％）、食品加工（五・八％）などに集中している。外資系工業こそが中国の市場経済化の牽引力であったことは、これらの数字から容易に読み取れる。

この躍進に対して、国内企業からは税制優遇によるとする声も強かった。確かに「実現利潤」ベースで見ると、国有工業六六六億元、郷鎮工業九九二億元に対して、外資工業は四〇〇億元である。この数字を生産額のシェアと対比すれば、集団工業や国有工業側の不満も首肯できる。とはいえ個体工業や私営工業がどこまで納税義務を完遂しているかはかなり疑わしい。外資工業には、納税に貢献しているのは自分たちなのに、と不公平感が残るであろう。従業員数で見ると、国有工業は四一％から三二％に減少し、集団工業は五〇％から四〇％に減少した。非国有・非集団工業は九・四から二八・六％に三倍増した。九五年の「非国有・非集団」の内訳を見ると、個体工業一七・五％、株式制工業一・七％、私営工業三・三％、その他工業六・一％である。外資系工業は六・一％の従業員で一三・一％の生産をあげていることから、その生産性の高さがわかる。資産額から見ると、国有工業は七五％から五四％に減少し、集団工業は二四％で横ばいである。非国有・非集団工業は一・四％から二二・五％に増えている。この数字を生産額のシェアと対比すれば、国有工業の資産効率の悪さが一目瞭然である。

工業センサスにより、この一〇年間の変化を読むと、外資系に追われる国有工業の苦渋は容易に理解できる。しかも、中国経済はＷＴＯ加盟に伴う通商政策の透明度の向上という新たな課題に直面している。広義の外資が中国国境の内外両面から、計画経済体制の残滓に内圧と外圧を加えている。これに対して中国の守旧勢力は、さまざまのタテマエや具体的要求をかかげて、既得権益を擁護し、市場経済化への抵抗を執拗に繰り返した。その軋轢（あつれき）こそが外資政策迷走の舞台裏であろう。

国有企業を悩ませる過剰投資、不良在庫問題は二つに分けることができよう。

一つは外資間の過当競争の問題であり、もうかる分野に外資が競って参加した結果、不良在庫の山ができる場合である。

もう一つは、外資が競争力に富む商品を作り始めた結果、国有企業の商品が売れなくなり、不良在庫をかかえるに至ったケースである。

前者については外資を規制せよという議論になり、後者については、国有企業を保護せよという議論になる。それぞれの政治的含意は異なるが、過剰投資を行った企業が市場の制裁を受け、経営効率の劣る弱い企業が淘汰されるのが市場経済の鉄則であるとすれば、これらの現象は、中国の市場経済化がまだ不徹底であることを示す。九二～九六年の五カ年の高度成長のなかで成長に伴う問題（たとえばインフレ、地域格差、所得格差の拡大、環境問題など）が派生していることは確かだが、必ずしも成長率のテンポを落とすことによって解決できる問題ではない。むしろ、高度成長の過程でのみ、解決の条件を作ることができると見るべきである。

中国では、構造調整〔原文＝結構調整〕というキーワードが大流行した。この表現はおそらく日本から輸入されたが、企業組織の構造調整、産業の構造調整、地域の構造調整、製品の構造調整など、何もかもが構造調整の対象だ。総じて国民経済の構造調整と呼ぶ。しかもそれは「在庫の構造調整」を主とし、「増量の構造調整」を従とする方針で行うといい、またしても構造調整である。

中国では「体制改革」が流行り言葉のように使われた時期があるが、それが「構造調整」にとって代わられた。『経済日報』（九七年三月五日）によると、「産業の構造調整」の内容として重視されているのは、エネルギー、交通など国民経済の「基礎産業」において、投資主体の多元化を通じて中央と地方の二つの積極性を十分に発揮することだ。このため国家の重点投資を保証し、産業システム全体に対する「基礎産業」の支持能力を大幅に向上させなければならない。すなわち（1）建築、機械電気、自動車製造など国民経済の「主導産業」においては、「母子公司」を特徴とする「持ち株経営組織体系」を形成する。（2）情報、電子、宇宙工業などの産業構造調整の高度化と国防力に関わるハイテク、ニューテク産業においては、国家の投資力を高める。（3）石油、化学工業など国際市場とつながりの深い競争的産業においては、開発、加工、輸出入などの一体化した「集団化国有資産経営システム」を形成する。（4）軽工業、紡織工業、機械工業などの伝統産業においては、効率が低く、組織構造の不合理な問題を解決する、などが大きな目標である。

企業組織の構造調整の内容として想定されているのは、以下のものだ。（1）当該産業のトップ企業たる大型、特大型企業（国有）をして真に国際市場の競争に参加できる主力軍たらしめる。（2）持ち株経営〔原文＝控股経営〕、兼併〔原文＝同じ〕、聯合〔原文＝同じ〕、株式参加〔原文＝参股〕、買収〔原文＝収購〕などの方式で潜在力のある中小型企業を大企業に改組し、専門生産に従事する企業グループを形成する。（3）リース〔原文＝租賃〕、請負〔原文＝承包〕、競売〔原文＝拍売〕、売却〔原文＝出售〕、システム転換〔原文＝転制〕、利潤〔原文＝同じ〕などの方式で小型の国有企業を活性化する。これらを通じて「大公司、大集団戦略」を実施し、資源を優勢企業に集中し、地区・産業・所有制を乗り越えた国際的企業集団を形成する。小型国有企業は売却、基幹産業は国有堅持、大部分の国有企業は株式制化、これら「三分の計」であろう。

このような考え方は目新しいものではなく、「第九次五年計画と二〇一〇年長期目標要綱」（九五年九月の第一四期五中全会で採択）で提起されていたアイディアを具体的に肉付けする動きである。

中国でこのような問題意識のもとに企業構造、産業構造を調整するとき、強く意識されているのは、外国企業との比較である。（1）国家国有資産管理局の九五年の調査によれば、全国五〇〇社の大型国有企業の総資産、総売上高は米国の大企業二社のそれに及ばない。総利潤は米国の三大企業のそれに及ばない。（2）九五年工業センサスによれば、調査対象企業九〇〇社の設備利用率は平均して五〇％未満であった。（3）自動車産業の場合、中国の九五年の生産量は一四五万台だが、メーカー数は一二〇社である。米国では三社で九八七万台、日本では七社で一〇一一万台、ドイツでは三社で四二七万台、イタリアでは一社で一五〇万台生産している。（4）中国の工作機械の規模をみると、従業員三〇〇〇名以上の企業が一九社ある。これらの企業は鋳造、加工からアセンブリーまでフルセットを備えている。九四年に二三九社の一人当たり生産額は四〇〇〇ドルにすぎなかった。日本では八八年時点で二三万ドルである。フランスの同種企業は九〇年に一四・五万ドルの売上げを誇っている。（5）全国の製紙工場六〇〇〇社の平均的な生産規模は四〇〇〇トンであり、世界平均の五万トンとの差がはなはだ大きい（『経済日報』九七年三月五日）。

数年前までは当時のＧＡＴＴ加盟を急ぎ、それを外圧として利用して中国の市場経済化を進める戦略が改革派のエコノミストに多かった。今日、市場経済化がいま指摘したような段階まで進展した結果、中国経済のなかで何を育成し、何を淘汰すべきか。利害関係はより複雑に入り組み、その調整はより困難度を増してきた。

国有企業についてのもう一つの神話、赤字問題を検討してみよう。

図10は国有企業の赤字と赤字率の推移を見たものである。

九〇年代にはいってから利潤が急減し、赤字が増大した。九六年にはついに赤字が利潤額を上回っている。赤字額と利潤額を加えて分母として、分子に赤字を置いた赤字率をグラフに描くと、折れ線のようになり、赤字率は七割の大台に迫りつつある。

このグラフを見ると、誰しも中国経済は破産寸前であると受け取る。だが、これは中国の改革派の作戦なのである。赤字問題を認識させるために、問題を浮き彫りにしたものだ。

図11のグラフと比べてみよう。

このグラフによれば、九六年の場合、赤字は七九〇億元、前のグラフと同じだが、分母は利潤と税金を合わせた二七三七億元なので、赤字率は二九%となる。赤字が約三分の一であるから、深刻な問題であることは確かだが、前のグラフと比べて受け取る印象はかなり異なる。朱鎔基ら改革派は、過去数年の時間をかけて、国有企業の赤字を顕在化させ、改革のために外堀を埋めてきた。従来の国有企業体制のもとでは、「利潤」と「租税」の区別があいまいであった。この点を明確にするため、一方で黒字企業に対して利潤留保というアメを与えながら、他方で、売上げ税などの税金は企業が赤字か黒字かに関わりなくまず徴税するシステムを構築した。

国有企業の赤字問題は、すなわちこれらの国有企業に対して融資している国有商業銀行の不良債権問

図 10　国有企業の赤字（税引き後）

資料：『中国統計年鑑』各年度版。

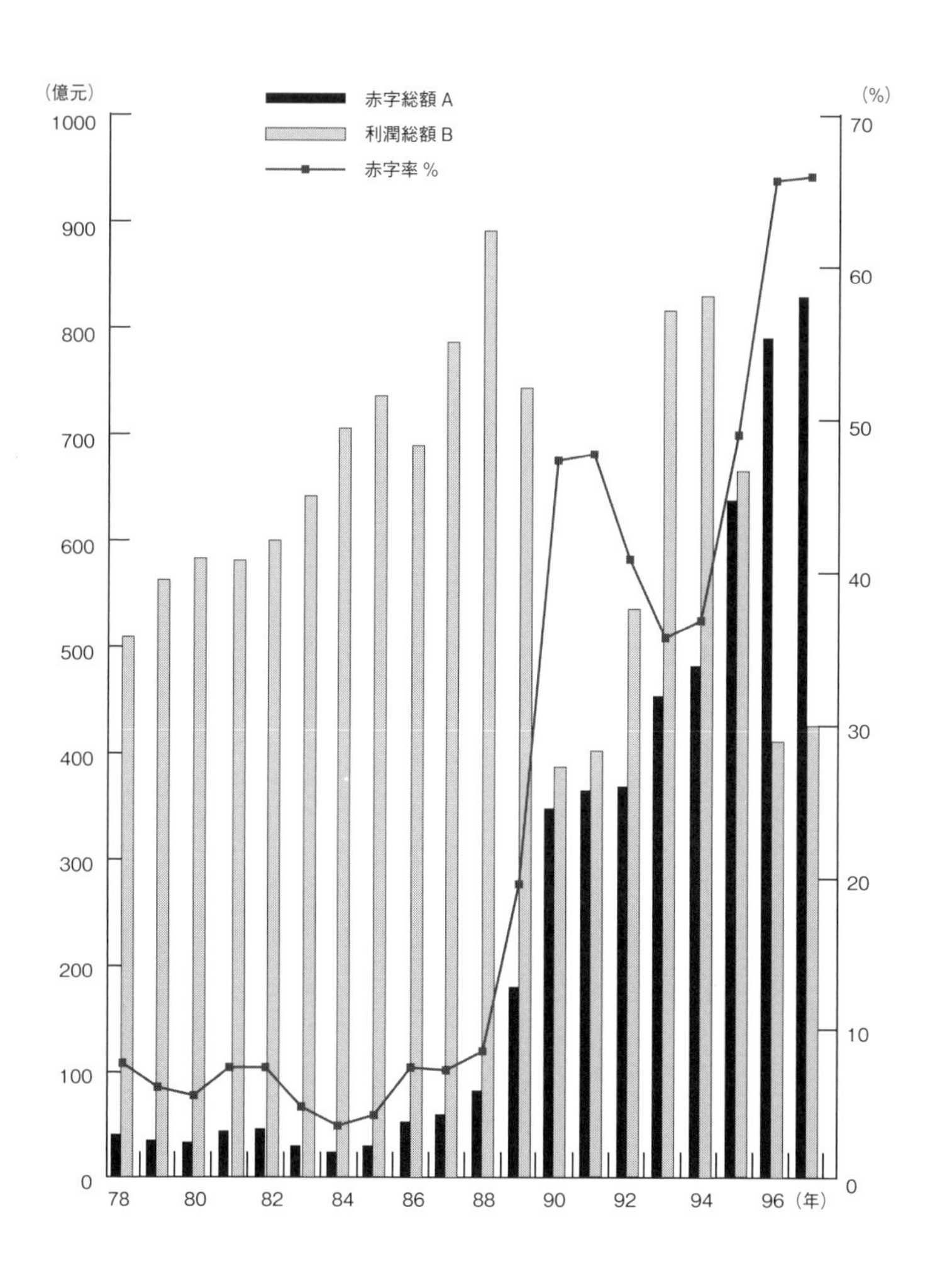

図 11　国有企業の赤字（税引き前）

資料：『中国統計年鑑』各年度版。

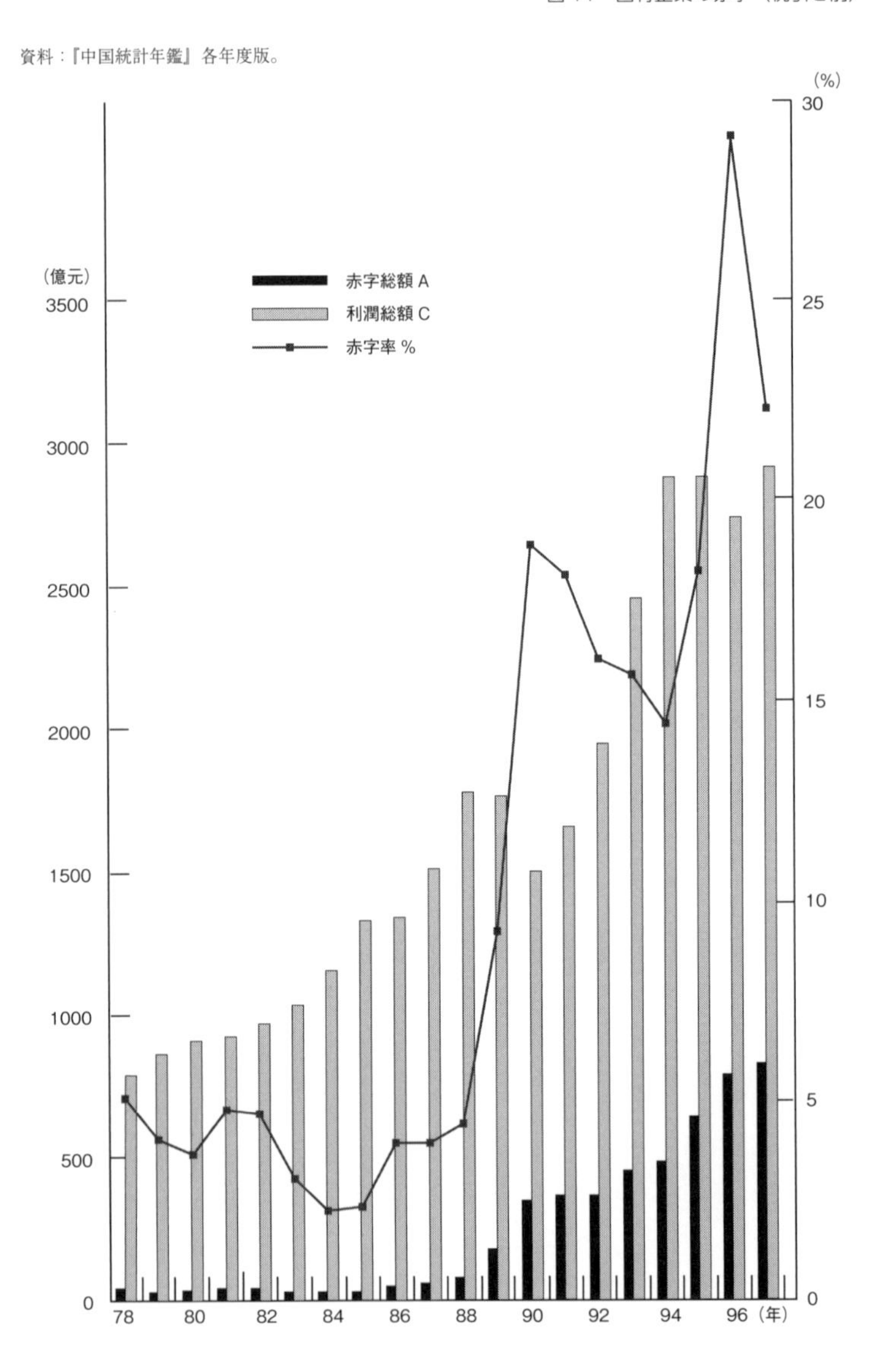

題だ。国有商業銀行への貸し手は中央銀行としての中国人民銀行である。つまり、債権債務の連鎖関係は、国有企業から国有商業銀行へ、そして中国人民銀行へという構造になる。これらすべては国家機構内部での連鎖である。したがって、極論だが、国有商業銀行が国有企業への債権を棒引きし、さらに中国人民銀行が国有商業銀行の債権を棒引きすれば、巨額の債務は一挙に消え失せる。

この種の妙案は、誰かが思いつかなかったものではない。しかし、計画経済時代のマイナスの資産をこのような形で整理することは、モラル・ハザードを招く。歴史的使命を終えた国有企業体制を温存するがゆえに、選択すべき手段として用いられることはなかった。その代わりに、赤字の国有企業を俎上に載せて、いわばそれを反面教師としつつ、市場経済化の方向を模索してきた。朱鎔基らの戦略はきわめてまともなものであったと評価してよい。

3 失業問題——固有企業改革の難問

計画経済から市場経済への転換は、コペルニクス的転換であり、多くの中国人の思考を混乱させたが、最も人々を悩ませたものの一つが「失業」という概念であった。失業者の存在は資本主義に固有のものであり、社会主義経済には存在しないはずである。失業者は存在しないが、「待業」「待業者」は存在するというのがこれまでの公式解釈であった。『中国社会保障制度総覧』という一六七二頁にのぼる大きな本がある（郭晋平主編『中国社会保障制度総覧』北京・中国民主法制出版社、一九九五年）。この本は、従来の矛盾を一刀両断のもとに斬ってみせた。曰く「待業と失業に区別はありや。区別はない。待業とは失業であり、待業保険は失業保険である。九四年から国家の関連部門では待業保険を公式に失業保険に改めた」。

いわば「失業」という概念を正式に認知したわけだが、現実にはまだいくつかの混乱がある。たとえば、「レイオフ」（原文＝下崗）とはどう違うのか。国務院労働部の公式見解を聞いてみよう。

国務院労働部政策法規局の説明によれば、レイオフと失業の違いは、次の通りだ。「レイオフの労働者とは、企業の生産・経営状況などの原因により生産のポストを離れ、その職場で働いてはいない」が、「なおその職場と雇用関係を保持している者」である。失業者は、前者の意味ではレイオフと同じだが、後者の点で異なる。つまり「いかなる雇用関係をももたない者」が失業者である（『人民日報』九七・一〇・二四「レイオフ者と失業者の違い」）。

こうして「待業」から「失業」へ、そして失業者予備軍としての「レイオフ」者についての定義がようやく整ってきたのは、近年のことである。

失業問題に対する認識の転換が行われるなかで、失業現象を肯定し、「合理的失業率」を市場経済の本質から説く論者（劉長明らの論文）が現れた。

曰く、市場経済にとって失業者は労働力のプールである。市場経済を円滑に運営するには、失業者はなくてはならない存在である。とはいえ、失業者が巷にあふれるならば、労働力の浪費であり、社会不安をもたらす。ここから「合理的な失業率」はどの程度かという発想が生まれる。（三プラス・マイナス二）すなわち一～五％を合理的な失業率と見るのが妥当だ。一％より低いと企業は追加労働力の確保に苦労し、五％より高いと社会不安を招くという西側の学説を紹介する。

では、中国の失業者の現実はどうか。失業の中国的形態とは何か。中国に特有の失業形態は「隠された失業」〈原文＝隠性失業〉あるいは「潜在失業」である。これは「在職失業」とも呼ばれる。中国では八割以上の企業が一五〜二〇％の冗員をかかえている。「在職失業」はおよそ一五〇〇〜二〇〇〇万人にのぼる。

農村では労働力の三分の二すなわち一・三〜一・五億人が過剰労働力であり、他の雇用機会を待っている。

エネルギーや原材料の不足のために、少なからざる企業が「三日操業して四日休む」〈原文＝開三停四〉あるいは「四日操業して三日休む」〈原文＝開四停三〉状態だ。国有企業は八時間労働制だが、実際には四〜五時間労働制である。

人口爆発に伴う労働力人口の増加のなかで、相対的に少ない雇用にこれを割り当てようとしてきた。その結果、「賃金を低くして就業面を広める」ことになった。いいかえれば「低賃金、多就業」の形態である。

これが社会主義的「平等主義」思想によって合理化された。その結果もたらされたのは、労働生産性を高めることへの関心が失われ、勤労へのモラールが失われ、企業の市場競争力が失われた（劉長明・何丁萌・趙璽玉「失業、再認識を要する経済社会現象」『文史哲』一九九七年増刊）。

この論文は、中国型失業の特質を巧みに解説している。

ここで前出『中国統計年鑑１９９７』から、九六年時点における求職者数、再就職率を調べると、表6の通りである。

全国で一九四〇万人の求職者があるのに対して、求人数は一一〇六万人、求職倍率は一・八倍である。

およそ二人に一人分の求人である。再就職した者は八九〇万人であるから、再就職率は四六%になる。求職登録者一九四〇万人のうち農村労働者は六〇九万人なので、都市の登録者は一三三〇万人である。ちなみに九五年までは「都市登録失業者」を五二〇万人とし、「都市登録失業率」二・九%と公表してきた（前出『中国統計年鑑1996』）。この数字は実際の失業者数の約半分であり、実際の失業率は六〜七%と見るのが常識だ。九七年版から新しい概念に基づいて求職者数、求人数などを各省ごとに具体的な数字を公表している。

表6のように、求職者が一〇〇万人を超えている地域、すなわち雇用情勢の厳しいワースト5は、河南省二二二・七万人、遼寧省一二〇・七万人、広東省一二〇・七万人、天津市一一八万人、江蘇省一一七・六万人である。浙江省、黒竜江省、山東省がこれに続く。

李伯勇労働部長は年初のインタビューで九八年中に八〇〇〜一〇〇〇万人が新たにレイオフされるとの見通しを明らかにした。レイオフ者はすでに一五〇〇万人に達しているので、年内には二〇〇〇万人を超える。

ただし、前述したことからも明らかなように、レイオフ者はなお企業と雇用契約を保っており、レイオフ手当てを受けているから、完全な失業者ではない。

国有企業の改革にとって最大の伏兵は従業員の解雇問題である。この問題に取り組むキャンペーンは九七年から活発化し、「再就業工程」（再就職対策プロジェクト）は、いまや流行語にさえなった感がある。

レイオフ者は、レイオフ期間中は雇用関係にある企業からレイオフ手当てをもらうか、失業保険から

表6　求職倍率の地域格差は大きい

	求職者数	求人数	求職倍率	再就職数	再就職率
河南省	212.7	125.1	1.7	107.1	50.4
遼寧省	120.7	75.4	1.6	73.3	60.7
広東省	120.7	63.5	1.9	34.5	28.6
天津市	118.0	49.8	2.4	43.0	36.4
江蘇省	117.6	68.3	1.7	53.5	45.5
浙江省	114.0	68.5	1.7	40.3	35.4
黒竜江省	109.5	31.8	3.4	26.9	24.6
山東省	106.1	67.2	1.6	57.1	53.8
山西省	95.6	34.0	2.8	31.8	33.3
福建省	93.6	66.5	1.4	33.0	35.3
湖南省	92.6	53.2	1.7	40.0	43.2
湖北省	85.3	51.4	1.7	44.0	51.6
吉林省	62.8	39.8	1.6	35.7	56.8
河北省	57.2	42.1	1.4	39.6	69.2
安徽省	52.2	34.5	1.5	29.9	57.3
四川省	50.5	39.9	1.3	34.0	67.3
江西省	42.9	26.2	1.6	21.5	50.1
内蒙古自治区	38.2	23.7	1.6	21.2	55.5
陝西省	35.7	13.2	2.7	10.5	29.4
北京市	33.4	19.7	1.7	13.3	39.8
上海市	33.0	1.8	18.3	16.0	48.5
雲南省	29.1	21.0	1.4	20.6	70.8
広西自治区	28.2	21.3	1.3	17.9	63.5
新疆自治区	26.6	14.9	1.8	12.0	45.1
貴州省	17.1	7.9	2.2	6.5	38.0
青海省	16.9	15.9	1.1	15.7	92.9
甘粛省	15.5	8.0	1.9	7.6	49.0
海南省	8.0	2.9	2.8	1.2	15.0
寧夏自治区	6.0	2.7	2.2	2.5	41.7
西蔵自治区					
全国	1939.7	1106.5	1.8	890.2	45.9

資料：『中国統計年鑑 1997』北京・中国統計出版社。　　単位：万人

失業手当てをもらうか、いずれかである。では失業保険制度の現状はどうか。一九八六年に「国営企業職員労働者待業保険暫行規定」が公布された。これが失業保険の原型である。九三年に「国有企業職員労働者待業保険規定」（国務院令一一〇号）が公布され（『人民日報』九三年四月二一日）、「暫行規定」から「暫行」の二文字がとれ、正式な「規定」に格上げされた。この間「国営企業」は「国有企業」と呼ばれる変化が生じた。「国有企業」と呼ぶとき、所有権は国家に属するが「経営権」はさまざまな形で行使されてよいとする考え方が秘められている。

八六年の「暫行規定」と九三年の「規定」とを比べてみよう。「暫行規定」では失業保険の受給対象者は国営企業のうち、次の範囲に限られていた。①破産宣告を受けた企業の職員労働者、②破産に瀕した企業の法定の整理期間に解雇された職員労働者、③企業が雇用契約を解除した労働者、④企業から退職した職員労働者、である。九三年の「規定」では旧規定の四類に新たに、次の三類を加えた。⑤国家の関連規定により企業が解散された職員労働者、⑥国家の関連規定により企業が整頓され、レイオフされた職員労働者、⑦法規により、あるいは省政府の規定により失業保険を受けるその他の職員労働者、である。このように対象者はいくらか拡大されたが、基本的に国有企業の職員労働者に限られる。

郭慶松らの論文によると、国務院が失業保険についての規定を下達したのを受けて、全国二六省レベル政府が失業保険についての規定を設けた。うち二五省では対象範囲を都市企業のすべて（農村企業を除く）に拡大している。九五年末現在、失業保険に参加した職員労働者数は九五〇〇万人にのぼり、これは職員労働者一億四九〇〇万人の六三・七％に当たると郭論文は見る。

失業保険の資金源は何か。企業から集めた失業保険費とその利息、そして国家からの財政補助である。

「暫行規定」では、標準賃金総額の一％を企業から集めるとしていたが、その後賃金総額に占める標準賃金の比重が小さくなったので、「規定」では「標準賃金の総額」ではなく、支払い賃金総額の〇・六％に改めた。なお省政府は失業保険費の水準を増減できるが、賃金総額の一％を超えてはならないと決められた。こうして八七年から九四年までの八年間に失業保険基金は八三億元集められ、九五年には三五・三億元集められた。

支払い期間と支払い基準はどうか。勤続五年以上の職員労働者に対して最高二四カ月支払う。勤続一年以上五年未満の者は一二カ月の支払いを受ける。「暫行規定」では、初年度は本人の標準賃金の六〇～七五％を受け取り、二年目は標準賃金の五〇％を受け取ると決められていた。「規定」では、当地の民政部門の定めた「社会救済金額の一二〇～一五〇％」である。「社会救済金額」とは、いわば生活保護費だが、その水準の二～五割増という基準は、賃金の五割と比べてより低い水準だ。資金不足に鑑みて支払い基準を引き下げたわけだ。

八七～九二年の六年間に全国で失業者六五万人に対して、保険金は一・四四億元支払われた。九三年には一〇三万人に対して二・八八億元、九四年には一八〇万人に対して六億元が支払われた。九五年は二六一万人に対して一五・一億元支払われた。

失業保険の管理は誰が行うのか。「暫行規定」では各級政府の労働主管部門が、所属の「労働服務公司」を通じて行うものとされていた。「規定」では各級政府の労働主管部門（ただし県レベル以上）が失業保険の管理に直接責任を負う。いわば出先の「服務公司」扱いから、行政機関直属へと格上げした形だ。

今後の課題は何か。失業保険への参加率が六三・七％であることは、三六・三％の職員労働者が失業保険の対象外におかれていることを意味する。この対象範囲を拡大することが課題である。

中国では労働者個人は保険費用を払わないか、少ししか支払っていない。この結果、企業と国家に負担が集中している。失業保険の本質は互助的なものである。労働者、企業、国家の三者負担方式を定着させなければならない。

失業手当ての水準は、「標準賃金の五割」という水準から「社会救済額の二～五割増」と改められた。しかし実際には「当地の最低生活水準」あるいは「賃金水準の三割」程度しか支払われず、生活が困難なケースが多い。九五年は二六一万人に対して一五・一億元支払われたのは、一人当たり年間五七八元だ。九五年の全国平均賃金は五五〇〇元であるから、失業手当ては平均賃金の一割にすぎない。しかも「再就職促進費用」も含まれているから、現行の保障水準はあまりにも低すぎる（郭慶松・楊光「市場経済下の中国失業保険制度研究」『人口与経済』一九九七年第四期）。

中国の失業対策は、まだ制度整備のさなかにある。この段階で国有企業改革に取り組み、一〇〇〇万にものぼるレイオフをやろうという話であるから、朱鎔基らの決意はなみなみならぬものである。

嵐のなかに立つ中国経済

1　アジア通貨危機と朱鎔基講話（一九九七年末〜九八年初）

一九九七年夏の終わりから秋にかけて、アジアで通貨危機が発生し、その衝撃波は香港と中国にも波及する勢いをみせた。党大会（九月一二〜一八日）の直後、朱鎔基は香港に赴き、世界銀行とＩＭＦの年次総会に出席したが、帰国するとまもなく、全国金融工作会議を招集した。全国金融工作会議は毎年暮れに開かれ、その年の金融情勢を総括し、次年度の金融政策の大きな方針を提起するのが恒例である。しかし、九七年は少し繰り上げて、一一月一七日から一九日まで開かれた。ますます激化するアジア通貨危機に香港と中国がどのように対処するかを検討するためであった。

この会議の事実上の主役は朱鎔基だが、折からの通貨危機を強く意識する中国指導部は江沢民、李鵬、胡錦濤、李嵐清の五人の政治局常務委員をこの会議に出席させ、取り組みの姿勢を強調した。この会議が終わると、金融機構の合理化が始まり、特に地区・県レベルの金融機構の合理化に着手した。金融体制の改革にも拍車がかかった。

国有企業の負債率が高まり、銀行の不良資産が増えるなかで、銀行貸付資金が株式市場に流れたり、非合法な形で利潤を追求する傾向がある。この意味で国有企業のディレンマと金融システムの混乱とは、メダルの両面である。

朱鎔基はまず「三カ年で国有企業の改革にメドをつけよ」と宣言していたが（九七年七月遼寧省での

談話)、この金融会議では「三カ年で金融改革をやりとげよ」と指示した。会議の詳細がほとんど報道されなかったことは、中国がアジア通貨危機をいかに深刻に受け止めていたかを裏書きするものだ。

国有企業改革と金融改革は連動している。資金提供を受ける国有企業側の改革と資金を提供する金融機関側との改革は、相互に依存しあう。双方から改革の敵を挟み打ちにするごとく、改革に着手せよと呼びかけた。「壮士が腕を断つ」覚悟と朱鎔基は表現した。これは『三国志・魏志』陳泰伝に見えることばである。手指を毒矢に射られた場合に、腕を斬り落とすことによって毒の回るのを防ぐ、の意である。これは背水の陣で戦いに臨むことだが、鄧小平が八六年一二月に「関羽雲長は五つの関所で六人の敵を斬った」故事を引いたのと、酷似していた。

金融工作会議に続いて中央経済工作会議(一九九七年一二月九〜一一日)が開かれ、朱鎔基は次のような講話を行った。

いま国民経済で最も重要な任務は国有企業改革である。改革を怠るならば、結果はきわめて重大だ。国有企業改革は突破口を探すべきであり、それは紡織産業だ。今年、紡織業の赤字は一〇〇億元である。紡織業は国有企業のなかで最も困難だ。全国で最も多くの労働力(主として女性)を吸収している。こんなに手広くやっているが、こんなに大きな市場はないから、赤字がひどくなる。紡織企業の問題が解決すれば、わが国の国有企業改革は成功する。

国有企業の困難の原因はどこにあるのか。主として、次の三カ条である。

一つは重複建設である。各地で同じ投資をやる。ある産品がもうかると、全国で一斉にやる。最近最もひどいのはＶＣＤ（ビデオ・コンパクトディスク）生産ラインである。広告だけを見ても二〇数社ある。いまやＶＣＤ設備の「葬式」を準備せよ。将来ＤＶＤ（ディジタル・ビデオ・ディスク）が生まれると、ＶＣＤは売れなくなる。化繊も同じである。トン当たり四万元のものが八〇〇〇元に値下がりし、一部の工場は操業開始からもう赤字が出る。

二つは歴史の荷物が重い。長らく身動きもできないほどだ。

三つは従業員が多すぎる。国有企業では一人分のメシを三人で食い、食糧や流通部門では一人分のメシを四人で食っている。これではどんなに腕のいい企業家でもうまく経営できない。

国有企業改革は、①計画経済から市場経済への転換、②粗放的成長から集約的成長への「成長方式の転換」という「二つの転換」に依拠する。ただし、一部の者がこれを誤解して「株式制をやりさえすればすべてが解決する」とか、「第一五回党大会は株式制への動員大会である」というのは、株式制の役割を誇張しすぎたもので、間違いだ（これは、その後丁関根中共中央宣伝部長の宣伝方針を批判したコメントであることが判明した）。株式制は国有企業の困難を解決できるが、唯一の形式ではない。株式制で国有企業のすべての困難を解決できるわけではない。

第一は新規プロジェクトの着手をすべて一時停止することである。技術改造はやってよい。若干の先進設備を輸入するさいは免税してよい。来年の輸入設備については、国家統制のもの以外は広く免税せよ。新規プロジェクトは今後着手してはならない。

第二は企業の債務を軽減する方法を考えることだ。食糧などの部門は特殊な政策をとりいれてよいが、不良貸付を増やしてはならない。銀行にツケを残してはならない。食糧管理の赤字は四〇〇億元、銀行へのツケは一二〇〇億元である。商業銀行は独立採算をとらなければならない。

第三は資金調達のやり方である。たとえば良い企業を上場し、合併を奨励して、悪い企業の面倒をみさせる必要がある。上場企業だけがよくなるのでなく、赤字企業に援助の手をのべよ。

「三カ年で国有企業の困難を解決する」とは、主として大中型試点企業五〇〇社のことだ。いま一・六万社のうち五三〇〇社、すなわち三分の一が赤字である。いま一〇〇〇万のレイオフ労働者がいるが、これをどうするか。少なくとも三年は養う必要がある。金はどこからもってくるのか。政府・企業・社会が三分の一ずつ集めてはどうか。

アジア通貨危機はこれまでの見通しよりも重大である。韓国でも通貨切下げが起こったが、われわれは予想していなかった。韓国は中国よりも管理のモレが大きいようだ。

一部では「来年（九八年）は人民元が切下げられる」と言い続けている。私は「切下げぬ」と、もう二回語った。切下げはありえない。いま心配なのは香港ドルの防衛である。香港ドルが消滅したら、香港経済は耐えられない。今回の金融危機から見ると、国内的には経済構造が妥当であり、実力が確かであり、強い監督方法がなければならない。締めるべきは締め、停止すべきは停止する。あいまいであってはならない。国家には外貨準備がなければならない。過去にこれを強調すると、反対する者があったが、いま振り返ってどう思うかね？　心理的準備が必要だ。来年は輸出が伸び悩み、外資の流入も減少するであろう――。

アジア通貨危機が香港ドルに対する投機的介入にまで波及した段階で、その防衛に腐心する朱鎔基の気迫が伝わってくるような講演である。ここからわかるように、彼は「確かな経済構造に基づく確かな経済的実力」と「強い監督方法」によってのみ通貨危機に対処できる、と強調した。

年が明けて九八年一月一四日、朱鎔基は「全国銀行、保険、証券系統の支店長、マネージャー会議」で力強い檄をとばした（『人民日報』九八年一月一五日）。主題ごとにまとめてみる。

(1)金融風波の原因をどう見るか

世界経済の連係が日増しに緊密化しつつある今日、「金融風波」の生まれる原因は錯綜し複雑だが、その影響はグローバルだ。これらの国・地域が金融危機を解決するために採る措置は必ずや予期した効果を挙げて、アジアはいぜんとして世界において最も経済的活力を備えた地域になるであろう。

(2)香港に対する衝撃はどう回避したか

香港特別行政区政府はタイミングよく有力な措置を採り、総体としては経済と金融の安定を保持した。香港は比較的合理的な経済構造と厳格な金融監督制度、そして十分な外貨準備を備えており、金融的リスクに抵抗する能力を十分にもっている。中国政府は香港特別行政区政府が金融市場の安定のために採る措置を米ドル・ペッグ制（一米ドル＝七・八香港ドルに固定する為替制度）を含めて支持する。

(3)九八年の経済情勢はどうか

九八年の中国経済は高度成長を保持し、ＧＤＰの成長率は八％以上を達成し、物価は引続き、低い水準を保持する。

(4)九七年の経済実績をどう評価するか

九七年は中国の改革開放以来、経済情勢が最もよい一年であった。国民経済はすでに「高度成長、高いインフレ」から「高度成長、物価安定」の軌道に転換した。商品市場は全体としてすでに「モノ不足経済」に別れを告げ、「買い手市場」になった。経済の実力は増強され、生産手段の供給は十分である。食糧準備と外貨準備はともに史上最高の水準である。これらは今後の国民経済の持続的、快速、健康な発展にとって頼りになる条件である。中国の経済発展の優勢は巨大な潜在的国内市場に立脚できるところにある。中国はすでに国民経済の新たな成長点を探りあて、育成しつつある。農林水利、交通運輸、市政建設、環境保護などのインフラ建設が大規模に展開されている。人民大衆の住宅購買、住宅建設の需要は日増しに伸びている。ハイテク、ニューテク産業に対する政策と外国からの先進技術の導入政策は整いつつある。

(5)人民元の切下げ問題

ASEAN国家の通貨切下げは中国の輸出と外資導入にとっては、厳しい挑戦である。しかし、中国の輸出産品は競争力をもっており、この挑戦に対処できる。投資環境の改善、輸入税率の引き下げに加えて、最近、輸入設備についての関税と付加価値税免除の新政策も発表した。中国の外債構造は、八五%以上が中長期借款である。デット・サービス・レシオ（DSR）の警戒ラインは二〇%だが、中国の九六年段階の数字は六・七%であり、警戒水準のはるか下だ。負債率（外債残高÷GDP）の警戒ラインは二五%だが、中国は一四・三%である。債務率（外債残高÷経常収支）の警戒ラインは一〇〇%だが、中国は七五・六%であり、ともに警戒ラインのはるか下にある。それゆえ、人民元の切下げはありえない——。

このように、中国経済の対外的ポジションを示す数字を具体的に挙げて、香港ドルを防衛し、人民元の切下げを回避する方針が可能だと力説したが、その根拠は図12のごとく、中国の外債返済の条件を示すいくつかの指標群であった。

2　通貨危機は広がり、深まる

人民元切下げの憶測が高まった九八年八月一一日、中国人民銀行の劉明康副行長が記者会見を行い、人民元問題の現状を説明した。これは投機がらみの国際的、政治的憶測の氾濫するなかで、きわめて的確に問題の核心を説明した記者会見であった。会見は英語の通訳を通じて行われたが、私はたまたま記者会見の録音テープを聞く機会があり、彼の英語力の一端を確認できた。

劉明康の経歴は以下の通りである。劉明康＝祖籍は福建省福州、一九四六年八月生まれ、五二歳である。八七年英ロンドン大学で工程管理学系で工商管理の修士号を得た。帰国後、中国銀行の南京支店総経理、福州支店副支店長、福建省支店支店長を歴任した。八八年中国共産党に入党した。九三年福建省副省長に転じたが、九四年に国家開発銀行副行長として金融界にもどり、九八年、中国人民銀行常務副行長に就任した。これはそれまでは陳雲の長男・陳元が就いていたポストであり、劉明康と陳元はポストを交換した形である。中国では国際金融のわかる人材は限られているが、劉明康はその経歴から推測できるように、この分野に最も通暁している人物の一人である。

今回の記者会見は、国務院新聞弁公室主催によるものだが、彼が「人民元の切下げは必要ない、切下げはありえない」（同前、九八年八月一二日）と述べたのは、従来の繰り返しだが、外貨準備高が一四〇〇億ドル台で足踏みしている理由をはっきりと説明したのは、興味深い点であった。

図12　中国のカントリーリスクは小さい

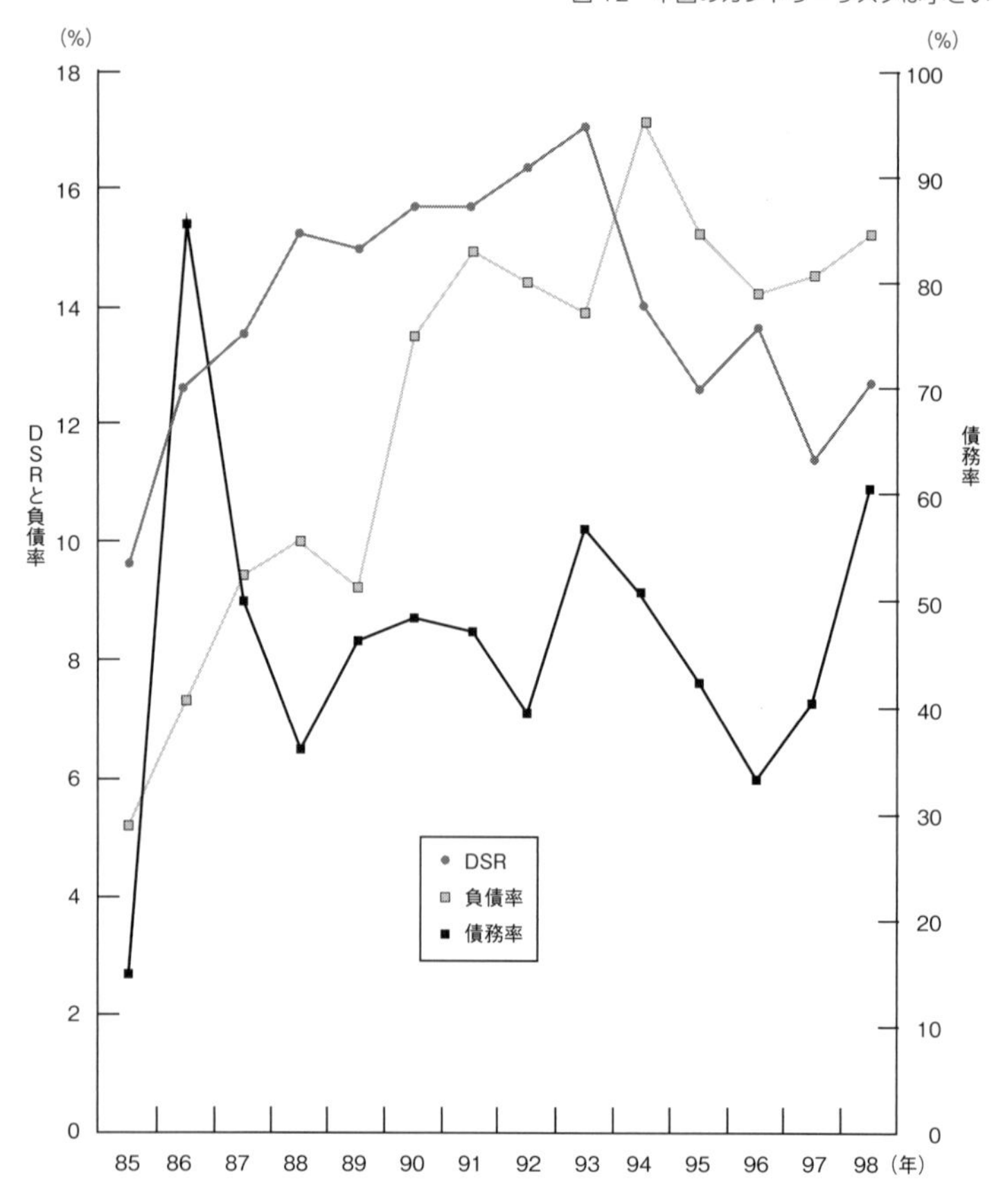

注1：デット・サービス・レシオ Debt Service Ratio（償債率）の警戒ラインは20%。
注2：負債率 Liability Ratio とは外債残高のGNPに占める割合。警戒ラインは25%。
注3：債務率 Foreign Debt Ratio とは外債残高の貿易収入、サービス収入に対する割合。警戒ラインは100%。
資料：『中国統計年鑑1999』北京・中国統計出版社。

逆境のなかで中国の貿易は健闘したが、とすれば九八年上期の外貨準備高は約二〇〇〇億ドル程度増えるはずなのに、六億ドルしか増えていない。この点について、「資本逃避か」と憶測を呼んだが、劉明康の説明はこうだ。「貿易企業が即時受け取り（即期収匯）の外国為替を、延べ払い（遠期収匯）扱いして決済を遅らせ」「一部の企業がいわゆるドル転を行っているため」である。「ドル転」とは、業界用語で、ドル建て（より一般的には外貨建て）の債務を「人民元建て」に転換することによって、万一人民元切下げが起こった場合のリスクを避ける措置だ。万一、切下げが行われた場合に被害を受けるのは、このケースだから、ドル建ての債務をもつ企業が人民元借り入れによって、ドル建て債務を返済するのは、企業防衛として当然の対応だ。ただし、これは資本取引のカテゴリーに属するので、中国の現行規制のもとでは、タテマエとしては非合法である。とはいえ、中国金融当局は外資系企業の危惧を理解しており、当面は黙認の形である。切下げリスクに対して、企業側としてとりうる措置は限られている。たとえば合弁企業が輸出を行った時点で外貨の先物を予約し、現実の支払いが行われるまでのリスクを回避する。実需の裏付けのある場合にかぎり、為替の先物も認められている。こうして企業側からすると、万一の通貨切下げに対する措置は、(1)輸出代金の回収における損失の回避、(2)外貨建て借入れを元建てに切り換えることによって返済額が増えるリスクを回避すること、この二点に尽きる。

劉明康は一方でこの種の企業の対応に理解を示し、事実上黙認しつつ、現在「外匯の大検査中」だと指摘した。外貨準備高は一四〇〇億ドル程度あれば、実際の経済活動には十分だが、この水準を大きく下回るような事態が生ずるとすれば、中国当局の外貨管理能力に疑問符が付き、ひいては「人民元切下げなし」にも疑問符がつくので、調査中というわけだ。

劉明康の記者会見の真の狙いは、外資系銀行の人民元業務の拡大に関わるものであった。第一は、上海市浦東開発区での外資系九銀行の人民元総資産は六月末現在、一一・六億元、貸出残高六・〇三億元、預金残高七・六三億元であり、順調に伸びていること。この成果を踏まえて第二に、人民元業務を深圳経済特区にも拡大すること。第三に外資系銀行のインターバンク取引についての規制を緩和し、国内銀行と基本的に同じ条件とすること。第四は譲渡性定期預金証書の発行を認めること。第五は人民元シンジケート・ローン（協調融資）に外銀の参加を認めること、である。アジア通貨危機という逆風のなかで、中国の金融改革を着実に進めようとしている姿勢がうかがわれる内容であった。

ところで、このような中国の動きをまるで曲解した捏造（ねつぞう）記事を『日本経済新聞』が掲げたので、指摘しておきたい。『日本経済新聞』（九八年七月一八日）は「北京一七日＝中沢克二特派員電」を伝えた。「中国、金融市場開放遅らす」「管理強化へ方針転換　WTO加盟急がず」という見出しである。この記事を読んで驚いた知人から問い合わせがあった。この記事が報じたような記事が『人民日報』一七日付に見当たらないのだが、という趣旨である。私も念のために点検して、「そんな記事はないね」と素っ気なく答えた。答えながらふと思い当たったのは、もしかしたら、この記者が誤読したと思われる記事のことであった。タイトルは「人民元、円安に直面して」と題した『人民日報』施明慎記者のコラム「経済視点」であった。この程度のコラムを取り上げて、『日経』のように「中国政府は方針を明確に打ち出した」と書くのは、誤報もはなはだしい。まずこれは施明慎記者のコラムであり、中国政府の見解ではない。一記者の書いたものを中国政府の方針であるかのごとく誤報することは許されない。この記者の頭の中は、国務院レベル、『人民日報』社説レベル、評論員論文レベル、その他の違いが認識できていない。何もかもが「中国政府」の公式発言になってしまう。驚くべき無知である。中沢記者は「拙速な開放はアジア通貨・金融危機の国内への波及を招き人民元の安定維持さえ危うくするとの認識を強調した」と書いているが、この記事にそのような「強調」はない。施明慎記者はこう書いた。

「東南アジア国家、日本、韓国で金融風波が発生した教訓を汲み取り、健康な銀行体系を樹立し、金融体制改革を深化させることはわが国の改革の一つに組み込まれている」「資本項目を厳格に管理し、投機を目的とするホットマネー〔原文＝国際遊資〕が経常項目に混入することを防止しなければならない」「他国が資本市場をあまりに早すぎて開放した教訓に鑑みて、現段階では株式市場、不動産市場、中長期貸出市場をよりいっそう完璧にすべきである」「同時に、かなりの規模と流通性のよい政府債券市場を樹立し、利率調整〔原文＝利率掉期〕活動を能率よくやるために条件を創造し、今後資本項目の規制を逐次自由化するために市場的基礎を固めるべきだ」。

この文章をどう読んでも、中沢記者のような日本語にはならない。「金融市場の対外開放のペースを遅らせる」とは、どこにも書いていない。いま「逐次自由化」と訳した箇所の原文は、「今後逐漸放開資本項目管制」である。これを朱鎔基の公約の変更と読むのは、無理である。記者はまた「WTO加盟も急がない方向に転換」と断定しているが、このコラムにWTOの文字はまったくない。また「人民日報のような党を代表する機関紙」が「金融市場の開放に後ろ向きの論陣を張ったのは異例」と論評しているが、これは「後ろ向きの論評」とは、いいきれない。素直に読めば、「条件を整えて、資本項目の自由化をやろう」という話である。最後に記者は、中国の景気低迷と円安などで「人民元の切下げ圧力が強まったため方針転換に踏み切った」ことを意味する、と憶測を重ねている。施明慎記者はこう描いているのだ。

「(九八年)六月分の中国の輸出は下げ止まり、上期は二二五・六億ドルの黒字である」

この例が示すように、『日本経済新聞』など日本各紙はときどきひどい誤報を繰り返して、世論をミスリードしてきたが、人民元切下げ狂騒曲はその汚点の一つとして記録に値する。不勉強な記者がこのような乱暴な記事を書くのはご愛嬌だが、この種の俗悪記事によって日本の経済界が引き回されているのを見ると、憂慮に堪えない。

3　憂慮すべき資本逃避

問題の焦点は資本逃避の動きだ。中国の国家外国為替管理局が九七年分の国際収支表を公表した(九八年六月一日)。これによると、九七年の経常収支は二九七億ドルの黒字、資本収支は二二九億ドルの黒字、総合収支では三五七億ドルの黒字であった。この資本収支表は、IMF(国際通貨基金)の定めた分類に依拠したものである。「資本収支」の中国語原文は「資本和金融項目」であり、これはIMF統計の **Capital and Financial Account** の訳語である。新しいIMF方式では、**Capital Account** と **Financial Account** とを分けており、日本語の訳語は本来なら「資本および投資収支」と訳すべきだが、資本収支の訳語が定着しているため、投資収支を含めたものを単に「資本収支」と訳している。中国語の資料を読む場合に注意を要する。経常収支のうち、貿易収支は四六二億ドルの黒字、サービス収支は五七億ドルの赤字、所得収支は一五九億ドルの赤字である。これは中国の受け取る投資収益が三一億ドルにとどまるのに対して、中国内の合弁企業に働く外国人への支払いが一九〇億ドルにのぼるためだ。資本収支を見ると、海外からの直接投資は四四二億ドル、中国の対外直接投資は二五億ドルであったため、差し引き四一七億ドルの黒字であった。証券投資は中国による投資（資産）九億ドルに対して、香港でのH株、上海証券取引所におけるB株などの売却による外資の流入（負債）が七七億ドルであった。

今回の国際収支表のなかで、特に話題を呼んだのは、「その他投資（資産）」の三三九億ドルの行方であった。この項は九四〜九六年は各年とも一一億ドル程度であるから、その増加は際立っている。この項は、通貨当局（Monetary Authority）、政府一般（General Government）、銀行（Banks）、その他セクター（Other Sectors）の四項目に分けられるが、その細目は発表されていない。三三九億ドルに上る「資産」増加とは、いったい何か。いくつかの推測が可能だが、最もありそうなのは、中国当局が豊かな外貨準備を用いて、米国財務省証券を買いつけたという想定であろう。かつて「外貨準備のうちおよそ三割は米国国債で保有している」とする報道が行われたことと重ねて再考すると、この可能性が最も高いと思われる。むろん三三九億ドルがすべてそうだというのではない。「銀行」が外国資産を保有するケースもありうるし、「その他セクター」の保有もありうる。しかし、ここで劇的に増えた「その他投資資産」の大部分は、おそらくは中国当局による米国財務省証券保有であると推測してよい。

いまや中国はロサンゼルス向けのミサイルM－9という軍事的手段だけでなく（*International Herald Tribune*, June22-23, 1998）、ドル売りというカードさえ手に入れ始めたことを意味している。これらの経済的相互依存関係は、米中関係の絆をますます固いものとしていくことになるはずだ。現在のところ、まだ萌芽にすぎないが、この金融的側面は今後ますます注目を要する。今回の国際収支表に接して、私がまず疑ったのは、資本逃避への危惧であった。念のために、この問題を点検してみよう。

表7は中国のエコノミスト王軍（中国社会科学院金融研究中心副主任、経済学博士）の論文「中国の資本流出量とその構造分析」（『改革』九六年第五期）の提起した方法を援用して、資本流出量を推計したものである。この論文で王軍は八二〜九四年の一三年間について、中国の資本流出量を推計している。王軍によれば、流出量の最も控え目な推計は、「短期資本収支」に「誤差脱漏」を加えることによって得られる。この方式によると、中国の資本流出（ＫＦ１）は九四年一二八億ドル、九五年一七三億ドル、九六年一七一億ドルであり、近年は二〇〇億ドル台に迫っている。もう一つの推計は、「短期資本収支」の代わりに「短期資本流出」を用いる方法（ＫＦ２）である。これによると、九四年一三八億ドル、九五年一九〇億ドル、九六年一八四億ドルである。王軍の紹介したもう一つの推計方法（ＫＦ３）は、「外国借款の受入および直接投資受入額の和」から「経常収支赤字」と「準備資産増加分」を控除した差を求めるやり方である。これによると、中国の流出量は九四年一一五億ドル、九五年二五三億ドル、九六年二二七億ドルであり、前者よりも二〜三割大きな数字となる。では、これらの流出はいかなるチャネルを通じて行われるのか。

第一は非合法な形で外貨を直接持ち出すものだ。第二は輸出伝票の数字を小さく見せかけ、輸入伝票を大きく見せかけて、国内から国外に外貨を移転するやり方である。この方法で貿易公司を故意に破産させる手口さえも用いられる。第三の方法は、輸出代金の繰り延べ回収や融資条件の変更、あるいは外国証券の買付け条件の書き換えなどの方法で資金を流出させるものである。これらの資本流出が中国経済に対していかなるマイナスの影響を与えているのかは、評価が困難だが、少なくとも中国経済の発展にとってプラスでないことは明らかだ。王軍は八二〜九四年間の流出量二〇三五億ドルは、中国に流入

表７　中国の外貨流失（capital flight）は大きい

単位：百万ドル

	91	92	93	94	95	96
A　経常項目	13,272	6,402	-11,902	7,658	1,618	7,242
B　資産項目	220	-250	23,472	32,644	38,674	39,967
1長期資産差額	-142	656	27,411	35,756	38,249	41,554
1a長期資本流入	12,859	27,642	50,353	60,789	66,067	69,721
1b長期資本流出	13,001	26,986	22,942	25,033	27,818	28,167
2短期資本差額	362	-906	-3,939	-3,112	425	-1,587
(短期資本差額*-1)	-362	906	3,939	3,112	-425	1,587
2a短期資本流入	7,465	2,580	475	1,004	1,644	1,256
2b短期資本流失	7,103	3,486	4,414	4,116	1,219	2,843
C　誤差脱漏	597	-8,419	-9,803	-9,775	-17,810	-15,558
(誤差脱漏*-1)	-597	8419	9803	9775	17810	15558
C　誤差脱漏	597	-8,149	-9,803	-9,775	-17,810	-15,558
D　準備資産	-14,089	2267	-1,767	-30,527	-22,481	-31,651
うち外貨準備	14081	2,269	-1,756	-30,421	-21,977	-31,431
KF1　資本流失KF（2+C）	-959	9,325	13,742	12,887	17,385	17,145
KF2　資本流失KF（2b+C）	6,506	11,905	14,217	13,891	19,029	18,401
E　対外借款	6,888	7,911	11,189	9,267	10,327	12,669
F　外商直接投資	4,366	11,007	27,515	33,767	37,521	41,726
増加計（E+F）	11,254	18,918	38,704	43,034	47,848	54,395
D　準備資産	14,089	-2,267	1,767	30,527	22,481	31,651
KF3　資本流失KF3	-2,835	21,185	36,937	12,507	25,367	22,744

注：資本流失 KF2 とは、実行ベースの対外借款と直接投資の合計から経常項目赤字と準備資産を差し引いたもの。

資料：82 ～ 90 年は『中国外匯管理』1995 年第 3 ～ 5 期。対外借款と直接投資は『中国統計摘要 1998』

した外国資本の二・二六倍に相当するとし、中国から流出した資本の総額は、中国が実際に利用した外国資本よりも大きいと分析する。王軍の示唆するように、「国内資本の外流」と「外資の内流」との間には、深い関わりがある。「内資」はまず流出し、香港などを経由して「外資」となり、外資としてのさまざまな優遇条件を享受して帰国する。中国への直接投資のなかで香港経由の「華僑・華人資本」の大きさが話題になって久しいが、これらのなかには、内資が華人資本の装いをこらして、外資に変身したものが含まれていることは、否定しがたい事実であろう。私は九四年の時点で、香港から受け入れた直接投資四〇〇億ドルに対して、中国から香港への投資額が二〇〇億ドルに達すると分析したが（拙著『鄧小平なき中国経済』蒼蒼社、一九九五年）、そのカラクリの一端を王軍は解きあかした。ただし、この問題はまだまだ謎の部分が多い。

4 デフレ対策への転換

朱鎔基のデフレ対策が本格的に始動した。中国人民銀行は九九年六月一〇日に金利の大幅引き下げを行い、これにより一年定期もので、預金金利は二・二五%、貸出金利は五・八五%の低金利となり、鄧小平時代始まって以来最低の水準となった（図13）。預金金利をこのように低い水準に引き下げた狙いは、買い控えてため込む貯蓄に水をかけ、個人消費や株式投資に誘導するためだ。

果たして印紙税の引き下げと相俟って、中国株は値上がりした。取引高が増え印紙税だけで一日四億元の収入がある。貸出金利を一ポイント下げると、企業の利子負担は約五〇〇億元減少する。これまでの六度にわたる引き下げ（九六年五月、九六年八月、九七年一〇月、九八年三月、九八年七月、九八年一二

図13　中国は金利を引き下げて利幅を拡大した

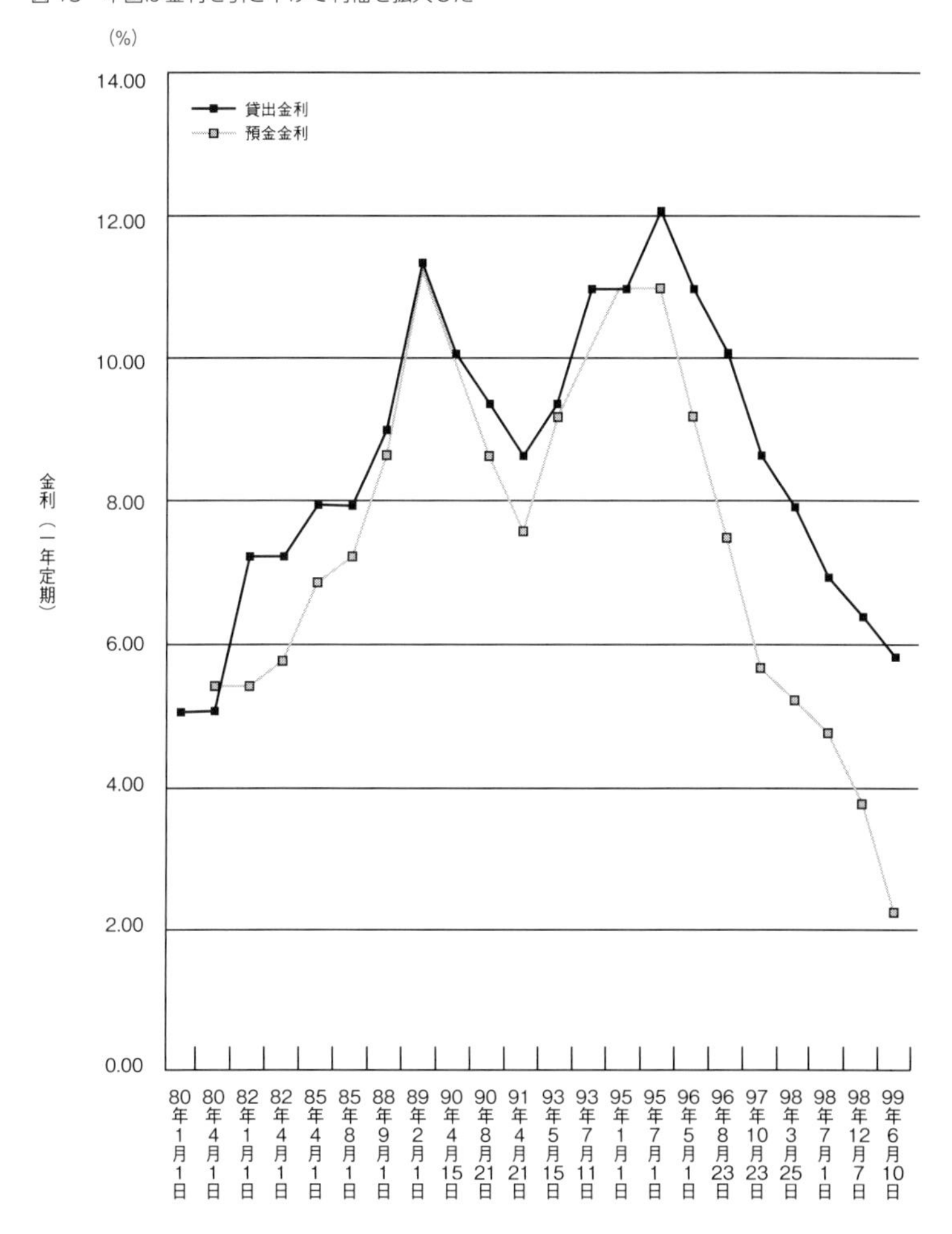

資料：1980～98年は『改革』1999年3期、99年は『人民日報』（1999年6月10日）。

月）で金利負担は二六三〇億元程度は減少した。これは企業の収益改善を狙う措置である。貸出金利と預金金利の利ざやは九六年五月には一・八ポイントであったが、今回の引き下げで三・六ポイントに拡大した。貸出金利は小幅な引き下げにとどめ、利ざやを大きくしたのは金融機関を優遇し、貸し渋りを防ぐためだ。

朱鎔基がバブル退治に着手したのは九三年七月のことだが、およそ三カ年でインフレ退治には成功した。九六年後半には卸売物価指数は対前年同期比で四〜五％増の線まで落ち着いた。九七年前半はインフレは対前年同期比で一％増以下となり、九七年秋以降、対前年同期比で一〇〇％ラインを切り始めた。以後二年近く、卸売物価水準は対前年同期比九六〜九七％水準である。九八年前半はようやく「買い手市場になった」と物価安定を歓迎するムードであったが、思わぬ伏兵が現れた。インフレ問題はデフレ問題に転化した。

その契機は九八年春節以後、卸売物価だけでなく、小売物価も対前年水準を切り、九七〜九八％台となったことだ。物価の安定は消費者にとっては歓迎すべき事態だが、低物価にもかかわらず消費は伸びない、「消費冷え」現象が目立つようになった。マネーサプライを見ると、九八年半ばまでは引き締め基調であった。M_0（狭義の現金通貨）、M_1（要求払い預金を含む）、M_2（定期預金を含む広義の通貨）、どの指標で見ても、九八年六月末までは対前年同期比で伸びが減少してきたが、九八年半ばの積極財政（赤字国債一〇〇〇億元）への転換以後、マネーサプライも増勢に転じた。こうして九八年半ば以降、金利引き下げ、通貨増発策への転換、赤字国債の発行といった景気刺激策が次々に採られたが、その効果は期待に反し、デフレムードが広まり深まった（図14参照）。

図 14　デフレ脱却を示す物価動向（1996 ～ 99 年 10 月）

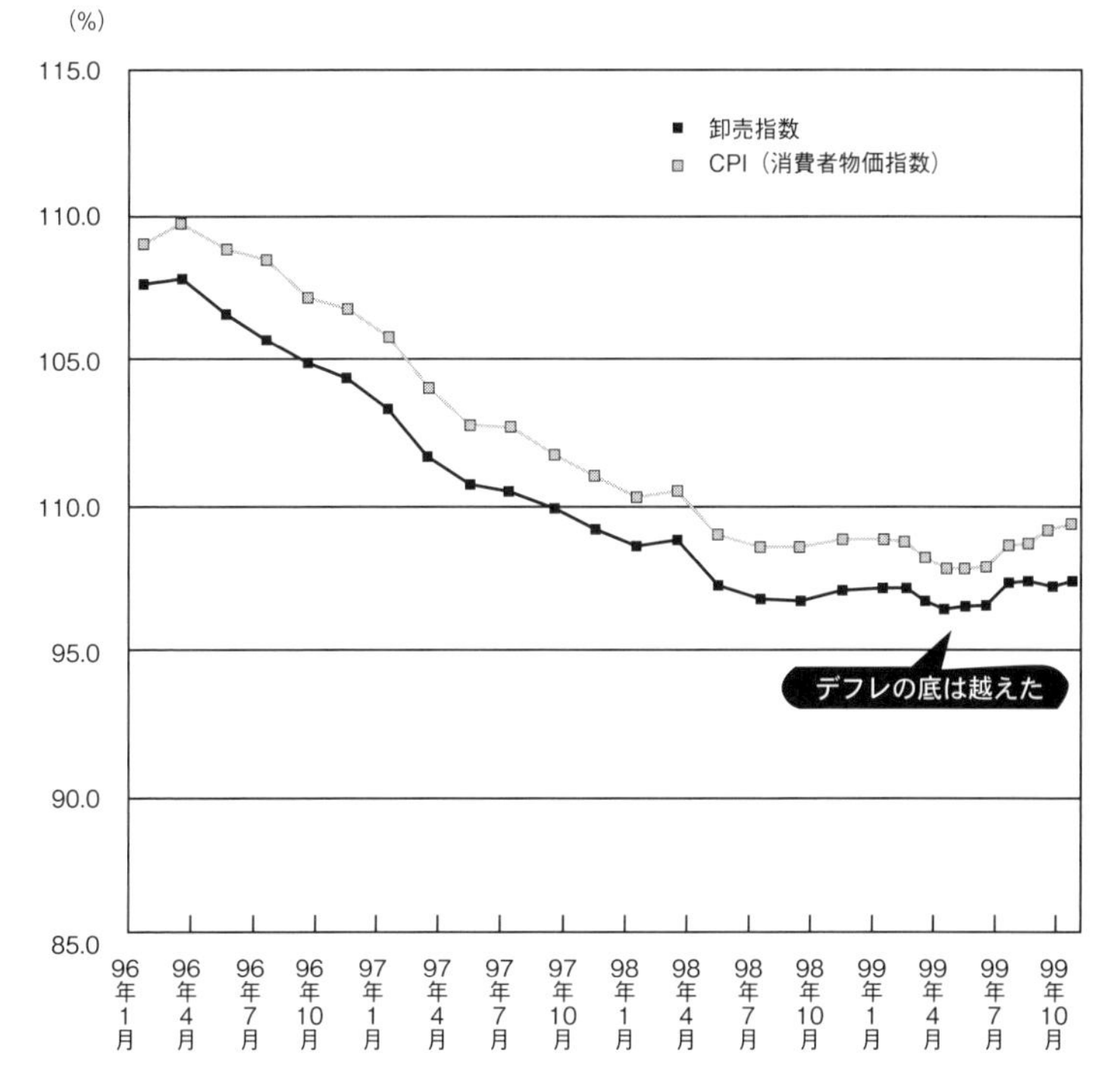

注：「卸売物価指数」、「CPI 指数」という日本語は厳密な表現ではないが、
わかりやすくするため、こう表現した。
資料：国家統計局『中国経済快報』小売物価と消費者物価は前年同月を 100 とする指数。

第一の問題は「消費冷え」現象である。何よりも沿海地区を中心に展開された耐久消費財の需要が一巡し、買い替え需要だけが細々と続く状況になった。より大きな要因はリストラ（レイオフ＝下崗）公約により「不安心理が蔓延」したことである。朱鎔基は九八年三月に総理に就任するや、国有企業の大胆なリストラ方針を提起し、皮切りに中央官庁の大胆な行政改革に着手した。同時に、広東省など沿海地区の密輸退治に乗り出した。リストラ旋風は「明日は我が身」の不安心理を招き、また広東省などに対して集中的に行われた密輸退治は、非合法な部分を含みながら発展してきた華南経済圏に大きな打撃を与えた。密輸退治のおかげで息を吹き返した国産テレビ・メーカーの話や合法的輸入品の急増などの例もあるが、少なくとも短期的には打撃のほうが大きかった。さらに九八年後半から「住宅の商品化」も始まり、庶民は住宅貯蓄のためにも他の消費を節約した。

第二の問題は輸出の伸び悩みだが、これはアジア経済の混乱に伴うもので、中国にとっては与件である。肝腎なのは、輸出の伸び悩みの真因である。基本的には日本やアジア諸国など輸入国側の需要不振のためだ。元高によって中国商品が競争力を失ったことによるものではない。つまりは買い手側の都合だから、人民元切下げによって輸出を増やすことはできない相談なのだ。内需のもう一つの柱である内陸へのインフラ投資だけはほぼ政府の思惑通りに進んだものの、九八年夏の揚子江大洪水はマイナスに働いた。このような経緯を経て中国はデフレ経済に陥った。しかし、デフレの真因は需給ギャップという表面的現象ではなく「過剰資本の処理」問題という核心に求めるべきだ。恐慌論は生きている。インフレ対策に悩んできた中国にとっては初めての経験である。朱鎔基のデフレ対策の成否を占うには、動向を見守る必要がある。景気刺激策のほか、株高やＷＴＯ加盟問題の決着を牽引力として低迷状況からの脱出をはかる展望は見えているが、不良債権の処理はまだ緒についた段階だ（図15参照）。

中国経済について不利な条件が現れるたびに消えては浮かぶのが「元切下げ」という妖怪だが、切下げ騒動がピークに達した九八年に切下げはなかったのと同様、九九年も大方のバブル崩壊期待を裏切って（？）切下げはなかった。いわんや、二〇〇〇年にあるはずがない。

まず第一に人民元はハードカレンシーではなく、対外ポジションはしっかりと管理されている（九八～九九年の国際収支は厳しい結果だが、余裕は十分だ）。第二に切下げによる輸出増を考えても、有効な選択肢たりえない。中国では委託加工が全輸出の五割を超えている。切下げた分だけ商品が安くなり輸出がいくらか増えたとしても、その分だけ原材料の輸入価格が値上がりするので、メリットは疑わしい。第三に、中国のかかえる一五〇〇億ドル弱の対外債務は、切下げ率に応じて確実に膨れあがる。メリットは疑わしく、デメリットの明白な人民元切下げを好んで選択する指導者がどこにあろうか。

ところで、広東国際信託投資公司（ＧＩＴＩＣ）の破産問題は、深刻な教訓を残した。「国有企業の改革により『政企分離』された。政府は債務を保証しない。『外債登記』されていても返済責任は企業にある」――これが中国側の言い分だが、身勝手な主張というほかない。かつて「外債を登記すること」は「政府が責任をもつこと」と同義だったが、途中から意味が変化した。政府内部の権限が分化され、外為管理局は兌換機能だけになり、カネは企業が持つ形となった。とはいえ国有企業自身に与えられている当事者能力には限界がある。「内外債務を区別しない」との考え方は目標であり、市場経済においては正しい方向だとしても現段階での処理は「移行期におけるトラブルの処理」として扱うべきである。借金を踏み倒せば、以後貸してもらえなくなる。他の貸し手も期限前の回収にさえ踏み切るであろう。

図15　インフレ対策からデフレ対策への転換を示すマネーサプライ（1994～99年）

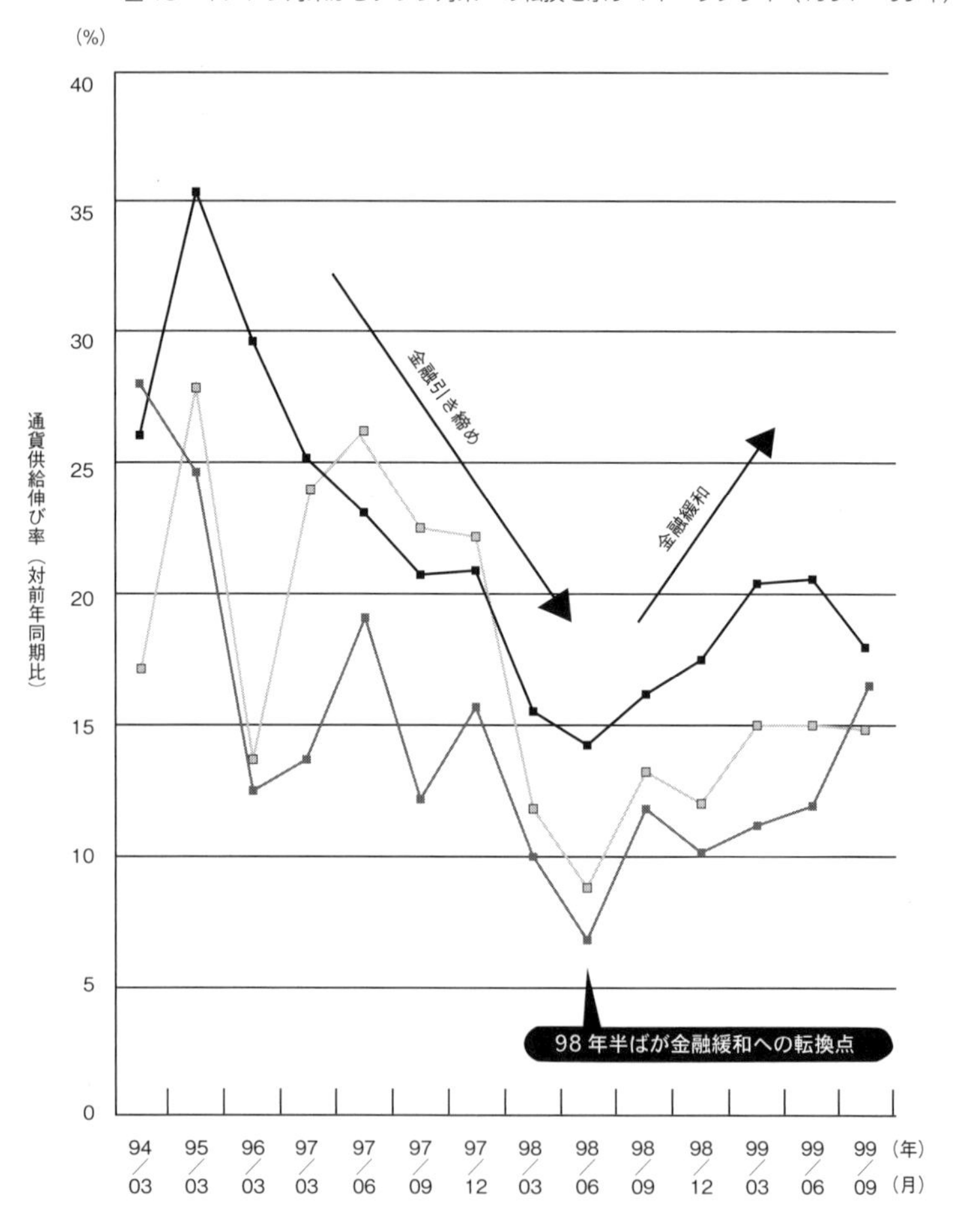

資料：『中国人民銀行統計季報』。

これがクレジット・クランチ（信用収縮）だ。外債残高や直接投資、貿易黒字額からＧＩＴＩＣの債務は大したことではないと判断するのは、カントリーリスクのレベルで問題を扱うものだ。クレジット・クランチの恐ろしさを理解しているとは言い難い。この問題で外資側に不満が残るならば、今後の資金調達など市場経済化に大きく影響を及ぼす。

朱鎔基政権は二〇〇三年春まで任期を残す、選挙の心配のない強い政府である。少数だが鍛錬された若いエリートが選ばれて要職についており、政策判断を誤ることがなければ、危機管理に不安はない。国有企業の生産額は、すでに全生産額のほぼ四分の一まで減少した。「国有企業の雇用労働者数が全体の六割を占める」という解釈は誤りだ。雇用労働者もすでに生産のシェアに見合うまで減少している。改革の先行きは比較的楽観できる。ＧＮＰ約八兆元で銀行貸出もほぼ同額、うち七割が四大商業銀行の貸出である。コゲ付きは対ＧＮＰ比二～三割である。手続き手順はあるが、一時塩漬けが可能である。対策は強い政府の手の内にある。

対外債務残高と返済能力としての外貨準備高のバランスは基本的に問題がない。ＤＳＲ（警戒ラインは二〇％）、負債率（同二五％）、債務率（同一〇〇％）など、カントリーリスク指標が健全であることは周知の通りである（本稿三七二頁、図12参照）。これに国内債務を加えて、内外債務の合計は対ＧＮＰ比二～三割であり、国家財政としても、リスク指標から見ても健全だ。「経済破綻」論は中国「脅威」論の焼き直しであり、疑心に生じた暗鬼というほかない。

5　香港のヘッジファンド撃退の教訓

グローバル化した市場経済の明日を展望するためには、ヘッジファンドと正面から対決し、かつその攻撃を見事に撃退した香港のケースについて、もっと関心が向けられるべきである。ヘッジファンドが香港ドルを攻撃したのは、九七年一〇月、九八年一月、六月、そして八月であった。このうち、最初から三回目までの攻撃では、香港当局は三〇億ドルを用いて買い支えた。ヘッジファンドはペッグ制を破壊することには失敗したが、株式の先物市場を通じて、それぞれ数億米ドルをもうけて、「キャッシュ・ディスペンサー（ATM）から金を引き出すごとし」といわれた。九八年八月、ヘッジファンドは四度目の、最後の攻撃をかけた。七月中旬、ヘッジファンドはロンドン市場を皮切りに、「人民元切下げ、香港の対米ドル・ペッグ制停止」などの風説を流すとともに、香港ドルへの攻撃をひそかに準備する。香港ドル手形を発行する形で三〇〇億香港ドルを集め、さらに低利で一年ローンを借り入れた。そしてハンセン（銀行名）先物指数九〇〇〇ポイントで数万枚の空売り契約（空倉合約）を結んだ。そして銀行およびブローカーから株式を借りる契約を結び、スポット市場でハンセン指数を空売りした。八月三日と四日、ヘッジファンドはまずニューヨーク、ついでシドニー、香港、ロンドンと続けて香港ドルの売りに出た。八月五日には、二四時間休みなしに、地球を一巡するように、売り浴びせた。八月三日から七日までの五営業日だけで香港通貨当局（HKMA）は、二〇億米ドルを用いて香港ドルを買い支えた。八月の第二週（一〇～一四日）、陣地を為替市場から株式市場に移し、相場の下落を狙う。香港通貨当局は四二億米ドルを用いて株価を買い支え、ハンセン指数は七二〇〇ポイントとなった。香港当局は二週合わせて六〇億米ドルを用いて、買い支えた（ちなみに九七年一〇月は約三〇億米ドル）。ヘッジファンドの戦略はハンセン指数七〇〇〇の大台を破ることであり、八月一三日の終値は六六六〇まで落ちた。そこで八月一四日、ＨＫＭＡは初めて外国為替基金を用いてブルーチップス（藍色株）を買い支え、ハンセン指数は七〇〇〇の大台を回復し、七三二四ポイントで終わった。八月第三週は壮烈な白兵戦となった。一八日、双方は頻繁に売りと買いに出る。八月一九日、米国株とアジア株がもどし、円安ももどした。ハンセン指数の終値は七六二二であった。八月二〇日、ハンセン指数は七九〇〇まで上がったあと、七七四二が終値となった。八月二一日、ヘッジファンドは再度攻撃に出た。株式市場を二一五ポイント下げて、先物市場を二〇〇ポイント下げることが攻撃目標であった。八月二八日は八月分のハンセン先物指数契約の清算日である。ヘッジファンド側には一一万枚の先物契約があった（ちなみに九七年一〇月と九八年一月には七万枚）。八月二四日、香港当局は五〇億香港ドルを用いてブルーチップなど優良株を買い、ハンセン指数は三一八ポイント上がり、七八四五の高さとなった。二五〜二六日、ヘッジファンドは香港株を売り、当局は買い支えた。二七日、ヘッジファンドは香港株を大量の売りに出て、終業一五分前の取引量は八二億米ドルに達した。終業九分前に、ある外資証券会社は「香港電訊（ホンコンテレグラフ）」を一億株売った。香港当局はすべてこれを買ったが、コンピューターのインプットに一〇分を要するほどの大量の売りであった。当日ハンセン指数は八八ポイント上がり、取引高は二三〇億香港ドルであった。この日、ダウジョーンズ（ニューヨーク）は二一七ポイント暴落し、ヨーロッパやラテンアメリカも三〜八％下落した。八月二八日、先物の清算日であり、全日の取引高は七九〇億香港ドルで、一日の取引高としては有史以来のものであった。二八日午前、ヘッジファンドと当局は七八六〇ポイントの攻防で争い、終値は七八二九であった。これは当局の介入前の水準よりも一一六九ポイント（＝一八％）高い水準であった。二八日の香港株時価総額は二兆八〇五億香港ドルであり、介入前より三一〇七億香港ドル大きかった。かくて、香港ドル売り→金利上昇→ペッグ制への衝撃→株式市場・先物市場の下落→下落した価格での買い取りによる清算を通じて暴利を得る、というヘッジファンドの作戦は失敗に終わった。

ヘッジファンドの攻撃を撃退した曽蔭権（ドナルド・ツァン）財政長官は九八年九月七日立法会議で「当局がもし市場介入をしなかったならば、ハンセン指数は二〇〇〇ポイント下がり、五〇〇〇ポイント台に落ちたであろう。八月一三日の時価総額は一兆七六九八億香港ドルであったが、五〇〇〇ポイントに下がれば、時価総額は一兆三四六四億香港ドルになる。損失は四二三四憶香港ドル」と説明した。その後、曽蔭権は、ＩＭＦ・世界銀行の年次総会に出席する機会を利用して、母校ハーバード大学ケネディ・スクールで講演した（「グローバル化、資本移動、自由市場・香港からの教訓」九八年一〇月一四日）。このスピーチは、香港という「小さな、しかも開かれた経済」がヘッジファンドの餌食になることを避け得ただけでなく、今後の展望も示唆していて興味深い。「アジア危機の伝染性はインフルエンザなみ」だと、こう分析してみせた。

韓国はオフショア市場から借りて高い利回りのロシアやブラジルの債券を買った。過大な短期の対外債務の返済に窮し、国内経済に波及して不況に陥った。不況のためにアジア地域内の輸入が減少し、通貨の切下げを招いた。日本経済は消費税引き上げの時機が悪く、銀行の自己資本比率を八％にする動きとからんで九七年にキリモミ状態に陥った。弱い円が銀行危機を悪化させ、国内的・国際的信用収縮を招いた。九七年七月以来、日系銀行をはじめとする外国銀行がアジアから引き揚げたオフショア資金は二〇〇〇億米ドルにのぼり、それがアジアの信用収縮を招いた。アジアへの原油輸出が減少したために、産油国が風邪を引いた。インフルエンザはロシアからベネズエラに広がり、南米と一部のスカンジナビア国も神経質になり、グローバル危機となった。当初は「ＩＭＦという医者」が市場を安定させてくれるものと期待されたが、ＩＭＦの処方箋はあまりにも苦過ぎた。ＩＭＦはグローバル危機を処理する資金と能力をもつという想定が崩れた。これらはすべて自由市場とブレトンウッズ体制に対する信念に大きな反省を迫るものだ。

ブレトンウッズ体制再構築の課題は何か。グローバル化にはコストが必要だ。グローバル化は自由貿易と資本移動という大きな利益を提供するが、透明なグローバル枠組み、強い金融システム、競争のための一連の規約など枠組み作りのためにコストを払う必要がある。カギになる教訓は、過度の内外債務の結果として、高い実質金利と通貨切下げがもたらされ、多くの国民経済の均衡が破壊されたことだ。当面の課題は、経済再建のために国際的な負担の分担方法をどうするかの検討である。グローバル化のためには、私利追求やお説教ではなく、協力とコンセンサスが必要だ。各国が為替管理において一方的な行動をとることは、グローバルな問題を平等に担う態度ではない。ＩＭＦへの資金提供が遅れてＩＭＦが資金不足に陥ったために「苦い薬」を出すはめに陥ったことも直視すべきである。ＩＭＦの最大の目的は「負担の調整を国際化すること」にあるが、米国・日本・ドイツなど大国は、国内事情からして金融政策を調整できず、調整の重荷はより小さな経済小国に担わされている。

曽蔭権はさらにこう問題を提起する。グローバル化は国際的基準への融合を呼びかけるが、グローバル市場は協調性とともに多様性にあることを認識することが重要である。「香港のようなペッグ制」ではなく、フレキシブルな為替レートが望ましいというドグマが流布しているが、これは国内的調整コストを海外に押しつけるものであり、切下げ競争が起こると、きわめて不安定になる。香港のような「小さな、開かれた経済」においては、みずからが為替レートを決定することはできない。グローバルな安定のためには、米・日・独のような主要通貨の安定が必要である。信用収縮（クレジット・クランチ）に対抗するには、国内貯蓄と外国投資を動員するために、国内債券市場を発展させる必要がある。最後にこう強調した――。「香港当局は八月に株式市場に介入したが、これはヘッジファンドによる市場操作に対抗し、米ドル・ペッグ制を堅持するための措置であった」「香港の高い貯蓄率、企業家精神と十分な外貨準備高は今後も香港経済の発展を保証している」と。

香港が優れたエコノミストの見識で、ヘッジファンドを撃退できた教訓を総括すべきである。

宰相・朱鎔基

1　一九九七年党大会でナンバー3に昇格

九七年二月一九日、鄧小平が死去した。孤児として成長した朱鎔基は、権力の中枢に入って以後もやはり孤児のような存在であった。「中南海の孤児」朱鎔基にとって鄧小平だけが支持者に見えた時期があったから、この有力な支持者を失うことが朱鎔基の政治的立場にどのような影響を与えるのか注目された。九七年四月、彼は母校であり、かつみずから学院長を務める清華大学経済管理学院で講話を行った。「鄧小平同志の死去はいかなる波動も、一つの出来事さえも現れなかった」「デマに耳を傾けるな」と前置きして、経済状況を分析した。九二〜九三年は不動産ブーム、株式ブーム、開発区ブームが巻き起こり混乱したが、一つ一つ解決したと自信に満ちた口調で解説した。これはいわば身内の場での「内部講話」であり、それだけ率直な語り口になっている。七月一日、香港返還のセレモニーは無事に終わり、九月に党大会が開かれた。この党大会で朱鎔基は政治局常務委員として留任しただけでなく、党内地位の序列は第三位に躍進した。

顧みると、一九九二年の第一四回党大会で政治局常務委員に昇格した朱鎔基は、過去五年間、中国経済の市場経済化と経済秩序の整頓のために辣腕を振るってきた。まず国有企業の三角債問題に取り組み、財政面では「分税」制を断行し、国税と地方税をそれぞれ別個に徴収する体制を確立した。さらに金融混乱を是正し、人民元の交換レートを一本化し、IMF八条国への移行をやりとげた。日本の通産省による行政指導の経験やメイン・バンク制度、そして国鉄民営化の教訓などを着実に学びつつ、脱経済計画化、市場経済化への道を急ぎ、新たな市場経済体制下における行政と企業のありかたを模索してきた。

この間、中国経済が一〇%前後の高度成長を維持しつつ、インフレを抑えたこと、そして外貨準備高を一五五〇億ドルまで増やし、人民元の交換性の実現に大きく道を開いたことは、朱鎔基の指導力がなみなみならぬものであることを示している。この意味で、九七年秋の党大会は、朱鎔基の挙げた実績を正当に評価する機会となったものと見てよい。彼は江沢民、李鵬に次いで序列第三位に昇格した（表8）。ナンバー3の地位は、九八年三月の全人代における総理昇格を示唆した。果たして彼は九八年三月一七日、国務院総理に選出され、今後五年間は名実ともに中国政府のトップとして、人口一三億に近い巨大中国の経済的離陸の舵取りを担うことになった。

国務院関係では副総理、国務委員にはじまり、各部の部長（大臣）クラスはほとんどが中央委員であり、副部長（次官）クラスは中央候補委員である。地方レベルでは各省レベルの書記が中央委員、副書記すなわち行政上の首長は中央候補委員である。こうして中央委員にせよ、中央候補委員にせよ、それぞれが所属する党組織や行政機関を代表して党組織におけるポストを保持していることがわかる。

朱鎔基に近い顔ぶれを一瞥すると（年齢は九八年当時）、王忠禹六四歳（国務院経済貿易委員会主任）、戴相竜五三歳（中国人民銀行総裁）らの中央委員についで、次の四名の金融関係者が中央委員会の候補委員に選ばれている。すなわち、

中国証券監督管理委員会主席・周正慶（五五歳）、中国銀行行長・王雪冰（四五歳）、中国建設銀行行長・王岐山（一九四八年生まれ、五〇歳、その後広東省副省長に転出）、中国工商銀行董事長・劉廷煥である。

企業集団の代表としては、

鞍鋼集団董事長兼総経理・劉玠（五一歳）、春蘭集団董事長兼総経理・陶建幸（クーラーで有名）、長虹電子集団董事長兼総経理・倪潤峯（五〇歳）、宝山鋼鉄集団総経理・謝企華（女性）、燕山石油化学集団

表8　中国共産党のトップエリート

12期1中全会 1982年9月	12期党代表会議 1985年9月	13期1中全会 1987年10月	13期4中全会 1989年6月	14期1中全会 1992年9月	15期1中全回 1997年9月	生年
政治局常務委員						
胡耀邦 67	胡耀邦 70	趙紫陽 68	*江沢民 62	江沢民 66	江沢民 71	1926
葉剣英 84	鄧小平 81	*李鵬 59	李　鵬 61	李　鵬 64	李　鵬 69	1928
鄧小平 78	趙紫陽 66	*喬石 63	喬　石 65	喬　石 68	朱鎔基 69	1928
趙紫陽 63	李先念 76	*胡啓立 58	姚依林 72	李瑞環 58	李瑞環 63	1934
李先念 73	陳　雲 80	*姚依林 70	*宋平 72	*朱鎔基 64	胡錦濤 55	1942
陳　雲 77	(葉剣英)	(胡耀邦)	*李瑞環 55	劉華清 76	尉健行 66	1931
		(鄧小平)	(趙紫陽)	胡錦濤 50	李嵐清 66	1932
		(李先念)	(胡啓立)	(姚依林)	(喬石)	
		(陳　雲)		(宋平)	(劉華清)	
政治局委員						
万里 66	万里 69	万里 71	万里 73	*丁関根 63	丁関根 68	1929
習仲勲 69	習仲勲 72	田紀雲 58	田紀雲 60	田紀雲 63	田紀雲 68	1929
王震 74	方毅 69	*江沢民 60	李鉄映 53	李嵐清 60	*李長春 53	1944
韋国清 76	*田紀雲 56	*李鉄映 51	李錫銘 63	李鉄映 56	李鉄映 61	1936
ウランフ 76	*喬石 61	*李瑞環 53	楊汝岱 62	*楊白冰 72	呉邦国 56	1941
方毅 66	*李鵬 57	*李錫銘 61	楊尚昆 82	*呉邦国 51	*呉官正 59	1938
鄧穎超 78	楊尚昆 78	*楊汝岱 60	呉学謙 68	*鄒家華 66	*遅浩田 68	1929
李徳生 66	楊得志 75	楊尚昆 80	秦基偉 75	*陳希同 62	*張万年 69	1928
楊尚昆 75	呉学謙 64	呉学謙 66	(胡耀邦)	*姜春雲 65	*羅幹 62	1935
楊得志 72	余秋里 71	*宋平 70		*銭其琛 64	姜春雲 67	1930
余秋里 68	胡喬木 73	胡耀邦 71		*尉健行 61	*賈慶林 57	1940
宋仁窮 76	胡啓立 56	秦基偉 73		*謝非 60	銭其琛 69	1928
張廷発 65	姚依林 68	(習仲勲)		*譚紹文 63	黄菊 59	1938
胡喬木 70	倪志福 52	(方毅)		(李錫銘)	温家宝 55	1942
聶栄臻 83	彭真 83	(楊得志)		(楊汝岱)	謝非 65	1932
倪志福 83	(鄧穎超)	(余秋里)		(楊尚昆)	(楊白冰)	
徐向前 80	(徐向前)	(胡喬木)		(呉学謙)	(鄒家華)	
彭真 80	(聶栄臻)	(倪志福)		(秦基偉)	(陳希同)	
廖承志	(ウランフ)	(彭真)			(譚紹文)	
	(王震)					
	(韋国清)					
	(李徳生)					
	(宋仁窮)					
	(張廷発)					
政治局候補委員						
姚依林 65	秦基偉 71	*丁関根 58	丁関根 60	温家宝 50	*曽慶紅 59	1938
秦基偉 68	陳慕華 64	(秦基偉)		仁建新 67	*呉儀 59	1938
陳慕華 61	(姚依林)	(陳慕華)		(丁関根)	(温家宝)	
					(仁建新)	

注：*は新人、（　）内は引退者、氏名のあとの年齢は就任時の誕生日を過ぎた満年齢。

董事長兼党委書記・劉海燕（五〇歳）、中国航天工業総公司副総経理・欒恩傑（一九四〇年生まれ、五八歳）、中国石油化工総公司常務副総経理・李毅中（一九四五年生まれ、五三歳）、中国船舶工業総公司総経理・徐鵬航（一九四〇年生まれ、五八歳）などである。

これらの中国的経済人（ホモ・エコノミクス・シニカ）は、いずれも比較的若く、かつ中国流のコングロマリットたる企業集団のリーダーである。彼らこそが中国を市場経済へ導く有力な牽引車である。

2 大胆な国務院の機構改革

九八年三月六日、全国人民代表大会で国務院秘書長羅幹が「国務院機構改革案」についての説明を行ったが、そこには強い危機感が表明されていた。市場経済体制への移行過程でかなり多くの国有企業が経営困難に陥り、レイオフや失業者が増えていること、デタラメ投資や重複建設のために大量の不良債権が生まれ、潜在的な金融リスクが生じていること、「アジア金融風波」はグローバルな衝撃を与えつつあること、などである。

「アジア金融風波」は与件としても、国有企業の問題やそれを助長してきた中国の金融のあり方が生まれたのは、行政機構の欠陥もあずかっているので、これを改革しようというわけである。さらに行政機構の欠陥が官僚主義や汚職腐敗を助長していることも強調した。「危機に対処するため」という理由で改革を主張するのは、改革派の常套手段であるが、この羅幹の説明の論理のなかに、朱鎔基のスタンスが色濃く投影されている。つまりは「壮士、腕を断つ」決意である。

その決意は、改革案の内容にも反映されていることはいうまでもない。現行の国務院四〇部門（各省庁）を二九部門に減らすもので、役所の数にして四分の一カットである。人員は半減である。機構の削減は九八年内に達成し、人員整理はおよそ三年でやりとげる目論見である。人員整理のやり方は「帯職分流」と「定向培訓」の方針だという。前者は職務をもったまま移動することであり、現業部門などが総公司などに移るケースを想定したものである。後者は文字通りリストラであり、廃止部門から新設部門への移動のために、「方向を定めた養成訓練」を行うものである。

行政改革において、行政の機能をよく考えたうえで、これに取り組もうとしていることは、政府機能を四種に分けて説明したことからもうかがわれる。すなわち、

政府の機能を（1）マクロ・コントロール部門、（2）専業経済管理部門、（3）教育・科学技術・文化・社会保障・資源管理部門、（4）国家政務部門、に分類した。

（1）の核心は、誤解を恐れずに端的にいえば、国家計画委員会の骨抜きであり、同時に国家経済貿易委員会の大幅拡充である。国家計画委員会は国家発展計画委員会に改称されるが、その権限は日本の経済企画庁並みのものに削減される。計画経済体制においては、この役所が各省に君臨する存在であったことはいうまでもない。しかし、市場経済への移行が半ば以上達成し、いまや最後の段階にある現在、国家計画委員会の存在こそが旧体制のシンボルであり、行政の産業への不当な介入や官僚主義的やり方を体現する存在として糾弾されることになる。

これに代わって大きな権限をもつのが国家経済貿場委員会である。国家発展計画委員会は文字通り「発展計画」に関与するのみであるから、市場経済体制のもとでのさまざまな経済運営は、基本的に国家経済貿易委員会の任務になる。この役所こそが市場経済下の中国経済を統括する役所になる。旧国家

計画委員会が物資動員体制のために保持していたような権限は、市場経済のもとでは、基本的に不要である。市場経済そのものが物資などすべての資源を価格を通じて動かすことになるからである。この意味では、旧国家計画委員会と新国家経済貿易委員会の関係は、前者の職権や人員を後者がそのまま引き継ぐものではない。ただし、政治の文脈では計画経済派が市場経済派に対して吸収合併を繰り返してきた歴史の逆転である。すなわち今回は、史上初めて市場経済派が計画経済派より優位な時代を迎えた。この事実は、国家計画委員会を母体として国家経済委員会が生まれ、後者が前者を併呑する過程を二つの役所の勢力の消長が示している。それを象徴する人物が朱鎔基にほかならない。彼は若くして国家計画委員会に入り、そこで干され続け、市場経済への移行過程でその分身的な役所の一員として復活し、その職務を推進するなかで、ついに国家計画委員会の事実上の解体の役割を演じつつある。

ここで国家計画委員会と国家経済委員会との分業と対抗の歴史を整理しておけば、表9のごとくである。

(2) の経済専業部門は、旧ソ連のゴスプラン体制に学んで、徹底的な縦割り行政になっている。旧国家計画委員会が頭脳だとすれば、これらの経済専業部門は手足の役割を果たしてきた。これらの部門のうち、鉄道部、交通部、建設部、農業部、水利部、対外貿易経済合作部はそのままである。日本の運輸省は鉄道部と交通部を合わせた役所だが、中国の国土は広大であり、両者を分けている。

この経済専業部門で特に目立つのは、信息産業部（情報産業部）の新設である。これは旧郵電部（郵政省）と電子工業部を合体し、これに広播電影電視部の情報ネット機能などを含めて管理する省である。この省の新設は、中国が情報化時代に即応した行政に力を入れていることを示唆するものである。

表9　国家計画委員会と国家経済貿易委員会との角逐

年	時期	計画経済（5カ年）指向	市場経済（年次）指向
1952	対立期	国家計画委員会成立	
1953			
1954			
1955			
1956			
1957			国家経済委員会成立。
1958			
1959			
1960			
1961			
1962			
1963			
1964			
1965			
1966			
1967			
1968			
1969			
1970	計画経済期		文革期に薄一波主任が批判され国家経済委員会は解散、機能は国家計画委員会に吸収された。
1971			
1972			
1973			
1974			
1975			
1976			
1977			
1978	対立期		国家経済委員会が復活し、康世恩が主任となる。
1979			
1980			
1981			
1982			
1983			
1984			
1985			
1986			
1987			
1988	計画経済期	国家計画委員会（姚依林主任）	国家経済委員会は国家計画委員会に吸収される。
1989			
1990			
1991			
1992			朱鎔基が国務院生産弁公室を発足させ主任となる。
	対立から市場経済へ		朱鎔基が国務院経済貿易弁公室を発足させる（主任は王忠禹）。
1993	計画経済期		朱鎔基が国家経済貿易委員会を発足させる（主任は王忠禹）。
1994			
1995			
1996			
1997			
1998		国家計画委員会を国家発展計画委員会に改組。	新国家経済貿易委員会が旧国家計画委員会の機能を大幅に吸収。

石炭、冶金、機械、電力など各産業部門ごとに設けられていた役所は廃止され、国務院の一部局になり、基本的に国家経済貿易委員会が管理する。

（3）の分野で目立つのは、労働社会保障部の新設である。国有企業改革で大量にはきだされる失業者対策のためであることはいうまでもない。

（4）国家政務部門は変わらない。これこそが国家機関の伝統的・本質的な部分である。古今東西に共通する機能であろう。

建国以来最大規模と評される、この行政改革案は三月一〇日、圧倒的多数で可決された。出席した人民代表二八七七人のうち反対・棄権票を投じたのは四五人（一・六%）にすぎなかった。朱鎔基の目論見は緒戦で勝利したのである。

国務院の行政改革を中期的な視野から眺めてみると、次のことがいえる。八一年は毛沢東時代から鄧小平時代への過渡期をつないだ華国鋒体制の最後の段階だが、この時期は文革前の旧体制への復帰ブームであり、さまざまな旧機関が続々回復され、五二を数えた。これを趙紫陽体制のもとで四五に削減し、李鵬体制はさらに四〇に削減し、今回二九に削減した。

3　若返り策を講じた国務院人事

九八年三月一六日から一八日にかけて、一連の国家指導者人事が全人代で決定された。江沢民が国家主席に再選された（賛成二八八二票、反対三六票、棄権二九票）のは当然として、副主席に五五歳の胡錦濤が選出された（賛成二八四一票、反対六七票、棄権三九票）ことは、彼がポスト江沢民の指導者として指名されたものと解してよい。というのは、九七年秋の第一五回党大会で選ばれた七名の政治局常務委員のうち、西暦二〇〇二年に予定されている第一六回党大会において江沢民、李鵬、朱鎔基、尉建行、李嵐清の五名は年齢制限のために引退するはずであるから、留任は李瑞環と胡錦濤の二名だけである。年長の李瑞環はすでに中国人民政治協商会議主席という脇役の二期目であるから、すでに長老扱いである。こうして二一世紀初頭の現役指導者のトップは胡錦濤である。胡錦濤は九二年一〇月の第一四回党大会で五〇歳の若さで政治局常務委員に抜擢され、すでに五年間「党務見習い」をやってきたが、今後五年間は「国家副元首」として、外交の場においても顔を広げ、次の党大会では文字通り、中国を代表する指導者に昇格するはずである。

全人代委員長には引退する喬石に代わって、総理を二期務めて退任する李鵬が選出された。李鵬に対する賛成は二六一六票、反対は二〇〇票、棄権は一二六票であり、反対と棄権が一一%に達した。李鵬は天安門事件における戒厳令の責任者として不人気であり、九三年に総理に再選されたときも反対と棄権票の合計が一一・四%にのぼったが、今回もまた同じ程度の不信任票で迎えられた。全国人民代表大会は基本的に党の決定を追認するだけの「ゴム判」議員、あるいは投票マシーンなどと揶揄されているが、限定された範囲内では、それなりに世論の一部を反映していると読むことができよう。中国共産党は一党独裁を堅持しているとはいえ、かつての一枚岩ではなく、党内の反主流あるいは非主流の意見をこのような形で表に表すことによって、一種のガス抜きを実行しているわけだ。

李鵬不人気と対照的なのは、朱鎔基人気である。賛成二八九〇票、反対二九票、棄権三一票であり、反対と棄権は合わせて二%にすぎなかった。

国務院の副総理以下の人事は、以下のごとくである。

副総理は李嵐清（常務）、銭其琛（外交担当）、呉邦国（工業、国有企業担当）が留任したほか温家宝（金融、農業担当）が加わった。五年後の第一〇期全人代における総理候補は、五〇代の呉邦国と温家宝のいずれかにしぼられてきた。

党務の胡錦濤と並んで政務の呉邦国、温家宝の両名は、今後特に注目を要する指導者である。副総理とほぼ同格の地位にある国務委員は、李鵬に近い羅幹（政法担当）が留任したほか、遅浩田（国防担当）、呉儀（対外貿易担当）、イスマイル・アマット（統一戦線担当）、王忠禹（経済総括）の四名が昇格した。王忠禹は朱鎔基の腹心であり、国務院秘書長を兼任する。さしずめ官房長官役であろう。朱鎔基から王忠禹までの一〇名が「国務院常務会議」のメンバーであり、この会議が日本の閣議に相当するものと見てよい。外交部部長から審計署署長までの二九名を含めた三九名の会議は「国務院全体会議」と呼ばれる。これが表向きは閣議だが、実際には、常務会議で決定した方針を全員に周知徹底させる性格の会議にならざるをえない。今回は以前の約五〇名規模よりはスリムになったが、やはり実質的な討議ができるのは、常務会議レベルになるものと見られる。

行政改革により、四〇から二九に減少した閣僚（事実上の権限からいえば次官級）のうち、留任は遅浩田、ドジツェリン、宋徳福、黄鎮東、鈕茂生、戴相竜の六名である。新任者は副部長、副主任から昇格した者が多い。部長級は基本的に中央委員のポストだが、候補委員の場合もいくつかある。年齢は五〇歳代が多く、若返り策が徹底している。

4 政治腐敗を追及した〝一〇〇個の棺桶〟エピソード

一九九五年四月二七日、中国共産党北京市委員会書記陳希同が解任され、中央紀律検査委員会書記尉建行（政治局委員）が紀律検査委員会書記を兼任のまま、後任の書記として北京市の伏魔殿に乗り込んだ。汚職の嫌疑で捜査中に自殺した副市長王宝森の問題に監督責任あり、というのが当時の発表であった（『人民日報』九五年四月二六日）。

この事件は、中国に蔓延する汚職と腐敗への追及がついに北京市のトップ、政治局委員という高い地位にある人物にまで及んだことで世界の耳目を驚かせた（陳放のノンフィクション『天怒』［香港・太平洋世紀研究所、一九九七年六月］は、これを素材としたものである）。いまでは朱鎔基伝説の一つになった「一〇〇個の棺桶」のエピソードは、この事件にからむものである。発端は江蘇省無錫の「新興実業総公司」なるペーパー・カンパニーの詐欺事件である。中央紀律検査委員会と検察院が立件したのち、関係書類が副総理朱鎔基のもとに届けられた。朱鎔基は次のような指示を与えた。

「この事件の重大性は〝沈太福事件〟を超えている。とりわけ重大なのは、北京市安全局の李敏が依然その上司の庇護を利用して勝手な振る舞いを続けていることだ。きわめて悪質であり、徹底的に摘発せよ。李鵬同志、胡錦濤同志の指示を求めよ」。

朱鎔基の断固たる指示を受けて、李敏を追及する過程で陳希同の秘書陳健があぶりだされ、そこから陳希同の腹心副市長王宝森へ、ついには陳希同自身へと捜査が及んだわけである。この事件が解決されたあと、朱鎔基はこう述べた。

「この問題を解決しないとしたら、中国の治安を保証するすべはなく、中央の権威も樹立できない。

腐敗退治はまず虎を退治してから狼を退治する。百個の棺桶を準備せよ。私の分も一つ要る。連れ立って地獄へ行けば〔原文＝同帰於尽〕、それと引き換えに国家の繁栄と庶民の支持を得るのだ」（「朱系列」香港『明報』九五年二月二六日）。

すさまじい迫力である。これはマスコミでいくどか公表されたことのある「壮士、腕を断つ」よりもはげしい表現である。陳希同の勢力基盤をたたくことは、総書記江沢民にとっても権力の安定にとって必須の条件であった。この意味では、陳希同を追い詰めたのは必ずしも朱鎔基の決意だけではないことは明らかである。にもかかわらず、汚職捜査の初期の段階で契機をつぶされていたならば、陳希同までは及ばなかった可能性もあり、この意味で、朱鎔基の断固たる姿勢は重要であった。一〇〇個の棺桶という工ピソードは、古い典拠がありそうだが、陳希同解任から三年近く経って新しい「伝説」と化し始めたことを香港紙が報道したわけである。「連れ立って地獄へ」という殺し文句は、単なるレトリックのように聞こえるかもしれない。しかし、九三年に祖先の墓に爆薬が仕掛けられたのは事実らしいから（同前、九五年二月二三日）、暗殺者が現れても不思議ではない。改革者はやはり命懸けである。

全人代における最高人民検察院の報告（九八年三月一〇日）によると、過去五年間に汚職と公金横領事件は二三・五万件を数え、摘発によって二二九・二億元（約三四〇〇億円）を回収したという。汚職などで有罪判決を受けた公務員は一五・九万人、うち一七四人は犯罪金額が百万元を超えており、最高額は二一〇〇万元（約三・二億円）であった。

九七年の全人代においては検察院の報告に対する反対票が四割を超えて、汚職や権力者の腐敗に対する憤激の大きさを示した。

人々の朱鎔基イメージは伝統的な「清官」像であろう。「清官に跡継ぎなし、清い流れに魚は棲まず」〔原文＝清官無後、清流無魚〕というのが中国の政治風土であるから、腐敗退治の困難さは予想しうる。現在はあたかも市場経済が腐敗を増加させているように見えるが、実際にはこれは移行期の現象にすぎないであろう。というのは、「権力と金銭の交換」〔原文＝以権易銭〕とは、行政的裁量権のヤミ売却を意味するからである。市場経済の範囲が拡大し、行政的裁量による部分が減少するに伴い、汚職面はとうぜん減少するはずである。ただし、これにはかなり長期の時間を要するので、清官への期待はとうぶん消えないであろう。その間、朱鎔基は棺桶を用意し続けるほかない。

5　内需拡大の切り札——西部大開発戦略

ＷＴＯをめぐる米中交渉が妥結し調印した当日、北京では中央経済工作会議〔九九年一一月一五〜一八日〕が開かれた。この会議に先立ち、政治局常務委員会は九八年に設立した「大型企業工作委員会」を廃止し、「中央企業工作委員会」〔中央企業工委〕および中央企業紀律検査工作委員会の新設を決定した。二つの新設委員会のうち前者は「大型国有企業」から「中央企業」と改称された公司の党組織を整備し、企業管理を指導するもの、後者は「中央企業」の腐敗摘発のために設けられた。同委は大型国有企業一六三社の管理に責任を負う。これらの「中央企業」のトップは、同委の許可を得て国務院人事部が任命することになる。なかでも「中央企業」三九社のトップ人事は政治局常務委員会レベルで検討し、国務院が任命する形になる。すなわち中国核工業集団公司、中国航天科技集団公司、中国航空工業第一集団公司、中国船舶工業集団公司、中国兵器工業集団公司〔以上軍事工業〕、中国石油天然気集団公司、中国石油化工集団公司、中国海洋石油総公司（以上、エネルギー）、中国電信集団公司、中国聯合通信有限公司（以上、通信）、中国第一汽車集団公司、東風汽車公司（以上、自動車）、鞍山鉄鋼集団公司、宝山鉄鋼集団公司、武漢鉄鋼集団公司（以上、鉄鋼）、華潤集団有限公司、招商局集団有限公司、香港中旅集団有限公司（以上、在香港）、中国光大集団総公司、中国国際信託投資公司（以上、投資信託公司）、中国儲備糧管理総公司、などである。これらの「超重点企業」こそ、中国経済の生命線なのである。国有企業改革に関わるものは、九月の四中全会のテーマを継承した形だ。

中央経済工作会議は、このほか、「西部大開発」と「腐敗退治」も議題に載せた。二つとも朱鎔基が陣頭指揮をとるテーマである。

まず西部大開発については、「中央西部開発領導小組」を設立し、その弁公室を国家発展計画委員会に置くことを決定した。「中西部開発」は、もともと第九次五カ年計画期（一九九六〜二〇〇〇年）の柱の一つとされていたが、実際にはその活動は限られていた。しかし、九八〜九九年の内需拡大路線のもとで新たな光が当てられた。外需の低迷、沿海地区の消費冷えに悩まされるなかで、いわば内需拡大の切り札として、脚光を浴びるに至ったのである。

二〇〇〇年一月四日、国務院新聞弁公室の主催する記者会見が行われたが、国家発展計画委員会主任曽培炎の紹介した「西部大開発」構想は、大きな「戦略的意思決定」として紹介された。確かに一九八七年の第一三回党大会で趙紫陽によって打ち出された沿海地区発展戦略を意識しつつ、沿海地区から内陸地区へ、東部開発から西部開発へという戦略的重点の移動であるから注目に値する政策展開というべきである。とはいえ、西部開発には苦い教訓もある。六〇年代に国防三線建設として、中西部地区に大量の投資が行われたが、これは壮大なムダに終わった。この教訓に鑑み、今回の西部大開発は断じて「計画経済の古い手法」を用いてはならないという警告もしばしば見られる。つまりは市場経済の方法によって誘導する形をとるべきだという主張である。

西部大開発という場合、しかも市場経済的方法に依拠するとすれば、その条件を備えていると見られるのは、さしあたり四川省成都、陝西省西安などである。これらの都市はもともといくつかの国有企業が存在したが、いま交通や水利というインフラ条件の整備を通じて、新たな開発の焦点となりつつある。米国のモトローラ、P&G、ドイツのシーメンス、日本のトヨタ自動車などの投資計画が注目されている。

中国の国内市場の開放が進む過程で西部地区においても、インフラ条件を備えた地域では、国内市場での販売を狙う企業にとっては、投資先として有利な条件を備えるに至っている。この意味で、沿海地区発展戦略から西部大開発戦略へという重点の移動は当然の成行きであると見てよい。ただし、沿海地区発展戦略の功罪は、冷静かつ客観的な事実に基づいて行われるべきである。ややもすれば、政治的思惑のみが先行するきらいがあり、その傾向には警戒すべきであろう。

ここで地域格差の現状を確認してみよう。図16は一九九八年の統計（前出『中国統計年鑑1999』）に基づいて、省レベルで見た一人当たりの所得を棒グラフに描いたものだ。九八年の所得で見て最も貧しいのは貴州省で、一人当たりの所得は二三四二元、最も豊かな上海市は二万八二五三元、貴州省を一として上海市は一二・一倍である。ちなみに一九八〇年当時、最も貧しい貴州省の一人当たりの所得は二一九元、最も豊かな上海市は二七三八元、貴州省を一として上海市は一二・五倍であった。九八年の格

図16　上海市の所得は貴州省の12倍である

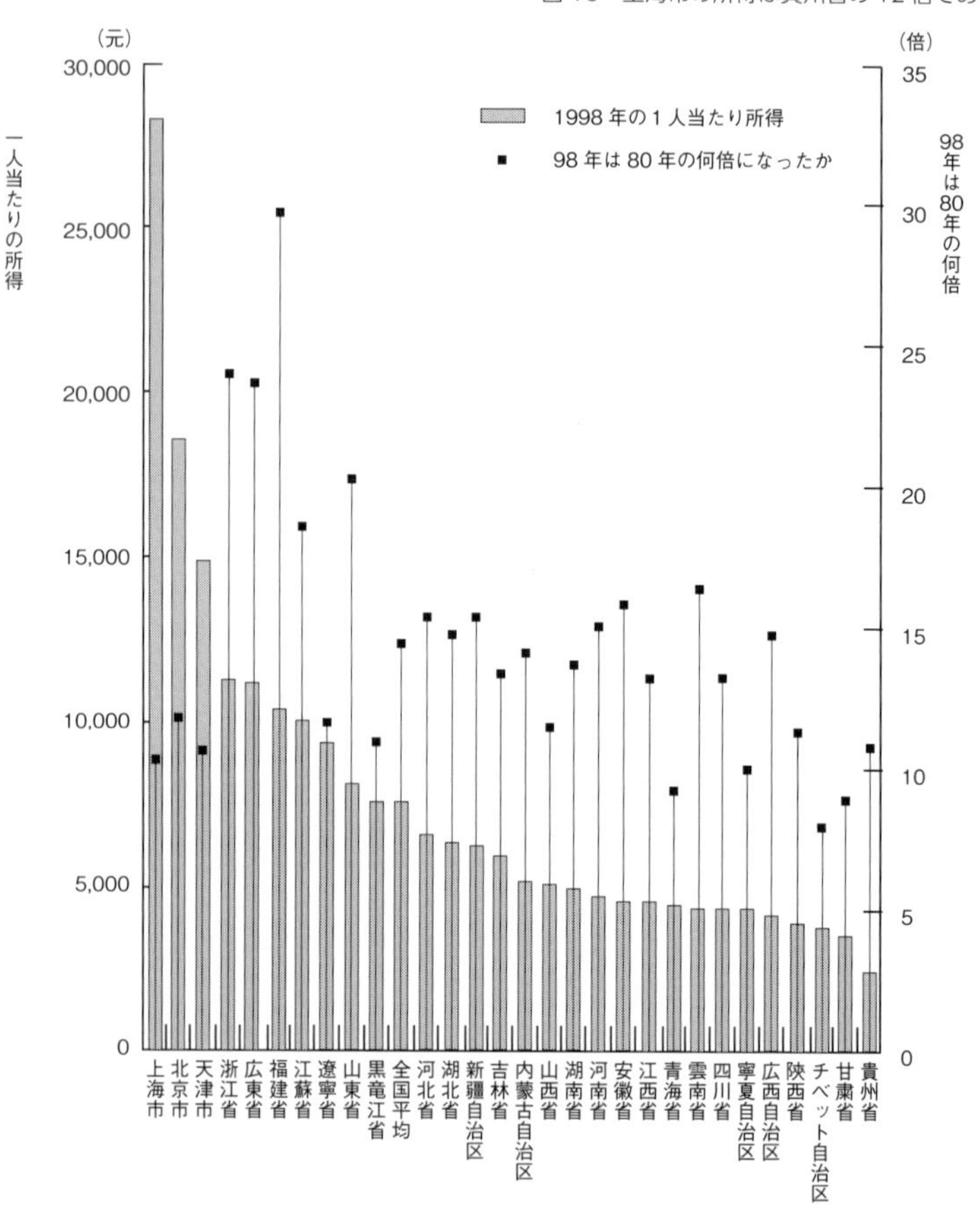

注）海南省、重慶市を除く。
資料：『中国統計年鑑 1999』北京・中国統計出版社。

差を八〇年のそれと比べると、わずかに格差は縮小している。細い線グラフは八〇年の所得と比べて各省の所得が何倍に増えたかを示したものだ。この間、インフレがあるから、これはあくまでも「名目所得」が何倍に増えたかを示すにすぎない。伸びが目立つのは浙江省、広東省、福建省、江蘇省、山東省の五省である。これらはいずれも沿海地区に位置している。

かつて四川省が中国最大の「人口大国」であり、一億を超えていたが、三峡ダムの都合から重慶市が分離したので、河南省に人口ナンバーワンの地位を譲った。河南省の人口は九三一五万人、チベットの人口は二五二万人である。中国の各省レベル人口を眺めると、中国自体が「もう一つの国連」に見えてくる。たとえば遼寧省の人口は韓国に近いし、広東省のそれはフィリピンに近いというように。人口の大きさと所得との間には、上海・北京・天津という三大都市を除けば、あまり関係のないことがわかる。逆にいえば、これら三大中央直轄市は特別な存在である。さまざまな意味で優遇されてきた。何よりも人口流入が厳しく統制されてきた。これらの都市の一人当たり所得が高いのは当然であるから、上海市と貴州省を比べて、その倍率を語ることにどれほどの意味があるかという話になる。「格差が拡大した」と主張したい向きは、貧しい貴州省と豊かな上海市を対比させるが、比較の深い意味を追求する必要があろう。貴州省で働いた者が上海市で生活するとしたら、これはたいへんだが、そのような人々は例外に近い存在ではないのか。

図17は、各省レベルの所得が全国平均の何倍であるかを八〇年と九八年について調べて、九八年は八〇年より倍率が増えたか、減ったかをグラフにしたものである。左側の福建省から山東省までは、相対的に地位が上がった地域。右側から数えて上海市、天津市、チベット自治区などは、相対的地位が落ち

図 17　伸びた地域と沈んだ地域を対照させると

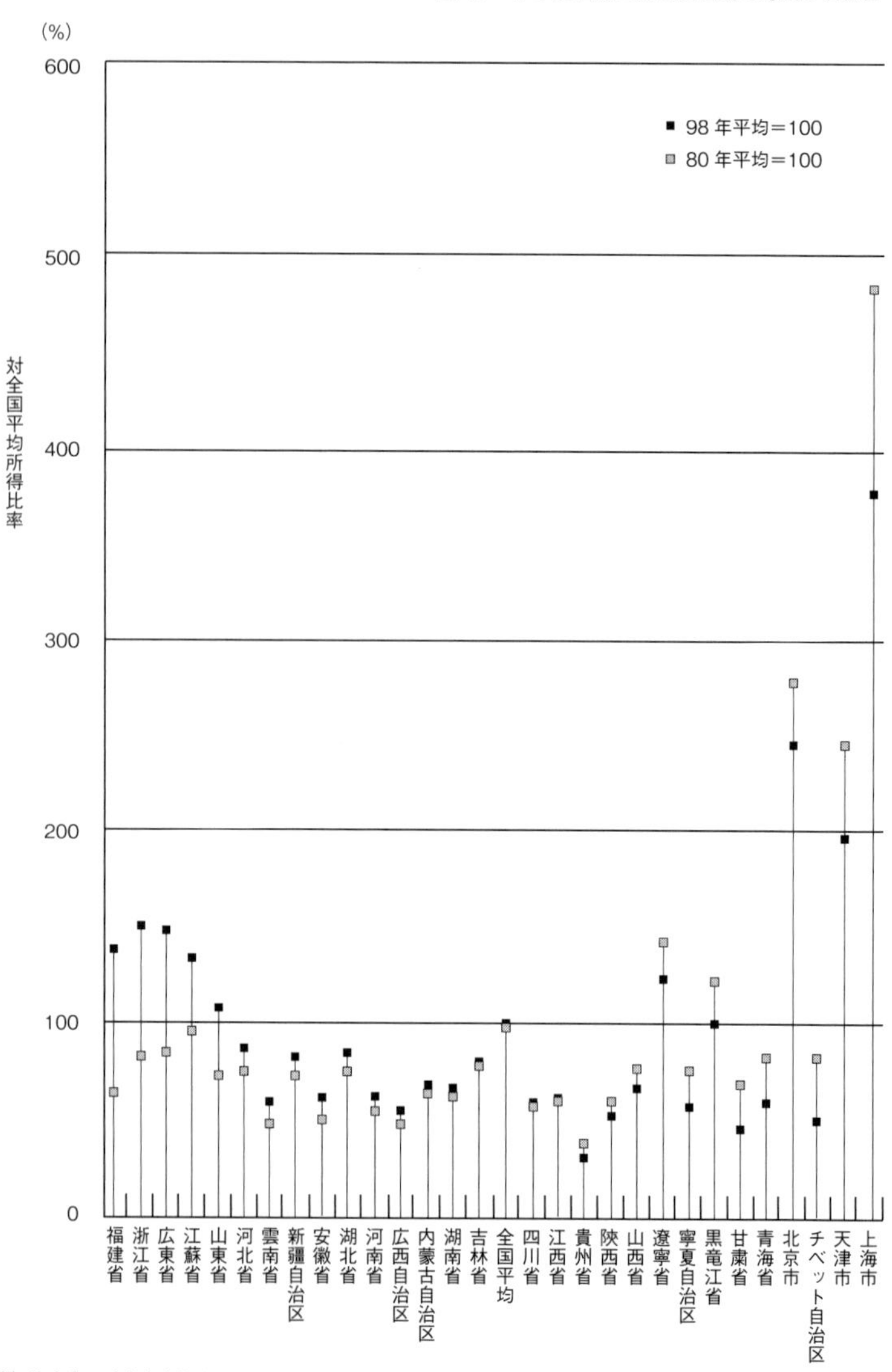

注）海南省、重慶市を除く。
資料：『中国統計年鑑 1999』。

図 18　沿海地区発展戦略から西部大開発へ

た地域である。

ではいまようやく動き始めた西部大開発は何をめざすのか。さしあたりは図18のなかほどにある四川省と陝西省が開発の中心である。ここには他の内陸地区と比べていくつかの有利な条件がある。それを活かそうという試みである。いまようやく市場経済の波が西部地区にも及び始めた。しかし、これによって地域格差はどうなるのか。むろん部分的には格差は縮小する局面が生れよう。しかし、格差縮小には大きな限界があるはずだ。中国はもともと格差の大きな国である。格差是正策には限界があることを見極めておく必要がある。「地域格差」は、政治的安定を損なうに至らない範囲に抑えることができれば、それでよしとするほかあるまい。それが政策の限界であろう。

（初出：『「朱鎔基」中国市場経済の行方』小学館文庫、序章・第3章～第6章、二〇〇〇年五月）

ジョヴァンニ・アリギ著『北京のアダム・スミス——21世紀の諸系譜[*1]』を読む

本稿で取り上げる『北京のアダム・スミス』（六七三頁）、そしてリーマンショック後のウォールストリート占拠運動を指導したひとりデヴィッド・グレーバーによる『負債論』（八四八頁）。この二つの大著と、帯に「青木の最期のメッセージ」とうたい、青木自身による「明治維新と辛亥革命の比較論」、青木が精選した一二の論考からなる『比較制度分析のフロンティア』（三五六頁）。この三書に対する書評（二書目は本選集第4巻に収載、三書目の初出は『情況』二〇一七年夏号）は、日本・中国にとどまらず世界を視野に入れたチャイナウオッチを視野に入れる著者の面目躍如たるものがある。

内容紹介

著者アリギおよび本書については、大阪大学西洋史学科の紀要に掲載の安井倫子の書評論文「経済発展の経路 ヨーロッパとアジア」[*2]が的確な紹介をしていると思われるので、まずこれを読む。以下、安井の引用である。

著者ジョヴァンニ・アリギは一九三七年にイタリアで生まれた。自伝によれば、父は母方の祖父が経営する工場の技師であり、父とこの祖父の間には経営者と労働者という緊張関係があったが、同時に反ファシズムという点では一致しており、このことがアリギの思想形成と政治的立場に多大な影響を与えたという。ミラノのボッコーニ大学で経済学を学び、ミラノ大学で博士号を取得。一九六三年から一九六九年までローデシア（現ジンバブエ）とタンザニアの大学で教鞭をとることになる。

一九六九年にイタリアに戻る。ここで、彼は社会運動に関わりつつ、研究を発展させ、その成果は一九八七年、"*Capitalist Development in Hostile Environments: Feuds, Class Struggles, and Migrations in Peripheral Region of Southern Italy*"（*Review*, 10/4, Spring 1987）にまとめられた。同時にこの頃、アリギの研究は、世界システム論にその理論的枠組みを求めることになる。

一九七九年には、ニューヨーク州立大学ビンガムトン校、フェルナンド・ブローデル・センターに移った。ビンガムトン校での研究環境が、世界システム論による彼の資本主義分析と議論を深め発展させたと、彼自身述べている。一九八二年に、サミール・アミン、アンドレ・グンダー・フランク、イマニュエル・ウォーラスティンとの共著で、*Dynamics of Global Crisis*, New York, 1982 を、次いで、*Transforming the Revolution: Social Movements and the World System*, New York, 1990 を出版した。一九九四年には、*The Long Twentieth Century: Money, Power, and the Origins of Our Times*, New York, 1994 を著わし、世界システム論の論客として世界中に名を馳せた。

一九九八年からはジョンズ・ホプキンス大学社会学部教授を務め、数多くの論文を執筆、世界各国で講演もこなしてきた。一九九九年、ビヴァリー・シルヴァーとの共著で、*Chaos and Governance in the Modern World System*, Minneapolis, 1999 をまとめた。また、二〇〇一年三月、日本西洋史学会第五〇回大会記念国際シンポジウムを総括するためのセミナーに講師として招聘され、旧大阪外国語大学で講演を行っている。

二つの書〔*Dynamics of Global Crisis* および *Transforming the Revolution*〕は、「近代世界システムにおけるヘゲモニー交代の歴史的過程を考察し、先行するヘゲモニー国家の衰退と新たに勃興・台頭するヘゲモニー国家の相互連関性を明らかに」したものである。その重要な論点は、ヘゲモニーの危機及び崩壊の要因を、国家間ないしは企業間の経済的競争より、むしろ社会紛争と政治的競争とし、この観点から「西洋に対する反乱」、すなわちアジアの台頭を、二〇世紀のヘゲモニーの移行（イギリスからアメリカへ）の決定要因と見なしたことである。

二〇〇七年には、*Adam Smith in Beijing: Lineages of the Twenty-First Century* を出版し、これまでのアリギの議論の集大成を行った。*Adam Smith in Beijing* は、アリギが一九九四年に出版した『長い20世紀』の続編、ないしは完結編ともいえる。本書では、西洋と東アジアの経済発展の経路が比較検討され、二世紀に及んだ西洋による世界支配は、ふたつの異なる発展経路のハイブリッド化 hybridization によって終焉を迎える可能性が示唆されている。『長い20世紀』の最後の部分では、アメリカのヘゲモニーの危機・衰退後に起こりうる二一世紀のシナリオを、彼は、三つの可能性として留保していた。第一はアメリカとヨーロッパの同盟国による更なるグローバル・ヘゲモニーの継続、第二は東アジア中心へのヘゲモニーの移行、そして第三に世界はカオスの中で燃え尽きるというものであった。

『長い20世紀』後一三年を経て、我々は資本主義世界システムにおけるアメリカ合衆国のヘゲモニーの凋落を見、それと同時期に起こった「東アジアの経済復興」を経験した。特に二一世紀にはじまる中国の経済発展には目を見張るものがある。*Adam Smith in Beijing* は『長い20世紀』で提起した第二の可能性が現実になりつつあるとの著者の認識から、中国の経済発展の歴史的根源を解明しようと試みたものである。本書のタイトルが示すように、アリギはアダム・スミスが『国富論』で示した市場経済発展モデルを中国に適用した。彼の論点は、東アジアはヨーロッパがたどった資本主義発展の軌道とは異なる、経済発展の経路を取ってきたということにある。すなわち資本の過剰蓄積と海外領土拡張による帝国建設の道ではなく、東アジアは、市場経済発展に基礎をおいた、「国民の富」を優先する道筋をたどってきたというものである。ヨーロッパ中心の近代世界システムの形成とその内部でのヘゲモニーの交替においては、世界を巻き込んだ動乱（戦争）が不可避であったが、二一世紀における中国の台頭 ascent は「平和的」であるとアリギは論じた。アダム・スミスの言う、「自然」な発展経路＝市場発展優先の経路を中国がとってきたことがこれを可能にしたのである。

二〇〇八年、アリギは癌と診断され、一年間の闘病の後、二〇〇九年六月、アメリカで死亡した。ジョンズ・ホプキンス大学は今も追悼のウェブ・サイトをインターネット上に掲載している。

安井の紹介によってアリギがイタリア生まれであること、グラムシらユーロ・コミュニズムの思想的潮流と何らかの関わりをもつのではないかという予想が立つ。その後、ニューヨーク州立大学ビンガムトン校で研究という経歴から私は旧友社会学者マーク・セルデン、恭子夫妻の名を思い浮かべる。事実、未見だがセルデンとの共編著もある。晩年の一〇年はジョンズ・ホプキンス大学社会学部教授であったという。この大学は私の親友スチーブン・ハーナーの母校であり、彼が私の『チャイメリカ——米中結託と日本の進路』（花伝社、二〇一二年）を書評して、それがこの大学の紀要[*3]に掲載されたものであるために特別の親しみを感じている。

章立てと構成[*4]

第1部「アダム・スミスと新しいアジアの時代」は、スミスの読み直しを通じて、アジアの経済発展を世界史に位置づける試みだ。第1章「デトロイトのマルクス、北京のスミス」、第2章「アダム・スミスの歴史社会学」、第3章「マルクス、シュンペーター、そして資本と権力の「終わりのない」蓄積」の3章からなる。

第2部「世界的動乱の根源」は、パクス・アメリカーナがいま崩壊に瀕している理由を追求している。第4章「世界的動乱の経済学」、第5章「世界的動乱の社会的要因」、第6章「ヘゲモニーの危機」の3章からなるが、核心は、現代におけるヘゲモニーの危機とは、アメリカから中国への移行期の危機であり、それをかつてのイギリスからアメリカへの移行期と対比していることにある。

第3部「崩壊するヘゲモニー」は、第7章「ヘゲモニーなき支配」、第8章「歴史上の資本主義の領土獲得の論理」、第9章「存在しなかった世界国家」の3章からなるが、近代帝国主義がなぜ植民地を必須とするかを分析している。

第4部「新しいアジアの時代の起源」は、第10章「「平和的」上昇という挑戦」、第11章「東と西の国家、市場、そして、資本主義」、第12章「中国の台頭の起源と原動力」の3章からなるが、中心はGNPが米国を超える「中国の勃興」の分析だ。

主な内容を安井の紹介に依拠しつつ、要約する。

第1部は本書の理論的基盤を示す。第一の柱は、スミス『国富論』における国家の役割の読み直しだ。アリギは、スミスが最も誤解されている点として、国民教育や財政管理など、近代的国家の役割を不可欠としたにもかかわらず、あたかも一九八〇年代末の新自由主義の説く「小さな政府・規制緩和・市場原理・民営化」と混同されている。この種の論調は、スミスと無縁だと強調した。

第二の柱は、アジアにおける市場経済の発展をどう解するか、である。アリギは、ケネス・ポメランツの「大分岐」の理論を認めつつ、さらに発展させ、二〇世紀の後半に、なぜアジアが「奇跡的に再興」したのかを問う。その答えは、アジアにおける「非資本主義的市場経済」である。スミスは「資本主義的発展」よりむしろ「市場の発展」を重視して「自然的発展」と規定した。スミスのいう「自然的発展経路」をたどったアジアでは「成熟した」経済が存在していたことを、杉原薫らの「勤勉革命」[*5]の議論に拠りながら実情調査（fact-finding）を行い、現代アジアは、ヨーロッパ的発展とアジア的発展という、二つの発展経路の「ハイブリッド化」が進行中と説く。

第三の柱は、資本の過剰蓄積や階級闘争による労働者への内圧を基本とする、マルクス主義史観は現代アメリカ合衆国にこそ妥当すると論じたことだ。「マルクスの正しさは、デトロイト［という自動車工場の廃墟］で発見された」の一語はすばらしい警句であろう。アリギは、資本と国家の関係を資本が国家を従属させるヨーロッパ型と国家が資本を管理するアジア型に類型化して、過剰蓄積された資本が海外植民地獲得に乗り出し国家を従属させる、国家にとっては、資本の活動を庇護するための軍事力拡大は、国家間競争と植民地獲得のための至上命令であった、とする。

第2部はスミス理論に依拠して、「アメリカの世紀」の衰退を説明する。二〇世紀前半、イギリスからアメリカへへゲモニーが転換した。第二次世界大戦後、アメリカのさらなる資本蓄積・金融資本主義への転換が行われたが、それはアメリカ資本主義を侵食した。一九世紀末、西欧列強の競争（水平圧力）と、アメリカ内部での下からの階級闘争・労働運動（垂直圧力・賃金圧力）にさらされ、「内部圧力の緩和」を求めて領土・市場獲得戦争へ向かう。かくて二〇世紀の戦争は国家と資本による総力戦となる。大戦後、過剰蓄積されたアメリカ資本は、冷戦構造下で南アメリカ、アジア、アフリカへ流れた。こうして金融資本主義によるグローバル化が進んだ。

　では、アメリカの危機はなぜ到来したのか。冷戦構造のもとで、アメリカ政府はケインズ主義による「戦争・福祉国家（warfare-welfare state）」により共産主義封じ込めを旗印にした。しかし、ケインズ主義的な国家主導による経済・軍事戦略は、一九七〇年代に危機をもたらした。一つは不均等発展によって力をつけた日本・ドイツなどによる利益の浸食、もう一つは労働側勢力からの賃上げ圧力である。加えてベトナム戦争による国際社会でのアメリカの威信の低下と戦費拡大による戦争・福祉国家の破綻がヘゲモニーの危機を深化させた。

　一九七〇年代に始まった危機の兆候をアメリカは金融化すなわち「通貨主義者の反革命」によって乗り切ろうとして、変動相場制を導入した。これにより通貨が「商品としての価値」をもち、国境を越えて流れる通貨は、「現実の物流」をはるかにしのいだ。アメリカ多国籍企業は海外に資本投下し、アメリカ資本は海外に流出した。同時に通貨の投機的売買が進み、ドル価値が下落した。過剰蓄積された資本が、国内市場に還流されず、さらなる自己増殖のためにグローバル規模で投下された。グローバル化された金融システムすなわち実態なき金融に特化した資本主義とは労働者の状況の悪化と背中合わせであり、結果としてアメリカ製造業の国際競争力の低下を招いた。アメリカ国内の製造業は衰え、空洞化し、企業はより効率的な生産を求めて、グローバル・ネットワーク的生産に移行する。これがアジアの経済成長を促すとともに、アメリカの資本力・金融力を弱め、ヘゲモニーの低下を促進した。

　第3部では、資本主義の発展の本質を、「領域（拡大）の不可避性（spatial fix）」と「収奪による蓄積

（accumulation by dispossession）」を通じたヘゲモニー競争・戦争として論じている。アメリカの危機は、資本主義発展の最終的危機だとアリギは主張する。ヘゲモニーの「終末的危機」を加速したのが、ブッシュ政権によるイラク戦争だ。ベトナム戦争が中国を世界経済の場に呼び戻した（ニクソン訪中）ならば、イラク戦争こそが中国を「真の勝利者」の地位に押し上げた。すなわちベトナム戦争による国家財政の破綻により、アメリカは「正当な守り神」から「みかじめ安保料（protection racket）」を徴集する国家に堕落し、アメリカ主導で行われる戦争の正当性に対する疑惑を深めた。

ブッシュ政権（一九八九〜九二年）は、軍事・経済・政治的にアメリカの限界を露呈した。忠実な同盟国でさえ、イラク戦争に対しては戦費を出し渋った。二〇〇五年のハリケーン・カトリーナは、アメリカの富の偏在、最貧困層の存在を国民に知らしめた。イラク戦争はアメリカの軍事力への信用を失墜させ、「終局的危機（terminal crisis）」を早めた。

第4部は、アメリカ政府による中国政策の批判的検討を行い、「市場経済」に基礎を置く「アジア的資本主義発展」を解明している。東アジア中心の世界市場の形成が現実になってきたなかで、アメリカは「未知の長城（The Great Wall of Unknowns）」を築こうとした。

アジアこそが、スミス的な非資本主義的市場経済を中心的に発展させてきた地域である。この地域は、ヨーロッパ型の海外領土獲得、軍事力拡大依存型の資本蓄積とは異なり、国内市場優先の立場から短距離、周辺国との交易を重視する道を選んできた。両者の相違点は、地理的拡大と国家間戦争を伴う前者に対し、後者は一五世紀来の五〇〇年間の平和を維持し、スミスの言う「自然な」発展経路としての国内市場の維持成長を優先した点にある。中国中心の朝貢貿易システムによる東アジア海域の交易ネットワークは、一八世紀にも発展し、中国は世界最大の市場であり続けた。しかし、一九世紀には、東アジアはヨーロッパ的システムに組み込まれ、東アジアの平和的国際関係は激変した。日本は明治維新により、ヨーロッパ的発展経路を選び、日清・日露戦争に勝利し、「帝国主義ゲーム」に参加した。このようなヨーロッパ的発展経路とアジア的発展経路の出会いは、アジア的市場経済を破壊したのではなく、アジアにおけるハイブリッド化の契機をもたらした。

第二次世界大戦で敗北したのち、日本は「アメリカ中心の朝貢貿易システム」に組み込まれ、軍事的コストを負担することなく、アジア的経済発展の経路を回復した。日本の経済復興は、東アジアの経済復興と統合を促し、アメリカの相対的なヘゲモニー凋落のなかで、東アジア的発展経路が復活した。一九八〇年代以降の鄧小平による中国の改革開放路線は、巨大な中国市場を世界経済の舞台に解き放った。改革は文化大革命期に疲弊していた農村と農業の改革に重点を置くことから着手された。農村の生産性の向上は農村に余剰資本と余剰労働力を生み出した。これらを吸収、利用するための郷鎮企業が設立され、地方の産業と経済発展の原動力となった。郷鎮企業から資本家階級が創出された。「収奪なしの資本蓄積（Accumulation without Dispossession）」は、地方、農村の市場を発展させることによって実現した。

対外開放政策により国外の貿易、投資を呼び込んだ。第二次世界大戦後アジア諸国に拡大し、資本を蓄積していた華僑ネットワークは、改革開放路線による中国の経済発展の舞台を準備していた。沿岸の経済特別区などの設置により、華僑がエージェントとなり、貿易のみならず外国資本による直接投資、委託生産などがこの地域に集中した。二〇〇〇年以降のさらなる飛躍の土台がこのようにして築かれた。アメリカの外交的軍事的威信の低下、債務国への転落のなかで、蓄積されてきた中国の資金と巨大な市場が注目される。中国の経済発展は、国家主導による強力な中国の社会改革推進を抜きにはなしえなかった。鄧小平は経済に重点を移し、「近代化」に踏み出した。農村の改革から始められたことには大きな意味があるとして、アリギは中国が革命以来の社会主義建設において、中国独自の社会主義理論を適用してきたことを評価している。一九九〇年代の所得格差、農村の不満、汚職、環境破壊、国有企業のレイオフによる労働者の不満などの顕在化のなかで、アリギもこれらの問題に注意を払いつつ、中国政府がよりバランスの取れた経済発展に取り組む必要性を強調している。

安井は解説の結びで言う。「本書は、〔中略〕資本主義の歴史を描き直した画期的な書物である〔中略〕本書の伝えるメッセージは強いインパクトを持つ。すなわち、西洋社会に対し、世界経済の未来についてのハンドルを握っているのは、もはや西洋、アメリカではなく、東アジア、中国であることを認識すべきであることを訴え、同時に中国に対しても、環境に配慮し、持続可能な経済発展の道を追求する必要性を強調している」と。その理論的土台は、西洋と東洋の経済発展の経路（path）の違いの確認とハイブリッド化の可能性である。アリギは、過去五〇〇年間の、西欧資本主義システムにおけるへゲモニーの移行、すなわち過去のへゲモニーの衰退と新たなへゲモニーへの移行において、金融の果たした役割の重要性を指摘した。同時に彼は、へゲモニーの交代は、資本主義世界システム全体の管理能力を、古いへゲモニー国家が保持しえない段階にまで、システム自体が拡大することによって行われると喝破した。しかしながら、新しいへゲモニーの担い手たる中国にも内外の大きな矛盾が横たわる。アリギの言う「方向転換（reorientation）」を中国政府が自発的に成し遂げることができるかは不透明である。

評者の見解

原書七〇頁に図マルサスの低レベル均衡e_1の罠とスミスの高レベル均衡e_2の罠と題した図解がある。低レベル均衡e_1の罠とは、通常マルサスの罠と呼ばれる。人口の増加率が食糧の増加率を超えている社会では、人々の生活は改善されることはなく悪化する。そのような社会は発展できないので、食糧の増産をもたらす農業革命が必要だ。農業革命を経て初めて、人々は食糧不足や飢餓から解放され、余裕のある生活に移行できる。これがマルサスの罠から逃れるという意味だ。

では、スミスの高レベル均衡e_2の罠とは何か。人口の増加率と生活資材の増加率との比較という意味ではマルサスの場合と同じだが、食糧はすでに保証されているので、食糧を「所得」と読み替える。すなわち人口の増加率と所得の増加率の関係を考える。農業革命のあと、ある時点e_2までは食糧増産が人口の増加率を上回るので、一人当たり食糧（より一般的には所得水準）は増加を続ける。ところが、ある時点e_2では、一人当たり食糧（より一般的には所得水準）が増加しない壁に突き当たる。それは所得の増加率が人口の増加率を下回る事態である。ここでは一人当たりの所得は人口の増加率を下回るので、人々の生活はますます貧しくなる。ここで必要なのは（農業革命はすでに終えているので）工業革命あるいは産業革命だ。

イギリスを初めとするヨーロッパ諸国はここで大規模な工業生産を行う産業革命に成功して資本主義の道を歩んだ。これに対して中国を初めとするアジア社会は、マルサスの罠にはまり、産業革命を迎えることができなかった。農業生産と結合した小規模工業生産が大規模工業の誕生を阻んだからだ。

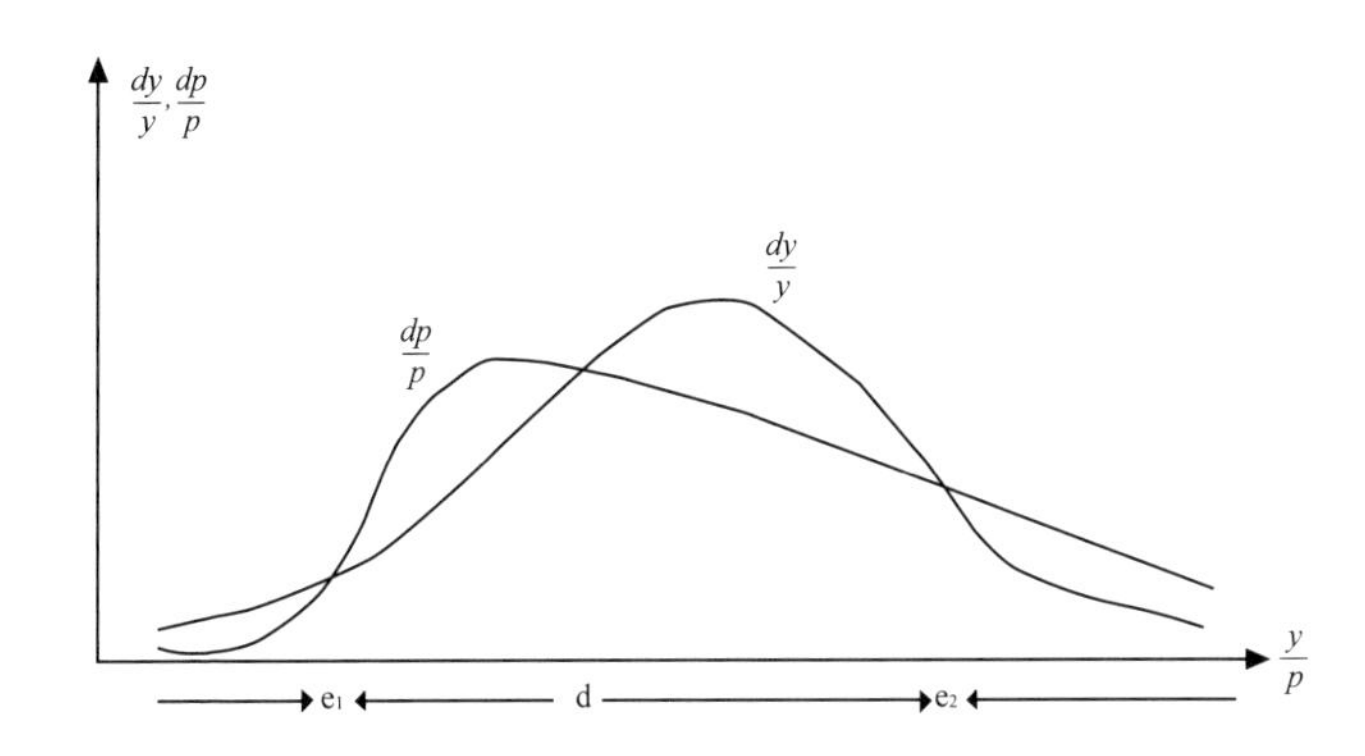

図　マルサスの「低レベル均衡」e_1 の罠対スミスの「高レベル均衡」e_2 の罠

e_1 は人口増加率が食糧（所得）増加率を超える「マルサスの罠」（低レベル均衡）
e_2 は所得増加率が人口増加率を下回る「スミスの罠」（高レベル均衡）。
d は食糧増加率が人口増加率を超えて「マルサスの罠」（不安定均衡）から脱却できる時点を示す。

注：横軸 y/p は、人口一人当たりの所得（食糧）を示す。縦軸の dy/y は、所得の増加率を示し、dp/p は、人口の増加率を示す。
矢吹注：グラフ上の点 e_1 は、人口増加率が食糧（所得）増加率を超える「マルサスの罠」の開始時期を示す。ここで農業革命が必要となる。点 d は、食糧増加率が人口増加率を超えて、「マルサスの罠」から脱却できる時点を示す。グラフ上の点 e_2 は、所得増加率が人口増加率を下回る「スミスの罠」の開始時期。ここで産業革命が起こり、所得増加率が人口増加率を超えるまで「スミスの罠」に陥り、この間、一人当たり所得は、低下傾向が続くために、経済発展は妨げられる。
出所：Richard Nelson, "A Theory of the Low-Level Equilibrium Trap in Underdeveloped Economies", *The American Economic Review*, 46,4, 1956.

ここでアリギは伝統的な市場経済（C―M―C′）と資本主義経済（M―C―M′）とを峻別して、市場経済（C―M―C′）を評価して、資本主義経済（M―C―M′）を厳しく批判する。前者は人々が市場において必要な商品を交換し合う関係であるから、人間にとって「自然な」関係を取り結ぶことになる。しかしながら後者は、資本をもって資本を増殖する行為、資本のあくなき自己増殖を図るものであり、歴史上のそれまでの市場経済、商品交換とは異質だ。

マルクスやシュンペーターは資本主義の発展を論じたが、これを放棄して、スミスの歴史社会学に戻るのがよい。資本主義の発展は軍事力を用いた植民地獲得を不可避としたが、スミスの説いた市場経済は軍事力と無縁であった。マルクスの資本家的生産には、より有用な商品との交換を意図した商品交換が想定されていたが（capitalist agencies participate in market exchanges for a purpose other than transforming commodities into commodities of greater utility, p.74）、スミスのそれは、「貨幣には購買力のほかには目的はない」（money serves no other purpose besides purchasing goods, p.74）というものであった。

アリギはスミスが明示的に述べた商品経済とマルクスが明示的には述べなかった商品経済との違いについて詳しい分析を展開しているが、その結論は、スミスの市場経済（C―M―C′）とマルクスの資本主義経済（M―M′、ここではCはもはや無視してよい）とを対比して、後者こそが今日のグローバル経済を支える論理だという分析である。大胆な対比であり、異論を呼ぶことは明らかだが、アリギの主張は明解このうえないと評してよい。

さて、矢吹の提起したいもう一つの問題は日本の位置づけである。アリギはヨーロッパ的資本主義の発展に対してアジア的市場経済の道を提起したが、日本はヨーロッパ型なのか、アジア型なのか。一八六八～二〇一六年の一四九年の歴史は、一八六八～一九四五年の七八年と一九四五～二〇一六年の七二年に分けられる。前者が植民地獲得を目指すヨーロッパ型であった史実は明らかだ。後者は敗戦によって、植民地を放棄した（させられた）にもかかわらず、高度成長を実現した。

　このように日本の道を二分して考えると、アジア的市場経済の道とは、ヨーロッパ型とのハイブリッドであるとアリギが指摘する媒介項にあることが分かる。日本はアジア型とヨーロッパ型の二つの顔をもち、それゆえにこそ両者の接点に位置することができた。その歴史的意味を正確に分析してその役割を発揮するのか、それともアジアにありながらヨーロッパ型の敗れた夢を幻想するのか、いま大きな岐路に立つことは明らかだ。中国の勃興とアメリカの衰退との狭間で、安倍政権は愚劣にも、敗れた夢に未練を抱き続けているように見える。

＊1　GIOVANNI ARRIGHI, *ADAM SMITH IN BEIJING: Lineages of the Twenty-First Century*, First published by Verso 2007. 邦訳は中山智香子監訳、作品社、二〇一一年。

＊2　*Journal of History for the Public* (2011) 8, pp 93-104 c2011 Department of Occidental History, Osaka University. ISSN 1348-852x Review Article on Giovanni Arrighi, Adam Smith in Beijing: Lineages of the Twenty-First Century, Michiko YASUI.

＊3　SAIS Review vol. XXIII, no. 2 (Summer-Fall 2003) Realliances and the Future of U.S. Interests in China and Japan Stephen M. Harner Yabuki Susumu, *Chimerica-U.S.-China Collusion and the Way Forward for Japan*, Tokyo, Kadensha, 2012, p.315.

＊4　Introduction Part 1: Adam Smith and the New Asian Age, 1 Marx in Detroit, Smith in Beijing, 2 The

Historical Sociology of Adam Smith, 3 Marx, Schumpeter, and the "Endless" Accumulation of Capital and Power. Part II: Tracking Global Turbulence, 4 The Economics of Global Turbulence, 5 Social Dynamics of Global Turbulence, 6 A Crisis of Hegemony. Part III: Hegemony Unraveling, 7 Domination without Hegemony, 8 The Territorial Logic of Historical Capitalism, 9 The World State that Never Was. Part IV: Lineages of the New Asian Age, 10 The Challenge of "Peaceful Ascent, 11 States, Markets, and Capitalism, East and West, 12 Origins and Dynamic of the Chinese Ascent. Epilogue. Bibliography. Index.

＊5　これを杉原薫は Industrious Revolution と訳す。むろん Industrial Revolution を意識した造語である。

（初出：『情況』二〇一七年夏号、「中国観照 第一五回」、二〇一七年七月）

やぶき すすむ

1938年福島県郡山市生まれ。県立安積高校在学時に朝河貫一を知る。1958年東京大学教養学部に入学し、第2外国語として中国語を学ぶ。1962年東京大学経済学部卒業。東洋経済新報社記者となり、石橋湛山の謦咳に接する。1967年アジア経済研究所研究員、1971～1973年シンガポール南洋大学客員研究員、香港大学客員研究員。1976年横浜市立大学助教授・教授を経て、2004年横浜市立大学名誉教授。現在、21世紀中国総研ディレクター、公益財団法人東洋文庫研究員、朝河貫一博士顕彰協会会長。

著書は単著だけでも40書を超え、共著・編著を合わせると70書をゆうに超える。ここでは本シリーズ「チャイナウォッチ」からははずれる朝河貫一の英文著作を編訳した『ポーツマスから消された男──朝河貫一の日露戦争論』（東信堂、2002年）、『入来文書』（柏書房、2005年）、『大化改新』（同上、2006年）、『朝河貫一比較封建制論集』（同上、2007年）、『中世日本の土地と社会』（同上、2015年）、『明治小史』（『横浜市立大学論叢』、2019年）の6書、朝河を主題とする『朝河貫一とその時代』（花伝社、2007年）、『日本の発見──朝河貫一と歴史学』（同上、2008年）、『天皇制と日本史──朝河貫一から学ぶ』（集広舎、2021年）の3書を挙げておきたい。

チャイナウオッチ
矢吹晋著作選集
3
市場経済

2022年12月 5 日初版印刷
2022年12月20日初版発行

著者　矢吹晋
発行者　飯島徹
発行所　未知谷
東京都千代田区神田猿楽町 2 丁目 5-9　〒 101-0064
Tel. 03-5281-3751 / Fax. 03-5281-3752
［振替］ 00130-4-653627

編者　朝浩之
編集協力　（株）デコ
組版　柏木薫
印刷・製本　モリモト印刷

Publisher Michitani Co, Ltd., Tokyo
Printed in Japan
ISBN 978-4-89642-673-1　C0322

2022年9月29日　日中国交正常化50周年　記念出版

チャイナウオッチ
矢吹晋著作選集
全五巻

第三巻　市場経済（本書／第三回配本）

第一巻　文化大革命（既刊／第一回配本）

第四巻　日本－中国－米国、台湾（既刊／第二回配本）

以下、続刊

第二巻　天安門事件

第五巻　電脳社会主義

四六判並製函入　各巻平均 400 頁
各巻予価本体 2700 円＋税

未知谷